AF497386

DELLE
LETTERE
DEL
COMMENDATORE
ANNIBAL CARO,

SCRITTE A NOME
DEL CARDINALE
ALESSANDRO FARNESE,

DIVISE IN TRE VOLUMI,
ed ora la prima volta pubblicate,

VOLUME PRIMO.

IN PADOVA. CIƆIƆCCLXV.
APPRESSO GIUSEPPE COMINO.
CON LICENZA DE' SUPERIORI.

AL NOBILE, E GENEROSO

SIGNOR CONTE

CLAUDIO MUSSATO

PATRIZIO PADOVANO

Angelo di Giuseppe Comino.

SE BENE le Opere degli eccellenti Scrittori, Nobile, e Generoſo Signor Conte, non abbiſognano dell' altrui

a 2 pro-

protezione per refiftere ai rabbiofi morfi dell' invidia ; addiviene però bene fpeffo per molte cagioni che n' abbian bifogno coloro , i quali fi accingono a pubblicarle . Perchè dovendo ufcire de' miei torchj la prima volta tre Volumi di Lettere inedite del Commendatore ANNIBAL CARO, gl'indirizzo al chiariffimo voftro nome , acciocchè fotto l' ombra del voftro favore non pur vada efente dalle altrui cenfure la mia diligenza , ma trovi ancora preffo alle genti gradevole accoglimento . E certo, fe i morti niente curano delle cofe loro lafciate di qua , dovrà fapermi grado l'Autore di queſte Lettere, che ſotto gli auſpicj voſtri io le mandi alla luce . Non parlo della nobiltà del voſtro Caſato , ch' è tra' più antichi e più ſplendidi di queſta Città; nè della gloria de' voſtri Antenati, de' quali ſi può dire proprio e ſpeziale retaggio l' amore verſo le lettere , com' è chiaro fin da quel tempo che , ſpenta la barbarie de' rozzi ſecoli per opera del voſtro ALBERTINO , ſono rinate in Italia . Io conſidero ſolamente que' pregj che ſono proprj di voi , e ne' quali niuna parte puote aver la for   : perchè naſcer di chiara ſtirpe , e di lodati Maggiori è

con-

conceduto a molti; ma voi, ciò
che pochi fanno, ne imitate gli
efempj, e ne accrefcete la gloria.
A tutti è noto che coltivafte fempre le buone lettere, e le promo-
vefte in altrui, e maffimamente ne'
digniffimi voftri Figli, i quali cam-
minando full'orme voftre fono giun-
ti ad efercitarfi con molta lode nell'
Oratoria, e Poetica facoltà. Quindi fu che, accoppiando voi coll'ele-
ganza delle ornate parole fagacità
di configlio, e maturità di giudicio, ne' più ardui e difficili avvenimenti dalla Magnifica voftra Patria fofte adoprato; e non altrimenti che fatto s'abbia in graviffimi

fimi affari il Commendator. CARO a pro de' Farnefi padroni fuoi, voi a vantaggio di lei la deftrezza dell' efpreffioni colla fottigliezza de' trattati , quanto permife la condizione de' tempi, con lodevole zelo felicemente impiegafte. E in cotefti voftri maneggj , oltre le qualità già toccate , vi giovarono affai la piacevolezza del tratto , e le gentili , e liberali maniere, le quali alle nobili e fignorili perfone oltremodo caro ed accetto vi rendono, e dall' altre vi procacciano ftima grandiffima , ed offervanza . Ma non comporta la fingolare voftra modeftia ch' io entri a lodarvi come potrei;

 laon-

laonde, per non darvi noja, mi veggo aftretto a tacere di molte cofe, che tornerebbero a voftra commendazione. Refta che divotamente vi preghi a ricevere volentieri l'offerta di queft'Opera che vi prefento: di che non mi lafcia dubitare la voftra cortefia, e la premura, che nudrite nell'animo, dell'avanzamento delle buone arti. Graditela come un picciolo teftimonio del mio riverente offequio verfo di voi, e accoglietemi benignamente fotto lo fcudo della voftra autorevole protezione.

PREFAZIONE.

NON è cosa da metterſi in dubbio la utilità che ſi trae dalle Raccolte di Lettere di eccellenti Scrittori, o ſi voglia conſiderare lo ſtile in cui elleno furon dettate, o la materia, cioè le coſe in eſſe contenute. E per ciò che riguarda lo ſtile, oſſervano dottiſſimi uomini, che a ben intendere qualunque idioma, e a perfezionarſi nel poſſeſſo di quello, giova mirabilmente l'aſſidua lettura dell' Epiſtole; concioſſiachè per la infinita varietà delle voci, delle fraſi, e de' modi di favellare chiamar ſi poſſano a buona equità una gran conſerva de' teſori delle lingue in cui ſono ſcritte. Nè fa meſtieri qui di provare quanto convenga alle ſtudioſe perſone di ben ſapere la propria lingua: o quanto vadano errati coloro che ſtimano un perdimento di tempo, o coſa da fanciulli, il darſi all'imitazione de' lodati Scrittori per dettare una buona lettera; giacchè non mancano graviſſimi Autori che di ciò eſpreſſa-

mente

mente hanno scritto. Per quello poi che appartiene alle cose, che fanno il suggetto delle Lettere, non si potrebbe senza molte parole esprimere il grande vantaggio che ne deriva. Imperciocchè potendosi col mezzo delle Lettere acconciamente trattare qualsivoglia argomento, anche de' più gravi e scientifici, ognun vede l'ampiezza, e la varietà delle cose che abbracciano, e quanto di utilità si può attignere a questo fonte. Oltracciò essendo l'Epistole quasi una immagine dell'animo di chi le scrive, come le chiamò Demetrio, non altronde che da esse si ritraggono con certezza i costumi, e le inclinazioni, gl'ingegni, e gli studj, le virtù, e i difetti degli Scrittori: ciò che giova sapere, avvegnachè cotali notizie non riguardino vili ed oscure persone, ma celebri e rinomate o per dottrina, o per luminosi ufficj ed impieghi. E non solamente la Storia Letteraria mediante le Lettere lustro e accrescimento riceve, ma la Civile altresì ne resta maravigliosamente illustrata e schiarita. Chi non sa quante recondite notizie ci hanno elleno conservato, appartenenti a guerre, a paci, a trattati e maneggi politici, le quali

li ne' volumi degli Storici indarno si cer-
cherebbero ? Imperciocchè non di rado av-
viene che per alcuni giusti riguardi certe
particolarità dagli Scrittori di Annali , o
di Storie sieno taciute , e massimamente da
quelli che prendono a scrivere le cose de'
tempi loro : la qual circonspezione e riser-
va non usano gli Scrittori delle Lettere ,
che avvisandosi di parlare familiarmente co'
loro più cari amici , tutti i segreti disve-
lano del loro cuore . Servano di esempio ,
per tacere dell' altre , le pistole di Cicero-
ne ad Attico , che tante importanti notizie
per la Storia Romana ci somministrano , per
guisa che poco rimane. a desiderarsi da chi
le legge intorno la storia di que' tempi , come osservò Cornelio Nipote (1).

Ora tutti gli accennati vantaggi a mio
giudicio, anzi a molto miglior del mio, si
possono avere dalle Lettere , che adesso per
la prima volta vi si presentano . Sono elleno scritte, come appresso si proverà , dal
Commendatore ANNIBAL CARO , illustre Letterato del secolo XVI. non già a

nome

---

(1) Nella Vita di Attico num. XVI.

nome suo, ma del Cardinale Aleſſandro Farneſe, a' cui ſervigj lungamente ſi ſtette nell'
ufficio onorevole di Segretario. Già ſono di
parere i più dotti Critici che, fra quanti a
quella ſtagione in queſta maniera di compo-
nimento ſi eſercitarono, non abbia il Caro chi lo ſuperi, e forſe chi nè meno l' ag-
guagli: eſſendo il ſuo ſtile, come ognun ſa,
facile, vario, affettuoſo, e gentile, e, dove uopo il richieda, ſparſo di colori, di
lumi, di facezie, di motti, ſenza partirſi
mai dalla ſua natural chiarezza e facilità.
La qual naturalezza, e, diremmo quaſi,
felice ſprezzatura aſſai più ſi rende oſſer-
vabile in queſte Lettere che nelle Familiari
del medeſimo Autore; perchè le Familiari,
che il Caro teneva per coſe ſue, le ri-
pulì, e le liſciò quanto ſeppe; e laſciò le
altre nella nativa loro ſemplicità. Non è
però da temerſi che così, come ſono, ſenza liſci, e ſenza certi ornamenti, abbiano
a piacer meno dell' altre: anzi ſono d' avviſo che non pochi ſi diletteranno aſſaiſſimo
della naturale eloquenza con cui ſono dettate; riconoſcendovi per entro certa franchezza più lontana ancora da ogni maniera di
affettazione che non è nelle Familiari, e più

per.

per avventura imitabile nel moderno uso di scrivere. Ma ciò che rende assai più pregiabile questa Raccolta di Lettere è, per vero dire, la materia che contengono, cioè i gravissimi negozj, de' quali in esse si favella. Imperciocchè sebbene ve n' ha molte che alla classe delle Familiari appartengono, e per conseguenza possono parere di poca importanza, nondimeno la maggior parte si riducono al genere delle serie, di quelle cioè che, secondo la divisione di Giusto Lipsio (1), talora le cose pubbliche, e talora le cose private riguardano. Ora se si consideri chi fosse il Cardinale Alessandro Farnese, a nome del quale furono scritte, e qual grandezza d' animo egli abbia avuto del pari nella prospera che nell' avversa fortuna; innoltre si ponga mente ai gloriosi ufficj sostenuti da lui nel Pontificato di Paolo III. suo Avolo, e de' Papi che gli succedettero; non si avrà difficultà a concedere che i privati affari di lui debbano interessare la curiosità di chi legge, massimamente che d' ordinario vanno congiunti con quelli del Principe

---

(1) Lips. in Inst. Epist.

cipe Ottavio suo fratello, Duca di Parma. Delle cose pubbliche poi non occorre parlare, perchè ognuno ne scorge da se la importanza, e l'utilità. La Storia del Concilio di Trento, e delle guerre succedute in Italia da' tempi di Giulio III. fino all' assunzione di Pio IV. troverà in queste Lettere alcune circostanze di fatti e d' avvenimenti, ond' esser meglio illustrata; e per ciò che riguarda i Conclavi per l' elezione de' Papi, avranno i leggitori di che soddisfarsi nel sincero racconto di alcune particolarità, o non venute a contezza di chi ne scrisse le Relazioni, o per qualche fine politico trasandate. In fatti il Cardinal Pallavicino ebbe sotto degli occhi queste medesime Lettere a lui comunicate dal Card. Girolamo Farnese (1), e ne' fece grand'uso nel tessere la Storia del Concilio di Trento; ma non credè di dover trasmettere alla notizia de' posteri tutte le segrete memorie, che in quel Registro patea ripescare.

Ma venendo alle ragioni per le quali si prova esser uscite le presenti Lettere della

penna

---

(1) Vedi la *Storia del Conc. lib.* XIII. *cap.* XI.

penna di ANNIBAL CARO, *fappia-*
mo primieramente da Giovambatifta nipote
di lui, ch' egli aveva nelle mani le Lette-
re di Negozj fcritte dal zio a nome de' fuoi
Padroni, e che con fuo difpiacere forzato
era di ritenerle preffo di fe fin' a tanto che
col pubblicarle non fi pregiudicaffe al fer-
vizio loro (1). Qual fi foffe poi la cagio-
ne, nè da Giovambatifta, nè da Lepido (2)
fuo fratello, nè da altri furono pubblicate:
da poche in fuori fcritte a nome di Pier-
luigi Farnefe, che fparfe qua e là in va-
rj libri, furono raccolte dal diligente e be-
nemerito Antonfederigo Seghezzi, e collocate
nel Terzo Volume delle Familiari (3). Se
non che pochi anni fono un' altra picciola
porzione di effe ufcì alla luce de' torchj Co-
miniani, tratta da un Codice MS. della
Libreria de' N. N. H. H. f. Niccolò, e f.
Pietro Contarini (4). E qui fi dee avver-
tire

---

(1) Vedi la Dedicazione delle Familiari al Cardinal di Correggio.

(2) Morto Giovambatifta, Lepido fuo fratello de-
dicò al Card. di Comò il Vol. II. delle Familiari del
zio.

(3) A c. 99. e fegg. dell'Edizion Cominiana.

(4) Vedi la lettera premeffa alle *Trenta Lettere di*
Negozj ec. appreffo Giufeppe Comino MDCCXLIX.

tire che di quelle trenta Lettere di Nego-
zi , le quali portano in fronte il nome del
CARO, e sono da tutti riconosciute per
sue , ve n' ha due nel nostro MS. cioè la
XIX. e la XXI. (1): anzi vi si legge
anche quella indiritta al Principe di Spagna
ch' è la 63. del Terzo Volume delle Familiari (2). Si aggiunga che le date de'
tempi , e de' luoghi notate in queste Lettere inedite si accordano appuntino colle circostanze segnate nella vita del CARO .
Comincia il nostro Registro l' Ottobre del
MDXLVII. nel qual anno appunto s' accon-
ciò il CARO col Cardinale Alessandro
Farnese per Segretario (3); e termina nel
MDLXII. Ma è da notarsi che il Cardinale andò in Francia nel Settembre del
MDLII. ed ivi si fermò due anni , nel
quale intervallo il CARO si ristette in
Italia , come si raccoglie dalle sue Familiari; e perciò non si hanno nel nostro Codice

---

(1) Sono la 2. e la 41. nel III. Volume che ora
pubblichiamo.
(2) La 70. nel I. Volume.
(3) Vedi la lettera 171. del Vol. I. delle Familiari.

dice lettere di quel tempo. Parimente non
ve n'ha alcuna dal Dicembre del MDLIV.
fino dopo la metà di Aprile dell' anno seguente; perchè il Farnese era andato alla sua Legazion d'Avignone; e il CARO,
colpa forse delle sue indisposizioni (1),
non era partito de' contorni di Roma. Ma,
essendo nata la rottura tra Paolo IV. e il
Re Cattolico Filippo II., il Cardinale si
ricoverò a Parma, e condusse seco il Commendatore, e lo tenne presso di se dall'
autunno del MDLVI. fino alla morte di
quel Pontefice succeduta addì 18. d' Agosto MDLIX. Quindi è che nel nostro Codice le lettere nel Settembre del MDLVI.
cominciano aver la data di Parma, come
altresì le Familiari nell' Ottobre del medesimo anno (2). Innoltre si ritrae dalle Familiari che nel Maggio del MDLIX.
il CARO dimorava in Civitanova sua
patria (3), vale a dire molto lontano

b

dal

---

(1) Vedi la lettera 43. del Vol. II. delle Familiari.
(2) Vedi la lettera 59. del Vol. II.
(3) Vedi la lettera 119. e segg. del Vol. II.

dal suo Padrone: ed ecco perchè neſſuna lettera nel noſtro MS. porta la data di quel tempo. Eſſendo però il Cardinale tornato a Roma per la elezione del nuovo Papa verſo la fine di Agoſto, anche ANNIBALE vi ritornò: e così le Familiari., come le noſtre inedite di nuovo ſi ſegnano colla data di Roma. Ora, ſapendoſi altronde indubitatamente che il CARO era Segretario del Farneſe, chi non vede che queſta perfetta corriſpondenza de' tempi e de' luoghi tra le Familiari, e le noſtre, è un buono argomento per determinarci a credere che e l' une e l' altre ſieno dettate da un medeſimo Autore, tanto più che alcune del noſtro MS. ſono fuor d' ogni dubbio ſcritte da lui? Anche l' età medeſima del Codice ch' è de' tempi del CARO, e il luogo ove ſi conſervava, cioè Parma, dove faceano reſidenza i Farneſi, danno qualche peſo alla noſtra aſſerzione. Fu eſſo in prima della illuſtre Famiglia Cantelli, finita la quale, e ſucceduto all' eredità il Signor Marcheſe Alfonſo Bevilacqua di Ferrara, fu ritrovato in un vecchio armadio: l' ebbe poſcia in dono il Ch. Signor Dottor Giovannandrea Barotti, Ferrareſe, letterato
d' illu

d' illuſtre fama, e per le varie ſue Opere, e per quelle degli altri da lui illuſtrate, od egregiamente difeſe, digniſſimo d' ogni lode. Molte e diverſe correzioni d' altro carattere, che non è quello del copiatore, s' incontrano qua e là nel ſuddetto Regiſtro: le quali, ſecondochè per le diligenti oſſervazioni fatte inclina a credere l' intelligentiſſimo Signor Barotti, ſono per avventura di mano del CARO. In fine ſi oſſervi che qualunque volta ſi nomina il CARO in queſte Lettere (e ciò è parecchie volte) ſempre vien nominato ſenza veruno aggiunto di lode: e veriſimilmente, atteſi i ſuoi meriti, doverebbe eſſere altrimenti, ſe non egli, ma altri le aveſſe ſcritte. Di grazia ſi legga fra l' altre la lettera al Doge di Venezia, ch' è la LXXXII. del II. Volume: e ſi conſideri primamente con quanta moderazione egli parla di ſe: poi diaſi un' occhiata alla lettera XIV. e alle ſeguenti del II. delle Familiari, ove tratta della ſua lite con Monſignor Giuſtiniano; e neghi chi può, non eſſere e quella e queſte d' uno ſteſſo Scrittore. Ove però il noſtro giudicio dalle accennate conghietture avvalorato non foſſe, non pertanto crederem-

deremmo di non errare , attefa la grande raffomiglianza dello ftile di quefte Lettere con quello tenuto dal CARO *nello fcriver le fue . Quella gentil facilità , quell' ingenua franchezza che vien tenuta particolar dote di lui , e quella elegantiffima varietà di concetti non meno che di parole, fi fcorge a maraviglia in quefte Piftole, come fopra s' è toccato : anzi chi vorrà leggerle pofatamente , e confrontarle colle Familiari di lui , vi troverà alcune voci , frafi e maniere di favellare così proprie del* CARO *, che tofto ne lo gridano autore . Io potrei recarne parecchi efempj ; ma quefti non bafterebbono a perfuaderne certe perfone fofiftiche e cavillofe ; per le altre fono foverchj.*

Ora dirò brevemente della diligenza da me ufata in quefta Edizione. In primo luogo ho ricorretta l' antica ortografia, e ridotta all' odierno ufo di fcrivere : poi ho difpofte le Lettere in tre Volumi fecondo l' ordine de' tempi , numerandole per comodo di chi voleffe citarle : per ultimo ho creduto bene illuftrarle con alcune brevi annotazioni a piè delle pagine , o per la più facile intelligenza di molti paffi , o per ap-

paga-

pagare la curiosità de' lettori intorno la condizione delle persone per entro ad esse nominate. Le XXX. Lettere di Negozj, che già dal Comino furono stampate a parte, si sono inserite in questa Raccolta, ove per ogni ragione doveano aver luogo: e in fine del III. Volume si sono aggiunte due Lettere scritte dal CARO al celebre Pier Vettori a nome del Farnese, le quali trascritte in una insigne Biblioteca di Roma mi comunicò benignamente il Ch. Signor Abate Pier-Antonio Serassi di Bergamo, della cui erudita corrispondenza grandemente mi pregio. Ciascun Volume s'è corredato di due Tavole, una de' Suggetti a' quali furono indirizzate le Lettere; la seconda delle cose notabili lavorata colla maggior esattezza. Resta a desiderarsi che, come ora esce alla luce per comodo e vantaggio degli studiosi sì preziosa derrata delle Lettere di ANNIBAL CARO, così da' ripostigli, ove giacciono per avventura neglette, o con troppo di gelosia custodite, sbuchino ancora le altre del medesimo Autore: volendo ogni ragion che si creda averne lui scritto in maggior quantità che non è quella de' tre presenti Volumi. Ma non tutti i possessori

di

di somiglianti tesori hanno l'animo così li-
berale, come il soprallodato Signor Dottor
Baratti: nè tutti i Letterati per giovare
altrui s'adoprano con pari zelo e premura
a quello, che dimostrò in questa occasione il
Ch. Signor Gian-lodovico Bianconi, Consi-
gliere Aulico di S. A. S. Elettorale di Sas-
sonia, e suo Ministro Residente presso la
Santa Sede, non meno illustre per la dottrina, e per le Opere sue, che per essere
dignissimo Membro delle più cospicue Acca-
demie. In tanto mi giova credere che dovrà
esservi accetta questa Edizione, sì per la
novità e pregio delle cose, e sì per l'esat-
ta accuratezza con cui fu posta ad effetto. Gradite la nostra industria, e aspet-
tatevi in breve un buon Volume di Lettere
inedite del Co. BALDESSAR CASTI-
GLIONE dettate con aurea felicità, e con-
tenenti notizie recondite e importantissime di
varj Pontificati. Un illustre Prelato della
Corte di Roma, riguardevole del pari per
la nascita e pegl'impieghi, che per le do-
ti luminose dell'animo, vuol far quest'onore alla Stamperia Cominiana, che per mezzo de' suoi torchj escano dopo due secoli e
più alla pubblica luce: onde, siccome è

bene-

benemerita della Repubblica Letteraria per averle dato un' accuratiſſima Edizione dell' altre Opere tutte di quell' eſimio Scrittore, così coll' impreſſione ancora delle ſue Lettere ſempre più ſi renda degna della protezione de' Letterati.

NOI

NOI RIFORMATORI
dello Studio di Padova.

AVENDO veduto per la Fede di Revifione, ed Approvazione del P. F. *Filippo Rofa Lanzi*, Inquifitor Generale del Santo Officio di *Venezia* nel Libro intitolato: *Lettere del Commendatore Annibal Caro non più ftampate*, non v' effer cofa alcuna contro la Santa Fede Cattolica, e parimente, per atteftato del Segretario noftro, niente contro Principi, e buoni coftumi, concediamo Licenza a *Giufeppe Comino* Stampator *di Padova*, che poffa effere ftampato, offervando gli ordini in materia di Stampe, e prefentando le folite copie alle Pubbliche Librerie di Venezia, e di Padova..

Dat. li 11. Agofto 1763.

(SEBASTIAN ZUSTINIAN Ref.

(

(ALVISE VALARESSO Ref.,

Regiftrato in Libro a carte 178. al Num. 977.

Davidde Marchefini Segr.

DEL-

DELLE

LETTERE

DEL

COMMENDATORE

ANNIBAL CARO,

Scritte a nome del Cardinale

ALESSANDRO FARNESE,

VOLUME PRIMO.

LETTERE
DEL
COMMENDATORE
ANNIBAL CARO,
Scritte a nome del Cardinale
ALESSANDRO FARNESE,
Ora la prima volta pubblicate.

LETTERA PRIMA.
Al Cardinal di Ravenna.

PER una de' iv. di V. S. Reverendiss. resto avvisato di quanto era seguito allora delle cose di Parma. La ringrazio grandemente, e la supplico a continuare in questo amorevole officio, accertandola che mi fa singolar grazia, trovandomi con quella ansietà, e con quella sospension d'animo ch'ella può considerare. La passata di questo Sig. Figaruola, con la buo-

na

na intenzion che ne dà , m' è ſtata di qualche conſolazione . Attenderemo ora àgli effetti . Dell' artiglierie fino a queſt' ora penſo
ch' abbia inteſo dove ſono . Il Colonnello
Aſcanio ſcrive. che era giunto al Ceſenatico ,
dove era arrivato M. Vincenzo Corto con
l' ordine di voi altri Signori . Reſta che
baci le manr di V. S. Reverendiſs. alla quale
umilmente mi raccomando . D' Ancona alli
ix. d'Ottobre MDXLVII.

2　　　*Al Cardinal di Ferrara.*

RINGRAZIO V. S. Illuſtriſs. e Rev. degli avviſi che mi dà per la ſua de' vi. con
le copie incluſe , e la ſupplico ſi degni tenermi ragguagliato di quel che ſegue ; che
mi ſarà di quella conſolazione , che da lei
medeſima ſi può conſiderare ; trovandomi in
queſto luogo fuori di ſtrada col dolore delle
coſe paſſate , e con incerta ſperanza dell' avvenire . Aſpetto da Roma quel che rieſce
della buona intenzione , che ci ſi dà da queſto Sig. Figaruola ; e dalla S. V. quel che 'l
Sig. D. Ferrante arà riſoluto col Sig. Duca
mio Fratello circa le ſoſpenſioni dell' armi .
Dell'artiglierie già la S. V. Rev. arà inteſo ,
che 'l Commiſſario Vincenzo Corto l' ha trovate al Ceſenatico , donde col Colonnello
Aſcanio ſi ſarà riſoluto della miglior via ,
che hanno a tenere , e del più facil modo
di condurle . Altro non m' accadendo , alla
S. V.

S. V. Reverendiſſ. ed Illuſtr. bacio le mani .
D' Ancona alli ix. d' Ottobre MDXLVII.   .

3   *Al Duca d'Urbino .*

PERCHE' le coſe di V. Eccell. ſono le
medeſime che le noſtre proprie , ella può facilmente comprendere , che ciaſcuno di noi
deſidera a par di lei che ſortiſcano il debito
fine . E queſto deſiderio fa che io particolarmente la preghi , prima per ſatisfazione di N.
Sig. , e di poi per noſtro favore ſia contenta
di laſciarſi vedere a Roma ; dove l' affézione
che le porta S. Santità , l' oſſervanza , e l' obbligo che le avemo noi , e l' obbedienza che
le debbo io ſpezialmente , partoriranno quei
maggiori effetti che potranno , a beneficio
delle noſtre coſe comuni . E ſperando che
ciò ſia di corto , ſenza più dirle le bacio le
mani . Di Roma alli . . . . di Novembre
MDXLVII.

4   *Al Confeſſore di S. M. Ceſarea .*

ANCORA che io ſon certo , e per lettere del Revendiſſ. Legato , e d' altri mi ſi fa
teſtimonio che la bontà voſtra fa per ſe ſteſſa
ogni ſorte d' officio per mantenere S. M. in
buona convenienza con N. S. vedendo ora
che la riduzione , che ſi pretende dalla M.
Sua , del Concilio a Trento , e i proteſti e
gli atti che ſe ne fanno di quà da' ſuoi Mi-

A 3   niſtri ,

niſtri , hanno ridotte le coſe a mal termine,
e da temere ancora d'l' peggiore ; ricerco da
lei la continuazione degli medeſimi officj :
non perchè faccia biſogno di ricordargliene,
ma per non mancarne a me medeſimo , e al
peſo ch' io ſoſtegno in un moto di tanta
importanza , e di tanto pericolo . E la ſupplico che ſia contenta d' eſſere inſieme con
me con tutta la ſua prudenza , con l' umiltà , con la verità , e con quanto credito
tiene appreſſo a tanto Principe , a diſtorlo
dall'eſecuzione di queſto ſuo penſiero , a mo-
ſtrarli lo ſcandolo che può partorire nella
Criſtianità ; lo ſcrupolo che ſe ne mette nella religione , e 'l pregiudizio che ſe ne fa
alla Sedia Appoſtolica ; il diſordine poi e 'l
travaglio che ne può venire de' tempi preſenti , e la mala diſpoſizione , che ſe ne laſcia a' poſteri per l' avvenire . Oltre all'impedimento che ne potrebbe occorrere al corſo della grandezza , e della gloria di S. Maeſtà medeſima , ed all' accreſcimento , e ſtabi-
limento d'eſſa ; movendolo ancora a pietà dell'
affanno , che ſe ne porge in queſta ultima
ſua vecchiezza a N. S. , il quale è ſtato pur
ſempre buon padre di S. Maeſtà , e ha di
continuo avuta buona mente al bene univerſale : e n' ha fatto più volte dimoſtrazione
con gli effetti in beneficio particolarmente
dell' azioni , e della grandezza della Maeſtà
Sua , i quali ſono pur noti al Mondo , e degni pure in qualche parte di gratitudine .

Ma

Ma lasciamo stare gl' interessi privàti, alli quali verrà forse penfare a qualche tempo, che le torni moglio a moftrare la grandezza dell' animo fuo. Parlo ora delle cofe pubbliche, la quiete delle quali mi pare che debba movere S. Maeftà più che tutti gli altri rifpetti; che fono però tanti, che non poffo credere che non li debbano venire in qualche confiderazione, quando non fuffe mai per altro, almeno per moftrare con noi altri fervitori e devoti fuoi, ed alle genti del Mondo l' umanità e l' altre tante fue vertù, che lo faranno più gloriofo Principe, che 'l voler moftrare contro di noi tutte le forze del fuo principato. So che V. S. arà moltiffimi lochi di quefti a perfuadere a S. Maeftà una cofa tanto laudabile, tanto criftiana, e tanto utile alla quiete univerfale, quanto farà l' intelligenza della Maeftà S. con S. Beatitudine, dalla quale s' è vifto quanti buoni effetti fon nati per lo paffato: e per lo contrario fi vede manifeftamente quanta ruina fia per feguire dalla lor difcordia. Io con un travaglio d' animo infinito per le cofe pubbliche, e con quello intenfo defiderio che ho fempre avuto di poter continuare la mia fervitù con S. Maeftà, e di mantenermi la fua protezione a beneficio delle cofe private; fupplico V. S. fi degni difpor la mente di tanto Principe a deliberar cofe, che fiano falutifere, e convenienti a noi fuoi fervitori, e gloriofe alla fua Cattolica Maeftà;

A 4   alla

alla quale si degnerà da mia parte fare umilissimamente riverenza. Ed a V. S. m'offero, e raccomando ec.

5 *Al Re di Portogallo.*

ANCORACHE' io mi persuada, che V. Maestà debba aver inteso dal Sig. Baldassar di Feria quanto di quà si sia praticato e risoluto intorno al negozio dell' Inquisizione, e che dalla spedizion d' esso conforme al desiderio di V. Maestà, e dagli officj, che sopra ciò si son fatti da me, possa aver compreso in parte il devoto animo mio verso di lei: nondimeno, perchè vorrei con ogni sorte di dimostrazione, e d' effetti rendernela certa; poichè non m' è concesso di venire in persona, come arei desiderato; ho voluto che in loco mio supplisca l' apportator di questa, il quale sarà il Cavalier Ugolino, mio carissimo servitore. Da lui le farà pienamente reso conto de' negozj, e fatto quel maggior segno ch' io posso per ora, della divozione ch'io le porto, e del desiderio che io tengo di servirla. Supplico la Maestà V. si degni prestarli intera fede. E circa la spedizione delle cose mie, e del possesso de' beneficj di Viseo, sia servita di mostrarmisi così graziosa, come io spero dalla grandezza dell' animo suo. Nella quale confidando, come di grazia già ricevuta, le bacio le mani. E umilissimamente a V. Maestà mi raccomando ec.

6   *Alla Regina di Portogallo.*

DAL Cavalier Ugolino, prefentator di quefta , farà fatta da mia parte quella umil riverenza ch' io debbo alla Maeftà V. , e re-
fo pienamente conto de' negozj di quà , e
parte. della Inquifizione : nella quale potrà
facilmente conofcere l' officio ch' io ho fatto preffo a Sua Santità perchè fi fpediffe conforme al defiderio di Sua Maeftà . La fupplico che di tutto , che da lui le farà riferito in mio nome , fi degni preftárli piena fede : e di quanto le richiederà per beneficio delle. mie cofe , fia fervita di favo-
rirle con quella benignità , che ella ha fatto infino a ora , e che la divotiffima fervitù mia fpera da lei : alla quale ne refterò fempre con memoria d' obbligo . E in
buona grazia di V. Maeftà umilmente mi
raccomando .,

7   *All' Infante Don Luis.*

IL Cavalier Ugolino , apportator di quefta , bacierà le mani da mia parte all' Altezza V. , e l' efporrà l' offervanza , e la
fervitù ch' io le porto , e 'l favore ch' io
defidero da lei . Pregola fi degni afcoltarlo
benignamente , e darli faggio della cortefia
fua verfo di me , in tutto che li bifognerà
la fua protezione a beneficio delle mie cofe .

E nel

E nel resto rimettendomi alla relazione d'esso Cavaliero, non farò più lungo con questa mia: raccomandandomi alla buona grazia di V. Altezza ec.

8   *All' Infante, Fratello del Re.*

PER mezzo del Cavalier Ugolino, apportator di questa, io fo quell' umil riverenza che debbo all'Altezza Vostra, e dal medesimo le farà detto da mia parte il favore, e la protezione ch' io desidero da lei appresso alla Maestà del Re suo Fratello. E mi prometto tanto della real bontà Vostra, e della molta mia divozione verso di lei, che spero facilmente d' impetrarlo. Però rimettendomi a quello, che 'l Cavalier predetto l' esporrà per mio ordine, senza più fastidirla umilmente le bacio le mani.

9   *Alla Sorella del Re.*

QUANTO io sia divoto dell' Altezza Vostra, quanto desideroso della sua grazia, e quanto capitale io faccia del suo favore in tutte le mie occorrenze appresso alla Maestà del Re, e spezialmente in quel che viene per trattare il Cavalier Ugolino, presentator di questa; da lui medesimo le farà narrato. Degnisi d' udirlo umanamente, e d' esaudirlo, secondo che si spera dalla sua molta bontà; e dall' umil riverenza che da lui le farà

rà

rà fatta per parte mia , fi degni di confiderare , e di ricevere in grado quella, che per
gl' infiniti fuoi meriti le porto nell' animo.
E umilmente bacio le mani di Voftra Altezza.

10   *Al Duca d' Aucifo.*

Ho commeffo al Cavalier Ugolino , apportator di quefta , che fpezialmente faccia
riverenza a mio nome all' Eccellenza Voftra,
e fi vaglia confidentemente del fuo favore a
beneficio delle cofe mie . Io fo dall' un canto l' autorità ch' ella tiene appreffo a Sua
Maeftà , fo la bontà e la cortefia fua : fen-
to dall' altro in me medefimo quanto io
fia defiderofo di fervirla ; onde potendo ella
affai , e fperando io da lei tutto quello ch'
ella può , non accade altro che accertarla ,
ch' io fono a rincontro prontiffimo d' operarmi per fuo fervigio . E pregandola , che
fi degni darmene occafione , alla fua buona
grazia mi raccomando ec.

11   *Al Duca di Braganza.*

L'umanita' , e la cortefia di V. Eccellenza fon tali che io non durerò fatica
a perfuaderle, che fi degni di pigliar la protezione dell' apportator di quefta , il quale
farà il Cavaliere Ugolino , mio fervitore .
Io gli ho commeffo che fpezialmente baci
                                    le

le mani di V. Eccellenza in mio nome ; e
che ricorra da lei per tutto quel favore che
li farà neceffario per le cofe mie : le quali io. raccomando all' Eccellenza Voftra con
altrettanta fidanza che fiano favorite da
lei , quanto ella deve avere a rincontro di
certezza d' effer fervita da me in tutte le
fue , dove io fappia di poterle far piacere o
comodo alcuno . Del refto rimettendomi a
quanto dal Cavalier medefimo le farà ragionato , la prego fi degni di preftarli fede . E
con tutta quella offervanza , che le debbo ,
le fo riverenza.

12   *Al Conte di Caftagnera.*

INSIEME col Breve di N. S. diritto
all' Eccellenza Voftra m' è parfo d' inviarle
ancora quefta mia per raccomandarle l'apportatore , il quale farà il Cavaliere Ugolino ,
mio fervitore . Egli per mio ordine verrà
particolarmente a far riverenza all' Eccellenza Voftra , e l' efporrà l' offervanza ch'io le
porto , e la fperanza ch' io tengo ch' ella fi
degni di preftarli il fuo favore nella fpedizione che egli procura del mio negozio. Io non
mi ftenderò feco con molte parole per impetrar quella grazia ; perchè fo dall' un canto
quanto egli fia gentile , e cortefe Signore :
e dall' altro , io fon tanto volonterofo , e
tanto difpofto a farle ogni fervigio , che non
poffo fe non confidar molto d' ottenerla. Refta

ſta che 'l Cavalier predetto l'eſponga il mio deſiderio , e 'l ſuo biſogno ; e che ella nelle ſue occaſioni ſi vaglia di me in tutto ch' io poſſo . E le bacio le mani ec.

13   *Al Veſcovo di Lisbona .*

Il Cavaliero Ugolino , apportatore di queſta , eſporrà da mia parte a V. S. Reverendiſs. il biſogno che io ho del ſuo favore intorno alla ſpedizion delle mie coſe . Io la prego , per la fidanza ch' io tengo nella ſua bontà , e per quella pronta volontà ch' io ho di ſervire , e d' onorar lei in tutto che per me ſi poſſa , che ſi degni d' interporre l' autorità ch' ella tiene con Sua Maeſtà , e quei buoni officj che ſuol fare per ognuno , ancora in beneficio delle coſe mie , e per la ſpedizione del detto Cavaliero , il quale farà ſpezialmente capo a lei . E alla ſua relazione rimettendomi , niente di più dicendo , ed ogni coſa ſperando dalla ſua corteſia , con tutto il core me l'offero , e raccomando ec.

14   *Al Confeſſore del Re.*

Al Cavaliere Ugolino , che farà l'apportator di queſta , ho commeſſo che viſiti Voſtra Reverenzia da mia parte , e la richiegga confidentemente del ſuo favore a beneficio delle coſe mie. Io ſpero tanto nella bontà ſua , quanto ella può con Sua Maeſtà ; e

però

però le raccomando femplicemente il negozio : affecurandola che io fon defiderofo e
difpofto a fervirla ed onorarla in tutto che fi
ftenderà il poter mio . Del refto rimettendomi alla relazion del Cavaliere fteffo , alla
Riverenzia Voftra quanto poffo mi raccomando.

15   *Al Conte di Viviofo.*

L' APPORTATORE di quefta farà il
Cavaliere Ugolino , mio fervitore , al quale
ho commeffo che vifiti per mia parte fe-
gnatamente l' Eccellenza Voftra , e la richiegga del fuo favore a beneficio delle cofe
mie . Io fapendo quanto fia grande la fua
cortefia , e di quanta autorità fia appreffo a
Sua Maeftà , fo che con l' una potrà , e
con l' altra fpero che vorrà giovarmi . Ed
io per quel buon animo , che tengo di fervir lei , e per tutta quella offervanza che le
porto , la prego a corrifpondere a quefta mia
fperanza : ed a rincontro fi prometta di me
tutto quel ch' io vaglio . Del rimanente
rimettendomi a quel che l' efporrà il Cavaliere medefimo , con molta affezione le bacio le mani ec.

       Al Re de' Romani.

PRESENTATOR di questa farà Monſignor Proſpero Santa Croce , Nunzio di Noſtro Signore alla Maeſtà Voſtra . Da lui intenderà quanto le farà eſpoſto da parte della
Santità Sua , che ſ'ella degnerà di preſtarli benigna audienza , e piena fede . Lo farà di poi
riverente ſpecialmente in mio nome , e ri-
durralle a memoria la ſervitù , e la divozion
mia , e di tutta la mia Caſa verſo di lei .
Io la ſupplico ſi degni d' averla accetta , e
con la ſolita benignità ſua ſi faccia incontro
alla molta ſperanza che avemo tutti nella
real bontà ſua , ed al biſogno che tenemo
della ſua protezione in queſte preſenti occorrenze appreſſo alla Maeſtà Ceſarea . Del
reſto rimettendomi alla relazione del Nunzio
medeſimo , umiliſſimamente bacio le mani
della Maeſtà Voſtra ec.

       All' Arciduca d' Auſtria.

DALL' apportator di queſta , che ſarà
Monſignor Proſpero Santa Croce , Nunzio di
Noſtro Signore alla Maeſtà del Re ſuo Padre , ſaranno baciate le mani a Voſtra Eccellenza da mia parte , per teſtimonio dell'
oſſervanza mia verſo di lei , e per conſervazione della benivolenza ch' ella ha moſtro a
me di continuo . Appreſſo io medeſimo le ſo

                                    rive-

riverenza con questa , me l' offerifco , me
le ricordo ; e la fupplico che ; per farmi favore , fi degni valerfi della mia fervitù , fe
però vaglio a fuo fervigio in cofa alcuna . E
quanto poffo me le raccomando .

18   *A Granuela .*

VENENDO Monfignor Profpero Santa
Croce alla Corte , Nunzio di Noftro Signore alla Maeftà del Re de' Romani , bacierà
fpezialmente le mani di Voftra Eccellenza
da mia parte per fegno , e per ricordo dell'
offervanza mia verfo di lei . Piacciale di vederlo , e d' afcoltarlo volentieri , e di non
mancargli nelli fuoi affari di quella protezione , che fi fpera da lei in tutte le cofe noftre : le quali io le raccomando ora tanto
più , quanto hanno più bifogno del favore ,
e de' buoni officj fuoi con la Maeftà Cefarea . Del refto rimettendomi alla relazione
del Nunzio fopraddetto , con tutto il core
me le raccomando .

19   *A Monfignor d' Aras .*

MONSIGNOR Profpero Santa Croce ,
Nunzio di Noftro Signore alla Maeftà del
Re de' Romani , vifiterà Voftra Signoria Ro-
verendiffima in mio nome : e le rinoverà la
memoria dell' affezione ch' io le porto , e
del defiderio che tengo di fervirla . Sia con-

tenta

tenta di non dimenticarne , e di valerſene , per darmi almeno animo di ricorrere a lei , come farò ſempre confidentemente in ogni occorrenza : e come fo di preſente per rilevazione , e ſoſtentamento delle coſe noſtre ; le quali Voſtra Signoria ſa in che termine ſono , ed in che hanno biſogno del ſuo favore . Io le raccomando quanto poſſo alla ſua bontà : e ſenza dirle più oltre le bacio le mani ec. (*a*)

20   *Al Criſtianiſſimo.*

V ENENDO Monſignor d'Imola alla Maeſtà Voſtra , coſì gran ſervitor ſuo , come di Noſtro Signore , e miniſtro ſecreto di tanto tempo, e di tanta fede, ſenza farli altra credenza credo che baſti dire a Voſtra Maeſtà , che porta ſeco tutto quello che di quà ſi poteſſe intendere . E quanto a quel , che le riferirà coſì delle coſe comuni , come delle private , non mi pare di dover dire altro ; eſſendo certo che la Maeſtà Voſtra ſi degnerà di corriſpondere alla ſperanza che avemo nella real bontà ſua , ſecondo il biſogno delle coſe , e dei tempi che corrono . Imperò di tutto a lui rimettendomi , ſenza più faſtidirla, umiliſſimamente le bacio le mani ec.

     Vol. I.   B   21 *Al*

(*a*) Monſ. d'Aras, poi Arciv. di Malines, e di Beſanzone, e Cardinale , era figlio del famoſo Niccolò Perrenotto, Sig. di Granuela.

21 *Al Cardinale Sfondrato* (a).

CON questa occasione dell' ordinario di Fiandra non voglio mancare d' accusare le lettere di Vostra Signoria Reverendissima delli xxiv. del passato, e vi. di questo, e medesimamente di Monsignor Mignanello, col quale questa sarà comune, quando non sia partito secondo l' ordine, che se li dette per D. Giovanni Osorio. E per risposta d' esse non ho che dirle, se non che Sua Santità resta satisfattissima della diligenza, e della prudenza loro nel trattare il negozio, ancorachè non abbino ritratto quel che Sua Santità sperava dalla Maestà Sua. Ma poichè la risoluzione di questa pratica par che sia rimessa nella venuta del Reverendissimo di Trento, il quale s' aspetta di corto; s' attenderà quel che porta Sua Signoria Reverendissima. Intanto useranno la lor solita destrezza in tenere le cose vive e ben disposte, e terranno avvertiti noi altri di quà di quel che parrà loro degno d' avviso. Noi non avemo altro, salvo che avendo li Prelati del Concilio domandato che Nostro Signore s' informasse, Sua Beatitudine s' è contenta-

tenta-

(a) Francesco Sfondrato, creato Cardinale da Paolo III. il dì 19. Decembre 1544.

tentata che il Reverendiffimo Santa Croce
venga a Roma : la venuta dèl quale farà
molto al propofito per dare qualche rifoluzione a quefta pratica : e tanto più che 'l
Reverendiffimo di Trento vi ferà ancor effo.
Nè altro occorrendo , a Voftra Signoria Reverendiffima bacio le mani.

22   *Al Duca Ottavio* (a).

DI Napoli fiamo avvertiti che 'l Conte
Giulio de' Roffi parte di là , e per la via
di Fiorenza verrà nel Piacentino a trovarfi
col Vefcovo fuo fratello . C' è parfo fargliene intendere , acciocchè offervi i fuoi pro-
greffi , ed abbia buona cura alle cofe della
Città , ed alla perfona fua . Della Corte
non avemo altro di momento : pure , perchè Voftra Eccellenza abbia notizia di tutto
come paffa , fi mandano le copie delle lettere che tenemo . Ora afpettiamo la venuta del Reverendiffimo di Trento , il quale
doverà portare qualche rifoluzione . Se s'ab-
boccherà con Voftra Eccellenza in Bologna ;
non manchi di farne parte di quanto arà ritratto da Sua Signoria Reverendiffima. E me
le raccomando ec.

B 2   23 Al

(*a*) Ottavio Farnefe , Duca di Parma , fratello
del Card. Aleffandro ec.

23 *Al Duca d' Urbino.*

, L a venuta di Meſſer Antonio Buzio , e l' officio , che Voſtra Eccellenza gli ha impoſto che faccia con Noſtro Signore, m'è ſtato di molto contento per la molta ſatisfazione che n' ha preſa Sua Santità , dalla quale è ſtato aſcoltato gratiſſimamente . E quanto al ritratto delle coſe eſpoſte , ritornando il medeſimo con chi s' è parlato diſteſamente , a lui me ne rimetto . Dicendole ſolamente che dall' amorevolezza di Sua Beatitudine deve ſperare quelli grati effetti , e da me quelli buoni officj , che ſi devono all' Eccellenzá Voſtra. Alla quale con tutto 'l core mi raccomando.

24 *Alla Ducheſſa d' Urbino.*

C o n queſta occaſione del ritorno di Meſſer Antonio Buzio , non voglio mancare di ſalutar l' Eccellenza Voſtra , e di congratularmi ſeco del congiungimento , quale penſo a queſt' ora ſia ſeguito col Signore Eccellentiſſimo ſuo Conſorte . Piaccia al Signore Iddio che ſia con perpetua felicità ſua , e contentezza noſtra . Io ne ſto d' ora in ora aſpettando novella da lei medeſima . Ed in tanto mi godo ancora dell' imaginazione del ſuo godimento ; e cordialmente me le raccomando ec.

25 *Al Duca d' Urbino.*

RITORNANDO Meſſer Antonio Buzio da Voſtra Eccellenza non debbo pretermettere l' occaſione di baciarle le mani , com' io fo con queſta mia , e come ho impoſto a lui che faccia ancora perſonalmente in mio nome . Del reſto mi rimetto a quanto dal detto le farà riferito ; e con tutto l' animo me le raccomando : ricordandole l' oſſervanza che le porto , e 'l deſiderio ch' io tengo di farle ſervigio ec.

26 *Al Cardinal Durante* (a).

NELLA cauſa dell' Abbazia di Santa Natoglia , dopo molte diſcuſſioni , e molti faſtidj che ne ſono dati a Noſtro Signore ed a me ; conſiderando finalmente Sua Santità, che l' intento della Comunità di Camerino non era all' ultimo , ſe non che quelle entrate non uſciſſero dello Stato , e che ſe ne pagaſſe la penſione al ſuo Veſcovo ; con queſta condizione che 'l Veſcovo ſia pagato , e che quando l' Abbazia ſarà libera delle

B 3

pen-

(a) Durante Duranti , Breſciano , fatto Cardinale da Paolo III. il dì 19. Decembre 1544. morì Veſcovo di Breſcia 24. Decembre 1557.

penfioni che vi fono di prefente , la metà
de' frutti , che avanzano delle fpefe ordinarie , fia del Capitolo di Camerino ; ha giudicato che fia conveniente cofa d' unirla alla Chiefa di Santa Natoglia , sì per effere
del territorio di quel loco , è dotata da quelli uomini , e ftata altra volta collegiata ;
come perchè quefto modo è parfo a Sua Beatitudine che provvegga alla fatisfazione dell'
una , e l' altra Comunità , e all' indennità
de' miei fervitori (a) , li quali faranno d'accordo con la Comunità predetta . Così ha
rifoluti gli Ambafciatori , che fono quì per
quefto effetto , e così vuol che fegua . Ed
a me ha ordinato che ne fcriva a Voftra
Signoria Reverendiffima acciocchè la cofa paffi con fua faputa , e di fuo confentimento .
Ora io la prego , che ancora per amor mio
fia contenta di favorir la determinazione già
fatta , poichè altro non ci manca che 'l fuo
parere . E in tanto fi degni far rilaffare i
frutti fequeftrati al Signor Antonio , acciocchè fe ne poffa fatisfare alle penfioni decor-
fe ; che quefto ancora è mente di Sua Santità , la quale defidero che non fia più fa-
ftidita di quefta benedetta caufa : e per u-
scir-

(a) Il CARO aveva avuto una penfione fopra quefta Abbazia dal Card. Farnefe . Vedi la lett. 164. Vol.
I. delle Familiari.

fcirne una volta fi manda la prefente per una cavalcata à pofta . Voftra Signoria Reverendiffima mi faccia grazia d' averla per terminata ; che per grazia fingolare gliene domando. E le bacio le mani.

Di Roma alli x. di Marzo MDXLVIII.

27 *Al Vicelegato della Marca.*

SONO ftato informato d' una controverfia ftata già molto tempo tra li Catlucci e quelli di Meffer Roberto della Serra di San Quirico , e delli difordini che ci fon nati , e di quelli che ci poffono nafcere , fe non ci fi rimedia : e di più che 'l rimedio è nelle mani di Voftra Signoria , effendo quefta caufa rimeffa ora coftì al giudizio di Meffer Paulo da Tarano, fuo Locotenente. Ora per tor via gli fcandali che ne poffono avvenire, e per altri rifpetti , io defidero che Voftra Signoria faccia per modo che ella fi termini . Son certo che lo farà per l' ordinario , per effer cofa giufta , e pia , ed appartenente all' officio fuo : ma io l' ho per tanto buon' opera , e ne fono ricerco da tali perfone, che lo defidero ftraordinariamente. Imperò la prego che ci metta le mani da vero , e la termini a ogni modo , ancora che bifognaffe con l' autorità prevertir l' ordine della tela giudiciaria . E quefto così quanto alla differenza civile , come quanto alla criminale , che fecondo intendo farà facil cofa ; perchè nell' una dicono che la ragione è chiara , e nell' altra che l' offese fon del pari . Io ne la stringo quanto posso a beneficio d' ambedue le parti : ma , dove fi può senza pregiudizio della giuftizia , le raccomando fpezialmente quella de' Carlucci.

Di Roma alli x. di Marzo MDXLVIII.

28   *Al Legato di Bologna.*

RESTO avvifato delle provvifioni che bifognano , e ne ho fatto follecitare il Teforiero , il quale mi fa dire che fino a ora v' ha provvifto interamente . Quanto alla reduzion de' Fanti , per li rifpetti che Voftra Signoria Reverendiffima dice , e per non turbare il Signor Paolo , fi farà che non fiano manco di 400. Il refto provvedete che fe ne vadino manco difcontenti che fi può . Dell' altre cofe mi rimetto al Teforiero ; ed a Voftra Signoria mi raccomando.

Di Roma, alli xv. di Marzo MDXLVIII.

29   *Al Signor Paolo Vitelli.*

Ho fentito un gran difpiacere , che quell' amico fi fia lafciato ufcir di bocca la pratica del negozio : e perchè fi porta pericolo che fi divolghi ogni giorno più , è necessario o d' affrettarlo , o d' abbandonarlo affatto . Voi che fapete la condizion delle perfone che 'l fanno , e fe da loro può effere

pene-

penetrato più oltre ; vi potete facilmente
rifolvere , fe 'l faperfi fin quì ci deve diftorre dall' efecuzion d' effo . Imperò ftando
l' occafion che voi dite , che ancora a me
pare buoniffima , non perdete tempo , fe 'l
far prefto può prevenire la notizia , e la
provvifione degli Avverfarj : e fe voi vedete
così dalla parte voftra , come degli Avverfarj , di poter fare il tratto netto. Quando no;
io giudico che non fi debba tentare a modo alcuno per non ruinar gli amici , e per
confervarfi il colpo per un' altra volta . Ma
in ogni cafo io lodo il parer voftro , e dall'
un canto fi moftri di ricever buon fervigio
da lui , e dall' altro fi procuri deftramente
di levargli le lettere di mano , ancora che
non fiano molto pericolofe . Di più crederei
che fuffe ben fatto avvertire il Capitan Niccolò di quefta leggierezza del fuo compagno,
perchè vadia feco più rattenuto per l' avvenire . E quanto a rivocargli il falvocondot-
to , fate che 'l Legato fia quello che non
gliene ammetta ; ed io mi ritirerò con quefta fcufa di fargliene buono.

Ricordatevi che fi trattenghino gli amici
di Mafferano per quell' altro negozio : e di
quefto avvifatemi quel che rifolvete . Qui
s' era determinato che i Fanti di cotefta guardia fi riduceffero a 300. ma per voftra fatisfazione , ftando maffimamente le cofe in
quefti termini , fe ne pagheranno pur 400.
gli altri potrete far licenziare con qualche
fov-

fovvenimento . Dei Flifchi io penfo che vadino mefcolando il mio nome nelle lor tra-
me per qualche lor difegno : ma io non fono intricato con effi , e non fo quel che fi
dichino .

Scritta quefta , è comparfo il Capitan Lodovico Marifcotto ; e , fecondo il voftro fcrivere , l' ho ben vifto .

Dice di molte cofe , delle quali fendo voi
confapevole , era ben che mi dicefte il voftro parere , perchè ve ne paffate nella voftra
molto afciutto .

Scrivetemene fubito , e ftate fano . Di Roma addì detto ec.

30   *Al Signor Cammillo Orfino .*

Nostro Signore refta appieno foddisfat-
to della prudenza , e della diligenza di Voftra Signoria circa lo ftar provvifto in ogni
cafo ; ed in quefto fopra tutti , dove Sua Santità concorre feco a fofpettare che quefto ap-
parecchio degl' Imperiali fia finto per le cofe del Piemonte , ma in vero per mandarlo
in un fubito a quefta volta . Io non manco di
far follecitare le provvifioni , che Voftra Signoria defidera ; le quali febbene indugiaffero qualche giorno di più della fua efpettazione , e
della promeffa che di quà li s' è fatta , non
è però che non fiano per farfi al fecuro . Sicchè quanto a quefta parte può ftare con l'a-
nimo quieto , perchè fi procurava tuttavia .

Il

Il Teforiero mi dice che i grani erano per arrivar di corto, e che fi può cominciare a difegnar qualche cofa fopra al ritratto d'effi. Del Depofito che vorrebbe coftì per i cafi fubiti che poteffero avvenire, io giudico che l'avvifo fia prudente; ma per ora fi può fare difficilmente. Tuttavolta in un bifogno Voftra Signorìa fi potrà fempre valere di quello di Bologna: e con tutto ciò s'andrà penfando di provvedere ancora a quefto. La polizza della ricevuta degli Sc. 700. fecondo la relazione di quefti Miniftri fta beniffimo. Nè altro occorrendo, a Voftra Signoria mi raccomando. addì detto.

51   *Al Nunzio di Vinegia.*

Dopo la ricevuta della lettera di Voftra Signoria de' x. di quefto, lodando prima la fua vigilanza nell'avvertire, come la diligenza nell'avvifare quel che fi dice, e quel che fi fa; le fcrivo quefta, perchè poffa dar notizia di coftà delle cofe che tenemo comuni con cotefti Signori Illuftriffimi. Partito di qui Meffer Anton Lelio, del quale Voftra Signoria arà intefo quel che occorreva, è comparfo Monfignor . . . . che s'afpettava di Francia, il quale, oltre la ratificazione di quanto è ftato negoziato di quà da Monfignor Reverendiffimo di Guifa, porta fpezialmente la ficurezza che tra 'l Criftianiffimo di Francia, e 'l Re d' Inghilterra farà o convenienza , o non rottura : poiché la lor differenza è compromessa in tre per ciascuna parte, che d'accordo ponghino i termini delle lor giurisdizioni . N' assecura medesimamente , che li Signori Svizzeri così per gli antichi rispetti , come per li nuovi interessi non possono mancare di non correre una medesima fortuna con la Corona di Francia . All' arrivo di questo personaggio l' Imbasciatore di lor Signorie Illustrissime , non senza qualche gelosia, cercò di penetrare nella sua commessione ; onde Nostro Signore mandò subito Monsignor di Massa a darli conto di tutto . E , benché io creda che sia restato benissimo satisfatto , ho voluto scrivere il medesimo a Vostra Signoria , perché ancor essa ne dia conto a lor Signorie Illustrissime : il che non mancherà di fare con quel miglior modo che le parrà .

Della gita del Signor Jeronimo non doveranno aver più che dire , poiché è toccata a Monsignor Giuliano Ardinghelli. Vostra Signoria con quella modestia che si conviene , e che propriamente è sua , vegga di ritrarre il parere delle lor Signorie Illustrissime circa quest' articolo della riduzione del Concilio ; dove Sua Maestà vuol cominciare a ingerirsi nel supremo giudizio delle cose spirituali , come fa della monarchia nel temporale. Questa cosa della Religione appartiene universalmente a tutti ; e però farà bene che ancor essi dicano la lor oppenione . Se dalla Mar-

ca

ca le farà fcritto dal Legato per alcuna provvifion d' arme , fia contenta di far ogni opera che fia fervito . E al Signor Imbafciatore d' Urbino potrà rifpondere che la cofa del Soperchio fi terminerà in ogni modo , e che di già avemo fatto la maggior parte .

Di Roma alli xvi. di Marzo MDXLVIII.

32   *Al Cardinal di Trento* (a).

PER rifpofta dell' ultima di Voftra Signoria Reverendiffima , ed Illuftriffima de' 28. non mi ftenderò intorno ai particolari del negozio , effendo già , come io credo, comparfo Monfignor Giuliano Ardinghelli , mandato fpezialmente a lei con la rifoluzione di quanto di quà fi può fare . Solamente le dico che le fue fatiche , e gli fuoi buoni officj fon conofciuti , e celebrati da noi come meritano ; e che dalla fua bontà , dall' affezion che porta a noi , e dalla pietà che deve a quefta fantiffima Sede , afpettiamo ogni giorno degli altri , e de' maggiori , così in beneficio delle cofe pubbliche , come delle private . Per noi di quà non fi manca di fare il più che fi può per ridurre le cofe a buona difpofizione . E già Voftra Signoria
                                    Reve-

(a) Quefti è il celebre Criftoforo Madrucci , eletto Card. da Paolo III. l' ultimo dì di Maggio 1542.

Reverendissima può aver visto, a quanto ragionevol termine siano ridotte dal canto di Sua Santità. Dio sia quello che per suo servigio, e per quiete de' suoi popoli disponga altrettanto la Maestà sua; ed a Vostra Signoria Reverendissima, ed agli altri che ci s' affaticano, conceda grazia di potergliene persuadere. Del resto rimettendomi a quello che Monsignor Giuliano ha portato, ed aspettando quel che riporterà (che non posso credere che sia se non bene), senza altro dirle le bacio le mani.

Di Roma addì detto.

33　　*Al Cardinale Sfondrata,*

L'ULTIMA di Vostra Signoria Reverendissima è stata de' 26. con l' occasione dello spaccio passato di qui per Napoli: ed inteso quanto per quella si dice, Sua Santità resta pienamente contenta della sua diligenza e nell' intendere, e nell' avvisare. Solo intorno al suo parere noi altri aremmo voluto, che si fusse più largamente distesa. Che, sebbene ha toccati tutti i capi, non è però venuto agli individui delle cose, nè alle ragioni delle sue conclusioni, nè al modo di metterle in atto. Ed in questi affari di tanto momento noi desideriamo ogni minimo tratto della prudenza, e della destrezza sua. Imperò ci farà grazia per l' avvenire dir liberamente, chiaramente, e per via di lungo

go difcorfo quel, che a lei pare, che fi debba fare, e come fi debba efeguire.

Avemo nondimeno intefo affai; e non accade che fi fcufi della fua maniera di fcrivere; perchè non folamente fatisfa a Sua Beatitudine, ma la commenda fopra modo. E quel che defideriamo noi, di più, è piuttofto per noftra curiofità, che per fua negligenza. Qui, dopo la fpedizione di Monfignor Giuliano Ardinghello non s'afpetta altro che la rifoluzione di coftà; e fopra tutto gli avvifi di Voftra Signoria Reverendiffima. Alla quale umilmente mi raccomando.

Di Roma addì detto.

34 *A Monfignor di S. Celfo.*

RINGRAZIANDO prima Voftra Signoria del buon animo fuo verfo le cofe noftre, le dico folo ch'io mi sforzerò di moftrarnele quella gratitudine che io debbo. Del refto mi rimetto alla relazione del medefimo Capitan Lodovico, al quale può credere liberamente tutto quello che le dirà, e prometterà in mio nome. E me le raccomando.

Di Roma alli xx. di Marzo MDXLVIII.

35   *Al Conte Ugoccioni.*

Ho intefo il Capitan Lodovico in credenza di Voftra Signoria, e, tornando il medefimo, li crederà altrettanto di quel che lo riferirà in mio nome. Refta ch' io la ringrazj della fua prontezza a beneficio delle cofe
noftre, e la preghi a continuare nella medefima buona volontà. E dal canto mio
non mancherò di corrifpondere all' obbligo,
ch' io le tengo. E, quanto poffo, me l'offero, e raccomando.

Di Roma ec.

36   *Al Conte Niccolò Scotto.*

Dal Capitan Lodovico Marifcotto ho intefo a pieno quel che avete rifoluto. Mi
piace, e giudico neceffario che fi efeguifca
fenza metter tempo in mezzo. Del buon
animo voftro io fono più che chiaro : ed io
farò per modo che voi, e li voftri amici
giudicheranno d' averlo bene impiegato. Del
refto mi rapporto alla relazione del Capitan medefimo, e fon fempre al voftro piacere.

Di Roma il dì detto.

 Al Signor Paolo Vitelli.

RITORNANDO indietro il Capitan Lodovico, non accade se non che vi raccomandi il negozio, del quale fi farà capo con voi. Non mancate di follecitarlo, e di facilitarlo il più che poffete : fovvenendo di denari, e di tutto che bifognerà per venirne alla conclufione.

E fono al voftro piacere.

 Al medefimo per cavalcata.

IL Capitan Lodovico, ed il Capitan Jacomo m' hanno porto il fecondo lor difegno per modo ch' io non lo tengo per molto difficile : e mi par molto opportuno al primo, tanto più quanto quello è già trapelato. E, acciocchè non avvenga il medefimo di quefto, mi pare neceffaria la celerità. E però mi fon rifoluto, che fi efeguifca fenza altramente afpettare il parere, ch' io defideravi da voi circa quefta imprefa ; come v' ho fcritto per l' ultima. Sicchè affrettatela più che poffete : e ftate fano.

Di Roma ec.

39 A Paolo Rigone in nome del Signor
Jeronimo da Correggio.

E' VENUTA occaſione che voi mi potete fare un ſervigio, che a voſtra vita non
accaderà mai più di farmene un altro tale,
nè di tanta importanza, nè tanto deſiderato
da me, nè che più ſia per giovare alle coſe
mie, ed alle voſtre inſieme. Io non mi
voglio ſtendere a pregarvene con molte parole, perchè mi prometto ancora maggior
coſa di voi: baſta che dalla qualità del negozio voi potrete comprendere quanto gran
piacere mi farete. Del reſto mi rimetto a
quel che vi dirà, ed all' ordine che vi darà l' apportator di queſta; il quale vi farà
parlare ad un altro, che vi preſenterà un
guanto per contraſſegno che abbiate a far
per amor mio quanto vi farà detto da lui;
ed eſſo medeſimo ſi troverà all' eſecuzione
del fatto inſieme con voi.

Se 'l tratto mi rieſce, ve lo potete ripu-
tare a gran voſtra buona fortuna, e de' voſtri figliuoli. E da voi ſteſſo conſiderate
quanto obbligo io ſia per averyene. State
ſano.

Di Roma alli xx. del detto ec.

R I N G R A Z I O Voftra Signoria Reverendiffima della diligenza ufata per inviarmi la lettera del Cardinale Illuftriffimo di Trento , e più dell' affezione che mi moftra nella fua , e dell' amorevoli offerte che mi fa , le quali fon certiffimo che le vengono da buon core : e però ne fo quel capitale che fi conviene , e me ne valerò tutte le volte che m' occorrerà . Intanto non me fe ne prefentando particolare occafione , io la fupplico in genere a degnarfi di fare di quelli officj , e con quelli perfonaggi , che ella medefima giudicherà che fiano a propofito per la buona convenienza tra Noftro Signore , e Sua Maeftà Cefarea ; per la quale io non manco di quà d' affaticarmi quanto io poffo . E tengo fperanza conforme a quella di Voftra Signoria Reverendiffima , che le cofe debbano pigliar qualche buono affetto : sì perchè confido nella bontà della Maeftà Sua , come perchè dalla parte di Sua Santità s' è già venuto a termini affai ragionevoli . Dio fia quello , che fpiri gli animi dell' uno, e dell'altro Principe a quel che fia più fuo fervigio . E a Voftra Signoria Reverendiffima umilmente mi raccomando .
Di Roma alli xxii. di Marzo MDXLVIII.

41 *Al Cardinal di Santa Croce* (a).

QUESTA farà folamente per accufar le
due ultime di Voftra Signoria Reverendiffima, una de' xiii., l'altra de' xv. tutta di fua
mano, per le quali ho intefo con grandiffimo piacere gli avvertimenti dati così a Monfignor Antonio Elio, come al Signor Cammillo; ambedue di gran momento. E, benchè riconofca in effi la vigilanza, e l'amorevolezza fua folita, non entro altramente
in ringraziarnela, perchè tra noi non mi pare che fi convenga. Del refto, rimettendomi alla lettera delle cofe pubbliche, fenza
altro dirle umilmente me le raccomando.

Il dì detto.

42 *Al Cardinal Crefpi* (b).

NOSTRO Signore accetta per bene tutte le ragioni, che muovono Voftra Signoria
Reverendiffima a non ammettere le furroga-
zioni negli luoghi di cotefta Sapienzia, e
tiene anco per ben fatto che s'offervi l'ordine cominciato. Tuttavolta parè a Sua Santità che 'l cafo, per lo quale è ricercata,
ad

(a) Marcello Cervino, poi Papa col nome di
Marcello II.
(b) Tiberio Crefpi, Romano, creatura di Paolo III.

ad iftanza di Monfignor Gio. Antonio Scri-
bano , Notario di Camera , non debbia effer comprefo con gli altri ; confiderando che
egli domanda un loco d' un fuo Fratello per
un altro fratello . Ed , ancora che vogliamo
dire che fia pur un altro , una fimile furro-
gazione è tanto ragionevole , e occorre tanto di rado che fi può difpenfare con legitti-
ma caufa , e fenza che paffi in efempio .
Tanto più che 'l loco è ftato goduto per sì
poghi giorni , che fi può dire che quefto fecondo entri adeffo in vece del primo. Oltrechè in ogni cafo la Sapienza non è per averne profitto : perchè non li fi concedendo
quefto loco per quel che lo vuole, ci riman-
derà a ogni modo quel che lo poffiede . Il
che per qualche fuo difegno farebbe incomodo a lui , ed in neffun modo utile del Collegio. E, quando mai quefte ragioni non va-
leffeto , la qualità di M. Gio. Antonio , e
li fervigj che fa continuamente a Sua Santità , ed alla Camera Appoftolica nelle cofe
pecuniarie , e nelle altre di molta importanza , fono tali che meritano che fi faccia
quefto favore fpezialmente a lui . Imperò ,
poichè lo può concedere con tanto buon co-
lore , fia contenta di farlo a fatisfazione di
Sua Santità , perchè certo le farà grato : ed
io n' arò obbligo con Voftra Signoria Reverendiffima , alla quale umilmente mi raccomando.

Di Roma alli 24. di Marzo MDXLVIII.

43 *Al Cardinal di Monte* (a).

I L Colonnello Afcanio, Nipote di Voftra
Signoria Reverendiffima, è venuto quì per alcune faccende della provincia ; e ragionando
feco , come io foglio , famigliarmente , ho
intefo da lui ch' ella è deliberata di mettere
le fue Badie di Francia in perfona d' un non
fo qual putto contra l' intenzione data prima a lui , e la promiffione fatta di poi a
me , quando io fui feco a Trento , di refi-
gnarle a Fulvio fuo fratello . il quale folamente per quefta fperanza s'è veftito da prete , ed ha ceduto la parte del fuo patrimonio a lui, Il che m'ha narrato con un grandiffimo affanno ; parendoli molto ftrana cofa , oltre a non confeguir quella entrata ,
che 'l fratello refti con quell' abito in fec-
co ; ed egli fia efclufo della liberalità di
Voftra Signoria Reverendiffima dopo la pro-
meffion di lei fenza fua colpa, E, perchè io
amo lui per le fue buone qualità , e fon
fervitore di lei , m' è parfo di dover fare
quefto officio feco ; col quale io le ricordo
l' efecuzion del fuo detto , i meriti del Co-
lon-

(a) Giammaria Monti , fatto Cardinale da Paolo
III. 20. Decembre 1536. e poi Papa col nome di
Giulio III.

lonnello, e lo fcorno che ne verrebbe a lui,
ed al fuo fratello quando ciò fuffe, ed ultimamente il difordine che ne può feguire ; perchè, quando il cafo fuffe, mi par di conofcere
una difpofizion nel Colonnello da temerne
qualche mal' effetto , fe non prima , dopo
che mancaffe Voftra Signoria Reverendiffima,
che Dio la confervi lungamente . Ora io nè
l' avvertifco , prima acciocchè con la fua
prudenza vi rimedj; di poi la prego che, ancora per l' amor mio , fia contenta di far
degno il Colonnello di quefta fua liberalità :
che, oltrechè lo farà per un fuo nipote ono-
ratiffimo e meritiffimo , io le n' arò particolarmente obbligo fingolare . E quanto poffo umilmente le bacio le mani.

Di Roma il dì fopraddetto.

44. *Al Legato della Marca.*

E' folito , fecondo che mi fi dice , che
le queftioni , ed anco gli omicidj che fanno
i foldati , mentre fono in campo , non fi
riconofcono nella provincia : Stando quefta
confuetudine, io raccomando a Voftra Signoria Reverendiffima , uno Adamo da Efi ; il
quale in fu la guerra , facendo a coltellate
con un fuo avverfario Anconitano , l' uccife
onoratamente. Egli defidera di non effer mo-
leftato dalla fua Corte per tale effetto ; ed
io per compiacere a chi me ne ricerca , ne

la prego quanto più poſſo, e me le raccomando.

Di Roma alli xxiv. detto.

45 *Al Nunzio di Spagna.*

ALLI xxii. di queſto ho ricevuta l'ultima di Voſtra Signoria de' xxv. di Febbraro; e conſiderato il ragionamento ch' ella ha avuto col Signor Duca d'Alva, e l'oppenione che Sua Signoria tiene del noſtro procedere, conoſco quanto può negli uomini l'affezione; poichè è baſtante d'alterare il giudicio d'un Signor tale: il quale non poſſo credere che ſentiſſe il medeſimo, quando la paſſione non l'ingannaſſe. Oltrechè moſtra non avere intera informazione di tutte le coſe come ſon paſſate. Perchè quanto a quel che dice del Concilio, Sua Santità non ha mai negata la ſua riduzione a Trento, pur che ſi faceſſe coi debiti modi. i quali modi ſi ſono propoſti e trattati col Signor D. Diego, come può aver veduto per le copie delle lettere mandate a Sua Signoria. E non ſolamente non ſono ſtate accettate, ma nè anco ce n'è ſtata mai data riſpoſta, con tutto che ſiano oneſtiſſimi, ed approvati quì per la maggior parte da' Miniſtri di Sua Maeſtà; come s'è fatto ancora degli ultimi queſiti de' Prelati di Bologna, che le coſe ſtabilite a Trento non s'abbino a ritrattare: che ſi dichiari il modo con che s'ha

da

da procedere nel Concilio : e come s' intenda questo Cristiano libero ; poichè i Luterani l' intendono a un modo , ed i Cattolici in un altro . E sua Maestà usa in questo le medesime parole che usavano già i Protestanti . E che per questo i Prelati di Trento convenghino a Bologna : ed, avendo a ridursi il Concilio altrove , si truovi il modo d' assecurare il loco , e di salvare la libertà di quelli che ci convengono . Alle quali proposte Sua Santità ha potuto vedere con quanta indegnità , ed ignominie di parole sia stato risposto ; chiamandole delusorie , e piene di fingimenti , senza venire a particolare o ragione alcuna di quel che si dice . E quanto al mandar Legati , o Nunzj , oltrechè Sua Santità l' abbia offerto ; ultimamente s'è mandato a replicare per Giuliano Ardinghelli ; il quale io ho spedito a posta alla Corte con queste e con altre offerte ; per le quali si può chiaramente conoscere che per Nostro Signore non si resta d' aprire ogni via a far bene , pur che Sua Maestà voglia pigliar le cose per il verso . E, se la Signoria Vostra leggerà l' Istruzione che portò il Cardinal di Trento a Roma, e vedrà le risposte fatte da noi ; troverà che nella sostanza della cosa non è discrepanza alcuna , e che 'l fine d' ambedue le parti è il medesimo . Al quale potendosi venire per mezzi ordinarj , e non violenti ; non so quel che si muova Sua Maestà a volerlo conseguire

con

con tanta indegnità di questa Santa Sede ;
con esautorare i Concilj , col pregiudicare
al supremo giudicio del sommo Pontefice , e
col non avere quei rispetti che si devono
ancora all' altre nazioni . oltre di' questo ,
col mettere scrupolo , e scandolo , e cattivo
esempio nelle cose della Religione , ed in
tutto con espressa ruina della libertà Eccle-
siastica. Le quali considerazioni muovono Sua
Santità a non condiscendere interamente alle
domande della Maestà Sua , per satisfare al
servizio di Dio , ed al debito dell' officio ,
e del grado che tiene ; e non per attraver-
sare in ogni cosa all' Imperatore , come vogliono dire . Il che mi meraviglio tanto più
che sia raffermato dal Duca d' Alva , quanto che Sua Signoria sa spezialmente , quante volte in queste cose , e di quanta importanza , Nostro Signore ha gratificata la Maestà sua , e consentito alla sua grandezza.

E quanto alla reduzione della Germania ,
di che pare che tanto si scandolezzi ; essendo notissimo al mondo , può anco costare a
Sua Signoria della prontezza di Sua Santità
circa la celebrazione del Concilio , delle spese che ci ha fatte , e delle fatiche , che
ci ha durate , perchè si riducesse per questa
via pacifica : ed ultimamente con quanto
dispendio è concorso al parere di Sua Maestà
a tentarlo per via della forza.

Il che essendo riuscito a grandezza della
Maestà Sua , non deve venire in diminuzio-
ne

ne dell' autorità della Sede Appoftolica , degli ajuti della quale s' è valuta in parte ;
nè contra la dignità di Sua Beatitudine , la
quale non fugge ora quel che ha defiderato ,
e procurato fempre ; ma folamente vorrebbe
che fi faceffe coi modi , che fi fon detti ,
onefti e convenienti . Il che non fi facendo ,
mi par di vedere che fotto pretefto di quefto tal Concilio vogliono difendere le cofe di
Piacenza , alle quali non hanno replica . E
fono di qualità che , ftante il favore che fi fa
a quelli Sicarj , e la rimunerazione che n'
hanno avuta , par che fiano approvate da
Sua Maeftà ; e danno quel fofpetto e quello
fcandalo al mondo , che già fi vede apertamente . E quanto ai partiti che dice avere
propofti la Maeftà Sua per reftituzione , o
per ricompenfa di quella Città , ai quali dice che non fi porge orecchie ; Sua Signoria
potrà vedere per la Iftruzione che porta l'Ardinghello , fe fi rifponde , o no : ed a qual cammino fi va di quà per venire all' affetta delle
cofe così pubbliche come private . Piaceffe a
Noftro Signore Iddio che altrettanto faceffe a rincontro la Maeftà Sua : che certo non
s' avrebbe altro oggetto che 'l fervigio di
Dio , e 'l beneficio della Criftianità . Arei
da dire mill' altre ragioni ; ma , perchè fono
apertiffime , non mi eftenderò più oltre , rimettendomene alla prudenza di Voftra Signoria , ed alla capacità del Signor Duca . E circa quefto fo fine .

Con

Con l'occasione di questa passata del Principe in Italia, m' è venuto in proposito di far l' officio con Sua Santità circa il restare di Vostra Signoria costì, o venire dalle bande di quà. E finalmente Sua Santità è risoluta che sia bene ch'ella se ne torni: sì perchè non le pare ch' ella vi possa stare con degnità, non vi essendo nè Sua Maestà, nè 'l Principe; come perchè desidera di vederla, e di servirsi di lei più da presso. Sicchè la potrà lassar tal ordine, che le cose della Colletteria non patiscano in assenzia sua, e venirsene insieme col Principe. Intanto accadendole avvertir qualche cosa avanti la sua partita, usi la solita diligenza conforme alla fede che Sua Santità ha in lei.

Di Roma alli xxvii. di Marzo MDXLVIII.

46 *Al Cardinal di Trento.*

MESSER Giuliano Ardinghelli m'ha riferito quel che senza sua relazione, e senz' altri riscontri si teneva per fermo della bontà di Vostra Signoria Reverendissima, ed Illustrissima. E, con tutto che non m' abbia detto cosa nuova, m' è stato nondimeno di gran contento, e di grande speranza sentire ancora da lui con quanto amore, e con quante fatiche si travagli tuttavia continuamente in beneficio di questa Santa Sede, e della Casa nostra particolarmente. Di che non voglio per ora dirle altro, se non che

dal

dal mondo n' ha quella laude , e da noi quell' obbligo che sì li viene . Volesse Iddio che la buona mente , e le buon' opere sue facessero quel frutto , che ragionevolmente se ne spera : che farebbe molto più di quello che n' ha portato ora Messer Giuliano , il quale in vero c'è parso assai poco . Pure dalla speranza che Vostra Signoria Reverendissima ne dà , ce lo promettiamo maggiore per l'avvenire. Intanto io non manco di quà di tener le cose in quella buona disposizione che sono ; e già, quanto alla spedizione de' Legati, o Nunzj, s'è risoluto di provvedere al bisogno della Germania. E quanto alle cose di Piacenza, conforme alle parole dette da Sua Maestà all'Ardinghelli , si manda Monsignor Santa Croce con Breve espresso per quest' effetto solo . In questo mezzo io non mancherò di fare ogni caldo officio , perchè Vostra Signoria Reverendissima sia rintegrata del suo credito ; che spero pure che mi verrà fatto ; ancoraché sia molto difficile , per essere la Camera esausta per le spese passate , ed assegnate la più parte delle sue entrate a' creditori d'essa . Del resto rimettendomi a quanto da Monsignor predetto le sarà riferito , senza altro dirle, la ringrazio quanto posso degli affezionati suoi ricordi . E umilmente le bacio le mani.

Di Roma alli xix. d'Aprile MDXLVIII.

47 *Al Cardinal d' Augusta* (a).

N E' per la indifpofizion del corpo , nè per l' affenza della Corte è reftata Voftra Signoria Reverendiffima , ed Illuftriffima di far quelli amorevoli officj , che per noi di quà fi defiderano dalla molta bontà fua . Dio fia quello che ne la rimuneri , a fervigio del quale fi travaglia principalmente in quefta pratica . Quanto al beneficio che ne ricevemo privatamente noi , non poffo altro per ora che riconofcerlo , e ringraziarnela con tutto l' animo , ficcome fo , degli affezionati ricordi ch' ella mi dà tuttavia ; li quali fia certa che mi fono a core , e che da me non refterà mai d' efeguirli . La fede che mi fa della buona inclinazione di Sua Maeftà , e della calda interceffione di quelli Signori , che vi s' adoperano a difporla , mi dà molta fperanza per l' avvenire . Ma di prefente , per dire il vero , di quà s' afpettava che Meffer Giuliano ne portaffe maggior arra . Pure non fi refterà per quefto di continuare nella medefima confidenza che avemo nella Maeftà Sua ; e di tener le cofe

così

(a) Ottone Trufches de' Baroni di Waltburg , detto volgarmente il Card. di Augufta : creatura di Paolo III. e celebre nella Storia de' fuoi tempi.

così ben disposte come sono dal canto di Nostro Signore. E di già s' è risoluta, com' ella intenderà, la spedizione de' Legati: e tuttavia si pensa alla risoluzione delle facoltà loro. E, circa le cose private, si manda Monsignor Prospero Santa Croce con particolar commessione di negoziarle, secondo l' appuntamento fatto ultimamente nella negoziazione dell' Ardinghello. E di tutte insieme per la buona intenzion, che ne è data da voi altri Signori, e per gli officj che ci fanno tuttavia, avendosi a far con giusto Principe, si spera buon esito. Quanto all' Abbazia che Vostra Signoria Reverendissima domanda, penso che sarà stata avvisata che io non mancai subito di fare il mio debito con Sua Santità, la qual graziosissimamente le ha conceduto quel che le può concedere; e con questa ne doverà avere la spedizione. Desidero che non n' abbia travaglio per altra via: e, non avendo altro che dirle, umilmente le bacio le mani.

Alli xix. del sopraddetto mese.

48   *Al Confessore di Sua Maestà.*

PER risposta dell' ultima di Vostra Signoria m' accade dirle, che i suoi buoni officj appariscono in tanti modi, e sono riferiti di quì da tanti, che non deve punto dubitare che non siano conosciuti da Sua Santità, e da noi altri tutti, e lodati dal mondo

do come meritano. Così piacesse a Dio, per beneficio universale, che facessero quel frutto interamente, che già ne speriamo in qualche parte: che sebben la venuta dell'Ardinghello non ci ha portato nè satisfazione, nè risoluzione alcuna delle cose nostre; pure io stimo assai la buona inclinazione di Sua Maestà della quale Vostra Signoria mi fa fede, ancorachè io non n' abbia mai dubitato. Di quà le cose sono state sempre, e sono in quel buon termine che si può desiderare dal canto di Sua Santità, e io mi sforzo a tutto mio potere di mantenercele. Resta che Sua Maestà si degni finalmente di mettere in atto la bontà, e la giustizia sua: a che io non dubito che Vostra Signoria non sia per esortarla come ha fatto sempre. Di quà s' è già provvisto alla deputazion de' Legati per il bisogno della Germania: e, finchè si delibera delle lor facultà, che si fa tuttavia, si manda Monsignor Prospero Santa Croce che, per non tener sospeso l' animo di Sua Maestà, dia conto di questo poco indugio che si fa per discutere questa materia: e che intanto ragioni del negozio di Piacenza secondo è stato appuntato nella negoziazione di Messer Giuliano Ardinghello. Del resto rimettendomi a quel che a bocca riferirà Monsignor Prospero predetto; e confidando nella generosità di Sua Maestà, e nelle buone persuasioni di Vostra Signoria, s' aspetterà quel che segue. E senza

più

più dirle me le offero , e raccomando sempre.

Di Roma addì detto.

49   *Al Sig. Gio. Batista Castaldo* (a).

Ognuno sa quanto Vostra Signoria possa
ancora con l'autorità appresso la Maestà Sua ;
ma , quando per modestia non ne voglia far
professione , a me basta sapere che col testimonio , e coi ricordi suoi ci ha fatti , e ci
fa di continuo beneficj ; perchè la verità ,
massimamente in bocca d' un suo pari , è
impossibile che non abbia quella forza che
suole in tutti quelli che sono pur uomini ,
non che Prencipi e grandi così d' animo ,
come di fortuna , quale è Sua Maestà : la
bontà , e generosità della quale non posso
credere che si lassi mai così vincere dalla pas-
sion d' altri , nè da uno interesse di sì poco
momento , quale è questo a rispetto della
sua potenza , che non istimi molto più la
nettezza dell' animo suo , la gloria del mondo ; e , quel che importa più , la grazia e
servigio di Dio , e 'l beneficio della Cristianità ; ancorachè non tenesse un minimo
conto della devozione della Casa nostra , e
del vincolo che noi avemo del sangue con

Vol. I.   D   Sua

____

(a) Gran Generale , e favorito di Carlo V.

Sua Maestà. Io so che Vostra Signoria per
natural sua cortesia , e per l' amor che porta a noi altri , che l' amiamo da padre ,
continuerà sempre ne' medesimi suoi buoni
officj .. E per questo non voglio perder. tempo a pregarnela : ma le dirò bene , che ne
l' avemo tutti obbligo eterno ; ed io particolarmente mi sforzerò di far per modo, che
non le paja d' averli mal locati . Di quà si
pensa di satisfare in tutto che si può, e che
si deve ragionevolmente , al desiderio di Sua
Maestà : e già s' è provvisto al bisogno di
cotesti popoli , e si provvede tuttavia a
quel che resta, in quanto alle cose pubbliche . In quanto alle private , secondo l' ordine di costà , si manda Monsignor Prospero Santa Croce , che le negozj . Vostra Signoria è in loco che saprà di mano in mano come le passano : so quanto le sono raccomandate , come ho detto ; so quanto ella è libera , ed efficace nel dire , e nell' o-
perare ; imperò senza più parole mi rimetto al parere , ed all' amorevolezza sua .
E me l' offero , e raccomando con tutto 'l
core .

Di Roma addì detto .

50   *Al Reverendissimo di Monte.*

Io perdonerei qualche parte di quelle pun-
ture , che le podagre danno a Vostra Signoria Reverendissima , se , per quel che dicono
costo-

coſtoro, che l'eſtenuazione del corpo dà vigore, e prontezza allo ſpirito, foſſero ſtate cagione ch'ella aveſſe fatto quel diſcorſo che n'ha mandato per la ſua particolare de' xiv. Ma perchè ſi ſa che la prudenza ſi poſſiede per abito, e non per accidente; non voglio ſaper lor grado d'altro che dell'occaſione che le hanno data di dettarlo. E per oracolo di Noſtro Signore, e per detto delli Reverendiſſimi Signori Deputati, lo commendo per prudentiſſimo, per circoſpettiſſimo, e per molto bene eſplicato. E le dico che, conforme a quel che ella ſente, e ſcrive coſì da ſe, come inſieme col Reverendiſſimo Santa Croce, Sua Santità ſi riſolve d'eſeguire; come vedrà per la lettera che ſi manda comunemente a Voſtra Signoria, e Sua Reverendiſſima. Aſpettaſi un ſimil ritratto della prudenza dell'uno, e dell'altro ſopra al reſtante che s'ha da deliberare delle facultà de' Legati, e de' Legati medeſimi: venendo agl'individui delle coſe, e delle perſone, poichè la ſpedizion d'eſſe è già riſoluta. Sopra di che ſi degnerà di ſcrivere appieno, e ſenza podagre, per chiarirci affatto ch'ella non ha biſogno dell'ajuto loro. Nè altro,

Di Roma ec.

51 *Al Bobadilla* (a).

NOSTRO Signore per la relazione che le si fa tutto giorno delle buone opere di Vostra Signoria a beneficio della Religione, presentandofele occasione d' una vacanza, le fa grazia di 100. Ducati di pensione. Vostra Signoria lo riceva per un segno di buona disposizione di Sua Santità verso di lei; e ne tenga maggiore speranza nell' occorrenze da venire. E, quanto ai particolari officj fatti da lei per conto della fede Cattolica, Sua Beatitudine n' ha sentito molto piacere; e l' esorta a continuare, che, quanto appartiene a Sua Santità, non si mancherà dei rimedj opportuni alla riduzione di cotesta nobilissima Provincia interamente, non che degli Stati ch' ella dice, come ha fatto di continuo fino a ora. E quanto agli articoli che Vostra Signoria avvertisce, non si mancherà d' averci considerazione in questa deputazion de' Legati, che si domandano di costà. Intanto Vostra Signoria mantenghi la buona disposizione acquistata, e vegga di disporre più

che

(a) E' verisimile che sia Niccolò Bobadilla, Spagnuolo, uno de' primi nove compagni di S. Ignazio; che, trovandosi alla Corte dell' Imperadore Carlo V., screditò colla voce, e cogli scritti il famoso *Interim*, sicchè l' Imp. lo rimandò in Italia.

che può del reftante . E fenz' altro dirle me
l' offero fempre . . . .
Di Roma alli xix. del detto .

52   *Al Principe di Savoja.*

VOSTRA Eccellenza deve effer certa per
molti rifpetti , che io defidero avere occafione di farle fervigio ; e per quefto ancora può
effere ficura , che nella iftanza ch' ella mi
fa di procurare appreffo a Noftro Signore ,
che l' Abbate di Capri ottenga il Vefcovato
d' Afti , io non abbia mancato di fare ogni
officio neceffario . Tuttavolta femo ftati pre-
venuti , perchè già Sua Santità n' avea difegnato in perfona di Monfignor della Croce . Del quale, poichè l'elezione è feguita ,
io fon certo che Voftra Eccellenza fi terrà
ben foddisfatta , per effer tale ch' ella ne
può avere ogni confidenza , e per l' altre
qualità molto degno del fuo favore . Refta
che Voftra Eccellenza fia fervita d' avermi
per ifcufato in quefto ; e non refti di comandarmi in ogn' altro fuo defiderio ; che
in quanto per me fi potrà , non mancherò
mai di moftrarle almeno il mio buon animo
di fervirla .
Di Roma alli xxviii. d'Aprile MDXLVIII.

53   *Al Vicelegato della Marca.*

INTENDO che un Ranaldo della Salara, abitante in Civitanova , uomo da bene , e di più d' ottant' anni , de' quali ha la maggior parte fpefi in fervigio della Camera , fi truova in queft' ultima fua vecchiezza in una mifera folitudine , per effere un fuo figliuolo unico confinato da Voftra Signoria : imputato che , avendo il fuo lavoratore ucciſo un pecoraro che li danneggiava la poffeffione , egli li fece animo con certe parole , mentre erano infieme alle mani. Per le quali parole fu condennato in certa fomma de' danari , ed in cinque anni d' efilio . Il Giovine mi fi dice ch' in tutto 'l refto della fua vita è ftato fempre modeftiffimo ; ed in quefto cafo fu più prefto trafportato dall' inconfiderazione che dall' infolenza . Con tutto ciò quanto alla pena ha concordato con la Camera ; e , quanto all' efilio è ftato già fuori un anno . Ora fi defidera che Voftra Signoria difpenfi li quattro reftanti per foftentamento di quelli pochi giorni che il padre ha da vivere. E, confiderato il cafo , e la qualità delle perfone , e che Voftra Signoria ha già fatisfatto in gran parte alla giuftizia , a me pare che poffa ancor con fua laude fatisfare in quefto refto alla pietà. Alla quale per li rifpetti, che fi fono detti, credo che s' indurrà facilmente . Ma io per

com-

compaſſione di quel povero vecchio , e per
deſiderio di compiacere a chi me lo raccomanda , ci aggiungo queſta mia raccomandazione , la quale voglio che ſappia , che
non è dell' ordinarie . E ſenza più dirle ,
me l' offero per ſempre .

Di Roma alli v. di Maggio MDXLVIII.

54 *Al medeſimo .*

P E R nome di Batiſta Lazzerino da Civitanova m' è ſtato eſpoſto che , per eſſer be-
neſtante , certi di detto loco, per queſto ſolo diſegnando d' apparentar con lui ; ed eſſendo giovinotto , e ſemplice , con alcune
arti , e con perſuaderli che 'l zio paterno ,
ſotto tutela del quale ſi trova , ſe ne con-
tentaſſe ; l' hanno condotto a dir di sì con
intervenimento di Notarj , e di teſtimonj ;
ma non *per verba de praſenti .* Ora avvedu-
toſi d' eſſer circonvenuto , e che non è vero che li ſuoi ci conſentano ; non avendo ,
non che altro , veduta mai quella puttina ,
che cercano di darli; non intende più di volerla . E per molte ragioni , le quali penſo
che coſteranno ancora a Voſtra Signoria , mi
ſi fa vedere che 'l maritaggio non è valido .
E nondimeno par che di coſtaggiù li ſuoi
ſiano aſtretti , e che egli ricorrendo a Roma
ſia ſtato condennato in contumacia . Io ſo
che per l' ordinario li ſarà fatta giuſtizia ;
tuttavolta, a richieſta del povero putto, rac-

coman-

comando a Vostra Signoria questa causa per
il dovere ; parendomi di gran nota, e di cattivo esempio, che per queste vie indirette , e
senza consentimento de' suoi , una semplicet-
to , come è costui , sia sforzato a dispor della roba , e della persona sua contra sua voglia . E Io non altro dirle me l'offero , e raccomando .

Di Roma alli v. di Maggio MDXLVIII.

55　　　*Al Duca di Savoja.*

DESIDERIO mio sarebbe stato che Nostro Signore avesse provvisto del Vescovato
d'Asti il Reverendo Abate di Capri , secondo la domanda di Vostra Eccellenza ; e
non ho mancato in suo servigio di farne officio fino a quanto m'è parso di dovere , e
di potere operarvi . Ma Vostra Eccellenza
può considerare la forza de' rispetti, che hanno mossa Sua Santità a disporne in persona
di Monsignor della Croce , e da questo avere per iscusato il mio non poter più che tanto , ed accettare in buona parte la deliberazione di Sua Beatitudine. Della quale io son
certo , che ancora l'Eccellenza Vostra si sa-
tisfarà ; per essere il Vescovo tale che ne
può sperare ogni buon reggimento circa la
sua Chiesa , ed ogni debito officio verso di
lei : E, perchè io conosco la modestia dell'Eccellenza Vostra , e la riverenza ch'è solita
di portar sempre alla Sede Appostolica , con-
fidan-

fidandomi che sia per favorir benignamente
l'esecuzione del Breve, che sopra di ciò le
scrive Sua Santità, non le dirò altro; se non
ch'ella non deve per questo diffidar della grazia di Sua Beatitudine nell'altre occorrenze,
nè dell'opera mia, ogni volta che si degnerà di valersene. E, pregandola che ancora
per mio amore abbia il sopraddetto Monsignor in protezione, a lei raccomandandomi
ed offerendomi, le bacio le mani.

Di Roma alli vii. di Maggio MDXLVIII.

56   *Al Vescovo di Vercelli* (a).

VOSTRA Signoria Reverendissima potrà
facilmente sapere ch'io non ho mancato di
far opera che l'Abate Reverendo di Capri
fuffe provvisto della Chiesa d'Asti, secondo
il desiderio del Duca Eccellentissimo di Savoja, e del Principe Illustrissimo, suo figliuolo. Ma con tutto ciò non è parso a
Nostro Signore di poter mancare a Monsignor
della Croce; l'antica servitù, e le buone qualità del quale essendo note a Vostra Signoria, io la prego, che sia contenta di farle
conoscere ancora all'Eccellenze loro; acciocchè s'appaghino dell'elezione di Sua Santità;

ammet-

(a) Pietro Francesco Ferrerio, fatto poi Card. da
Pio IV. nel 1561.

ammettano la fcufa a me di non averle fervite ; ed abbino il Vefcovo in quella grazia
ed in quella confidenza, che fi conviene alla
fua bontà , ed all' offervanza , che fi poffono promettere in ogni tempo da lui . Man-
dafi il Breve fpedito per entrate in poffeffo ;
per efecuzion del quale, fapendo quanto l'Eccellenze loro fono circofpette, e riverenti alla Sedia Appoftolica , non le dico altro : fe
non che, bifognandovi in qualche parte l'officio fuo , fia contenta d' interporvelo volentieri per fatisfazione di Sua Santità , e per
beneficio del Vefcovo . Di che io n' arò obbligo particolarmente con Voftra Signoria, alla quale m' offero , e raccomando.

Di Roma alli vii. di Maggio MDXLVIII.

57   *Al Cardinal Durante.*

Io credo pure che in quefta caufa dell'Abbazia di Santa Natoglia , dopo che le cofe
fono ftabilite innanzi a Noftro Signore , dopo la fupplicazione fegnata , dopo il Breve
mandato da Sua Santità per la relaffazione
de' frutti , e dopo l' efferfi adempito di quà
tutto quello che Voftra Signoria Reverendiffima ha faputo domandare per fua giuftificazione , ch' ella fi doverà contentare di fare,
almeno per officio , quel che tante volte le
ho domandato per grazia : e per grazia le
domando ancor di nuovo, che non fe ne dia
più faftidio a Noftro Signore . Dico così ,
per-

perchè con tutto quello che s' è fatto , che
già non ci refta più che fare , la Comunità
di Camerino è di nuovo ricorfa al Duca Ottavio , ed ha ottenuta una lettera, che Voftra Signoria Reverendiffima fopraffegga l' efecuzione del Breve fino a tanto che Noftro
Signore deliberi. Che mi meraviglio che procedano con tanto poco rifpetto , e chè non
fi contentino d' aver avuto più che non dovevano avere , e più che effi medefimi non
hanno chiefto : non ricordandofi di quel ch'
hanno fatto negoziare quì alli loro Imbafcia-
tori , nè delle loro lettere , nè de' loro me-
moriali , e dell' altre circoftanze che ci fono
corfe. delle quali tutte Noftro Signore è in-
formatiffimo , ed è rifoluto , e l' intende ,
com'io dico , e la fpedizione è finita di tutto. Imperò, non oftante la lettera fcritta ultimamente dal Duca , Voftra Signoria Reverendiffima farà cofa conforme alla mente di
Sua Santità, ed alla promeffa ch' ella ha fatta a me, di dare ordine che 'l Breve fia efe-
guito fenza più replica , e che la Comunità
fi quieti di quel che è fatto , come deve : e
tanto più quanto fi fanno le pratiche fatte da'
particolari per intereffe loro , e non per zelo
del pubblico, al quale fi è fatisfatto con la ricompenfa di Pompejano. che è quanto ho da
dire a V. S. Reverendifs. la qual prego quanto più poffo ; e con ferma fperanza , che non
debba mancare, me l' offero , e raccomando.
Di Roma a' xvi. di Maggio MDXLVIII.

58. *Al Cardinal d' Urbino* (a).

QUESTA è la prima grazia che io domando a Voſtra Signoria Illuſtriſſima, e Reverendiſſima, quaſi per una primizia dell' altre, che mi occorrerà di chiederle nella ſua Legazione di Perugia : ma niuna, o pochiſſime m' occorreranno che io deſideri tanto d' ottenere quanto queſta. Il che fa che io ne le domandi prima che ſi conduca in ſul loco ; per non eſſere prevenuto nè da richieſte d' altri, nè dalla ſua deliberazione. Il Bargellato di queſta ſua Legazione è ora in mano di N., del quale io penſo ch' ella ſentirà quel buono odore che n' ho ſentito ancor io ; che per la ſua bontà ſono ſtato ricerco da molti d' intercedere appreſſo di lei per la continuazione del ſuo officio. E per compiacere a queſti tali, e perch' io l' ho per degno di quel loco, e perchè torna bene ancora a me per qualche mio diſegno che vi ſtia ; io ſupplico Voſtra Signoria Reverendiſſima, che ſi degni di farmi grazia di confermarvelo, e di favorirvelo fino a tanto che

lo

(a) Gregorio Cortese, di Modona, creato Card. da Paolo III. addì 31. Maggio 1542. morì in queſt' anno, 1548. nel meſe di Settembre, ed ebbe per ſucceſſore nella Chieſa di Urbino il Card. Giulio della Rovere, fratello del Duca Guidubaldo.

lo troverà quell' uomo dabbene quale io credo che fia: Io non credo ch'ella n'abbia
potuto dare intenzione ancora a persona; ma
quando bene ne fosse stato ricerco da qual-
cheduno, io la prego che, per farne favore
a me, fia contenta di trovar qualche onesto
modo che costui ne fia compiaciuto innanzi
a tutti. E confidando che non fia per man-
carmene, come di cosa già ottenuta ne le
bacio le mani, ec.

39 Al Governatore di Parma.

AVEMO ricevute a questi giorni più vostre, e per rifposta di tutte infieme vi diciamo che noi ci teniamo affai ben soddisfat-
ti di voi, e d'ogni vostra azione. E sopra
tutto avemo cari gli avvertimenti che ci date; e fperiamo che a lungo andare quella
mala satisfazione, che dite, fia per cessare.
E in ogni cafo pensiamo che non fia per se-
guirne difordine; perchè fappiamo che voi
supplirete agli difetti d'altri; e perchè fiamo
fecurissimi degli animi de' nostri Parmigiani,
li quali terrete affecurati a rincontro della
molta affezion nostra verso di loro, e della
particolar cura che avemo di conservarli, e
di accrefcerli. E fegua che vuole, ancora
che pajà contra al desiderio loro, che farà
per lor benefizio.

Efortateli dunque a tener per lo meglio
tutto quello che piacesse a Sua Santità di

deli-

deliberar d' effi . E voi feguite, come fate, tenendo per fermo che l'operazioni, e le fatiche voftre fon conofciute ec.

60   *Al Duca di Ferrara* (a).

NEL paffare che farà Monfignor d' Imola mandato da Noftro Signore al Re Criftianiffimo, oltre alla commeffione, che tiene da Sua Santità di trattare con Voftra Eccellenza delle cofe comuni, le bacierà le mani particolarmente da mia parte, e le renderà conto fopra tutto della buona intenzione che mi moffe in Conciftoro a dire il mio parere liberamente circa la propofta della Chiefa ... la quale intendo, che non è paffata fenza qualche fdegno di Voftra Eccellenza . Ma io mi confido nella prudenza fua, alla quale neffuna ragione può dettare che io mi fia poffuto indurre a far ciò per difpiacerle, o per poca cura di farle fervigio . L'ho fatto adunque, perchè le cofe fono a termine che certo bifogna far così . E che così bifogni, fi può vedere da quefto che l'ho fatto non folo contra la fatisfazione di Monfignor Reverendiffimo fuo fratello, ma di me medefimo . Che fe aveffi giudicato che foffe bene, e facile ad ottenere il contrario; può ben'

effer

(a) Ercole II. fratello del Card. Ippolito II.

esser certa, che io l'arei procurato, quando
non fusse mai per altro, perchè tornava meglio ancora a me. Ma io conoscendo che la
ritortola ritrovata al Decreto suscitava scandalo, e che l'averla usata a beneficio mio
m'avea nociuto, e dato qualche carico; con
offerirmi alla vera preservazione d'esso Decreto ho voluto ammendar me, e non patire, che Monsignor Reverendissimo caggia in
quello errore, dal quale io ho cercato di
sollevarmi. E tanto che io mi pensava, che
questa mia libertà di dire da un canto si
dovesse attribuire alla securtà, che mi pare
di potere avere con Sua Signoria Reverendissima; e dall'altro sapeva che sarebbe stata a
gran corroborazione del Decreto, ed a buona
edificazione degli altri per l'avvenire, passando con l'esempio di Sua Signoria Reverendissima, e mio. A questa securtà, ed a
questo zelo che io dico, prego Vostra Eccellenza, che imputi tutto quello che io ho
operato in questo caso, e non ad altra sinistra intenzione; che, stando la servitù ch'io
tengo con Vostra Eccellenza, e con Monsignore Illustrissimo, e Reverendissimo, la buona intelligenza che si desidera con la sua Casa, e molti interessi che ci sforzano a correre la medesima fortuna; non deve pensar
mai, se non che tutta la Casa nostra le sia
deditissima, ed io spezialmente servitore, e
desideroso di farle ogni sorte di servigio. E
di questo, e d'altro, rimettendomi a quanto le

ro le dirà diffusamente Monsignor d'Imola
sopraddetto; senza più faftidirla, con tutto
il core me le raccomando

A Monfignor Arcella.

I RINGRAZIAMENTI che Voftra Signoria mi fa, fono maggiori, e molto più
che non fi convengono ai debili effetti miei
verfo di lei; pur m'è grato di vedere che
ogni mia piccola dimoftrazione le fia tanto
accetta. E gratiffima m'è ftata la ricordanza dell' amorevolezza fua verfo di me, ancorachè non fia neceffaria; perchè già per
infiniti rifcontri m'è notiffima, e mi fta
fempre nella memoria. Refta che dal canto
fuo ella mi dia occafione di renderle gratitudine, ed io dal mio non mancherò di valermi di lei in tutte le mie occorrenze confidentemente.

Alli iv. di Giugno MDXLVIII.

62 *Al Cardinale Sfondrato.*

ERANO già le cofe di quà rifolute, e
fermate del tutto, e nel Conciftoro di quefta mattina fi dovevano pubblicare i Legati
per la Germania con le lor facultà, e con
la forma del vivere, e de' coftumi di quella
Provincia ben confiderate, ed interamente ftabilite. E oltre alla difpofizione delle cofe
era quella degli animi dalla parte di Noftro
Signo-

Signore ; e da quella di Sua Maeſtà ſi teneva per coſa ferma d' aver qualche corriſpondenza, e qualche ſaggio della bontà, e
della giuſtizia ſua : quando è comparſo l'avviſo di Voſtra Signoria Reverendiſſima , che
la Maeſtà Sua, prevenendo le provviſioni già
fatte , e quaſi moſſe di quà , ſenza alcuna
autorità della Sede Appoſtolica, ha pubblica-
to ai Principi di Lamagna la forma dell' *Interim* (a). Penſi Voſtra Signoria Reverendiſ-
ma di quanto diſpiacere ſia ſtato a Sua Santità , ed a tutto il Sacro Collegio , e di
quanto impedimento alle coſe incamminate .
Io per me ne ſento dolore infinito , che mi
trovo aver gittate via tante fatiche fatte ,
coſì per beneficio della concordia univerſale ,
come a compiacenza di Sua Maeſtà . E non
poſſo fare di non meravigliarmene , non vedendo cagione perchè doveſſe la Maeſtà Sua
venire coſì determinatamente ad una deliberazione di tanto momento , e di tanto ſcandolo nella Criſtianità: eſſendo diſpoſte le coſe com' erano di quà , ed arrivato , e non
inteſo Monſignor Proſpero ; il quale ha portato, ſe non la riſoluzione intera delle coſe,

Vol. I.　　　　　E　　　　　alme-

(a) Eſſendoſi traſportato il Concilio da Trento a
Bologna , Carlo V. per regolare gli affari della Religione nella Germania pubblicò a' 15. di Maggio 1548.
nella Dieta di Auguſta il famoſo *Interim* .

almeno la certezza che farebbero rifolute di
corto , come fono: maſſimamente che non ſi
può dire che ſiano ſtate ſuperfedute per negligenzia , nè tranquillate per aſtuzia ; ma
tenute ſempre in neceſſaria conſiderazione , e
follecitate più che non ſi conveniva all'importanza del negozio che ſi tratta . E mi
duole così per lo diſturbo delle coſe pubbliche , e per l'intereſſe delle private , come
per l'onore della Maeſtà Sua ; la quale mi
pare che ſi poteſſe riſolvere a coſa più degna della ſua grandezza , e più proporzionata al ſervigio di Dio , ed alla quiete della
Criſtianità . Ma io non poſſo fare altro che
aver pazienza , e conformarmi alla volontà
di Dio , dalla quale ſo che depende quella
de' Principi . confolandomi che 'l mondo può
manifeſtamente aver compreſo qual ſia ſtata
la mente , e l'opere di Sua Santità per confervazione della concordia , e della Religion
Criſtiana : e che io particolarmente non ho
mancato di far tutti quelli buoni officj , che
io ho giudicato che ſi convenghino al grado , ed al carico mio , e particolarmente al
ſervigio della Maeſtà Sua . Del reſtante Dio
ſa quello , ch' è meglio ; ed alla ſua prov-
videnza me ne rimetto ec.

63 *A Sua Maestà* (a).

Il Signor D. Diego (b) m' ha fatto vedere una lettera della Maestà Vostra diritta
a Sua Santità sopra l' occorrenze di quà ,
che ragiona ancora particolarmente di me .
In questa parte dove Vostra Maestà mostra
di tenersi fino a ora satisfatta delle azioni
mie , m' arebbe dato piacere infinito , se 'l
presentarmi poi lo sdegno , e la severità sua
in caso ch' io non perseverassi , non m' avesse avvertito , che questa sua satisfazione del
passato è congiunta con un poco di diffidenza dell' avvenire . Il che non posso negare
che non mi sia d' altrettanto dispiacere ; du-
bitando che questa sua sospension d' animo
verso di me non mi tenga ancor sospesa la
grazia sua . Ma io ricevo questo avvertimento in buona parte ; poichè son certo che la
divozion mia verso di lei è pura , e salda :
e sarà sempre in ogni accidente , tanto che
n' attendo a rincontro rimunerazione : come
quello che son risoluto che la Maestà Vostra
vorrà da vero Principe far così chiara al mondo la sua magnanimità , come la sua poten-

E 2

za.

(a) Cioè all' Imperador Carlo V.
(b) D. Diego di Mendozza , Ambasciadore di Carlo V. al Pontefice.

za . E già comincio a vederne qualche fegno ; poichè nella medefima lettera fi propongono alcune vie d' accordo circa le cofe di Piacenza . Per quefto, e per gli altri negozj che corrono, m' è parfo d' inviare un mio, che farà (*a*) ... al Reverendiffimo di Trento, perchè in mio nome fpezialmente nè fia con la Maeftà Voftra, e ne ritragga la mente fua . E di tutto rimettendomi alla relazione di Sua Signoria Reverendiffima, e confidando nella benignità, e nella giuftizia della Maeftà Voftra, fenza più faftidirla, umiliffimamente le bacio le mani ec.

64   *A Sua Maeftà.*

MANDO a pofta il Signor Jeronimo da Correggio (*b*) per le cofe che occorrono, e fopra tutto quel che tocca il mio proprio particolare . Supplico umilmente la Maeftà Voftra fi degni afcoltarlo benignamente, e crederli come farebbe a me fteffo, e come fe per me parlaffe l' ifteffa verità ; perciocchè le moftrerà le vifcere dell' animo mio devotiffimo ; per confermazion del quale io

non

(*a*) Meffer Giuliano Ardinghello.

(*b*) Figliuolo di Giberto X. di Correggio, e di Veronica Gambara . Ottenne il Cardinalato l' anno 1561. fotto il Pontificato di Papa Pio IV.

non ho bifogno che la Maeftà voftra mi pro-
tefti (come fa per una diritta al Signor D,
Diego) della fua indegnazione; perchè io la
fervo per obbligo, per elezione, e per inclinazion naturale. E fino a quanto mi farà lecito, il mio fervigio farà perpetuo, e
finceriffimo. Prego Dio che altrettanto le
fia accetto, e la Maeftà Voftra che nelle
fue deliberazioni, quanto alle cofe noftre private, fi degni averlo in qualche confiderazione; come fon certo che nella caufa comune arà quel riguardo che fi conviene al
fervigio di Dio, ed al beneficio della Criftianità. E fenza più faftidirla umiliffimamente le bacio le mani.

65 *Al Cardinal di Trento.*

INTESI quanto mi fu narrato per parte
di Voftra Signoria Illuftriffima, e Reverendiffima dal Secretario del Cardinale Illuftriffimo d' Augufta; ed ella da Meffer Giuliano
Ardinghello, il quale io mando a pofta per
conferire de' medefimi, e d' altri negozj con
lei, intenderà pienamente quel ch' io le rifpondo, e quel che di nuovo fi defidera ch'
ella fi degni d' operare a beneficio noftro.
Che, febbene intendo che Voftra Signoria
Reverendiffima fi partì di quà non troppo
ben foddisfatta, non refterò per quefto di
valermi della fua protezion in tutte le noftre occorrenze confidentiffimamente: imma-

ginandomi ch' ella non fi fatisfaceffe più tofto del ritratto del fuo negozio , che di me ,
e dell' officio mio ; che , come prudentiffimo , penfo che conofceffe da un canto la
mia buona volontà , e ne vedeffe ancora buoni effetti ; dall' altro non dubito che non
s' accorgeffe del mio non poter più che tanto , e che non confideraffe la difficoltà di
quel che fi trattava . Ho di poi Voftra Signoria Reverendiffima per tanto magnanima
che in ogni cafo me ne prometto ogni forte
d' ajuto , e di favore , e maffimamente nelle noftre neceffità . Con quefta fidanza indirizzo ora a Voftra Signoria Reverendiffima
il mio fopraddetto , e la fupplico che per
beneficio così delle cofe noftre private , come delle pubbliche , fi degni corrifpondere
alla fperanza che noi teniamo in lei , ed
all' oppenione che corre univerfalmente della
prudenza , della bontà , della generofità dell'
animo fuo , e della molta autorità che tiene appreffo a Sua Cefarea Maeftà . Del refto rimettendomi a quanto le farà detto dall'
apportatore , fenza più diftendermi , le bacio
umilmente le mani ec.

66 *Al Cardinal d' Augufta.*

Ho vifto quanto Voftra Signoria Reverendiffima , ed Illuftriffima mi fcrive per la fua
de' xix. di Gennajo , ed intefo Meffer Annibale fuo Secretario . E perchè il medefimo

fumo fe ne torna , e di più mando a pofta, Meffer Giuliano Ardinghello inftruttiffimo
di quanto paffa , e di quanto fi richiede dagli buoni officj di Voftra Signoria Reverendiffima , e del Reverendiffimo di Trento; di
tutto rimettendomi all' affezione , alla prudenza , ed all' autorità loro , non mi pare
che ci occorrano altri prieghi , nè altri ricordi ; poichè per lor medefimi conofcono
l' importanza del negozio , e con tanto amore , e con tanto affanno procurano l' affetto
delle cofe così pubbliche, come private. Noi
di quà andiamo tutti a quefto fegno ; e non
s' è mancato d' operarci tutti i mezzi poffibili . Son certo che di coftà fi farà il medefimo , giacchè fiamo a termine , in quanto a noi, che Sua Maeftà fe ne doverà contentare . Dio fia quello che infpiri la mente dell' uno , e dell' altro Principe a quel
che fia più fuo fervigio . Io ringrazio Voftra Signoria Reverendiffima della cura , e
delle fatiche che fi piglia per beneficio noftro particolare . E pregando per la fua fanità, nella quale intendo effere alquanto vef-
fata , quanto poffo umilmente me le raccomando ec.

67   *A Monfignor di Granuela.*

DA Monfignor Nunzio farà detto a Voftra Eccellenza l' elezion fatta da Noftro Signore del Vefcovato d' Afti in perfona di
    Mon-

Monsignor (*a*) della Croce , suo antichissi-
mo , e fedelissimo servitore ; e la resistenza
che fa l' Eccellentissimo Signor Duca di Savoja , di farlo ammettere nella possessione :
cosa che tocca molto l' autorità della Sede
Appostolica , e la degnità di Sua Beatitudine . Prego Vostra Eccellenza che , per rimediare a cosa di tanto mal esempio , si degni
insieme col Signor Principe di Piemonte , al
quale se ne scrive, interporre l'autorità sua,
perchè il Duca si disponga a non contravvenire in ciò alla mente di Sua Santità , la
quale è ben risoluta che l' elezion fatta abbia loco . E del resto rimettendomi a quanto da Monsignor Nunzio le farà detto sopra
ciò, senza più fastidirla le bacio le mani.

Di Roma a' xix. di Giugno MDXLVIII.

68   *Al Cardinal di Trento.*

VOSTRA Signoria Illustrissima , e Reverendissima deve sapere che , vacando per
morte del Reverendissimo Triulzi il Vescovato d' Asti , con tutta l' istanza che ne fusse fatta a Sua Santità dagli Agenti del Principe di Savoja , ne fece grazia a Monsignor
della

(*a*) Bernardino della Croce, Milanese , eletto da
Paolo III. Vescovo d' Asti 17. Aprile 1548. , e tras-
portato al Vescovato di Como nel 1550.

della Croce . Ed effendofi mandato il Breve
per pigliarne il poffeffo , il Signor Duca di
Savoja ha ricufato di darlo ; ifcufandofi che
ne fcriveria al Principe come di cofa fua particolare , per effer egli ftato inveftito d' Afti
dalla Maeftà Cefarea ; nè fin quì fe n' è a-
vuto altro lume . Ora con l' occafione della
paffata di Voftra Signoria Reverendiffima per
Milano in compagnia del Principe Maffimiliano , dove ella fi potrà facilmente abboccar
col Duca , non ho voluto mancare di fcrivere a Voftra Signoria Reverendiffima , acciocchè con l' autorità , e bontà fua rimedj
a tutto ; e faccia capace il Duca del debito
fuo , e della riverenza che fi deve agli ordini della Sede Appoftolica , maffimamente da'
Principi Italiani ; alli quali molto meno che
agli altri fi richiede, di difpregiarli , e dal
proceder de' quali gli altri pigliano buono ,
e cattivo efempio . E finalmente che 'l dif-
ponga a dare al prefato Monfignore il poffeffo del predetto Vefcovato ; moftrandoli
quanto farà cofa più degna d' un fuo pari
mantenerfi buon figliuolo di Sua Santità , che
l' efferli repugnante , e difobbediente . Oltrechè l' elezion fatta è di perfona , che Sua
Eccellenza fe ne può promettere ogni offervanza , ed ogni debito officio.

Di Roma addì detto.

69   *Al Principe di Piemonte.*

QUALE officio io mi facessi con Nostro Signore, perchè a compiacenza dell' Eccellenza Vostra, e del Signor Duca suo padre il Reverendo Abate di Capri fosse provvisto del Vescovato d' Asti, ne possono far fede a Vostra Eccellenza gli Agenti suoi qui. E se io non l' ottenni, non fu per altro che per essere prevenuto dal disegno, che Sua Santità n' avea già fatto in persona di Monsignor della Croce. E se Sua Beatitudine fu mossa da ragionevole cagione a farne grazia a un suo servitore di tanto tempo, e di tanta fede, si rimette al giudicio suo: essendo massimamente il Vescovo tale che l'Eccellenze Vostre lo possono aver per servitore confidentissimo, ed affezionatissimo. Ora che il Signor Duca suo padre non si sia contentato d' ammetterlo alla possessione, nè di fare esequire in ciò il Breve di Sua Santità, non posso altro che maravigliarmene; non mi parendo conforme nè alla speranza, che s' ha nell' Eccellenza Sua; nè a quella riverenza che è sempre solita d' avere agli ordini di questa santa Sede. E con tutto ciò son certo, che fino a ora non l' abbia fatto per qualche buon rispetto: e non mi posso persuadere a niun modo che non sia per contentarsene per l' avvenire. Il che per tanti rispetti, che l' Eccellenza Vostra può molto ben

ben confiderare, crederei che fuffe ben fatto.
Io non entrerò a perfuaderlo all' Eccellenza
Voftra, fapendo la bontà fua qual fia : ma
la fupplico bene che fi degni impetrarlo da
Sua Eccellenza, che, oltrechè farà cofa degna
di fe, e gratiffima a Sua Santità, il Vefcovo n'arà obbligo perpetuo all'Eccellenza Voftra, ed io infieme con lui. addì detto.

70. *Al Principe di Spagna* (a).

IL Signor Giulio Orfino in quefta fua ri-
tornata alla Corte farà principalmente riverenza a Voftra Altezza da mia parte, e le
renderà conto di quanto ha paffato prima con
Sua Maeftà, di poi qui con noi altri, circa
i negozj che corrono. E le dirà pienamente
la fperanza che avemo conceputa così nella
buona intenzione che gli è ftata data dalla
Maeftà Sua, come negli buoni officj, che
ci promettiamo particolarmente da Voftra Altezza. La fupplico fia fervita accompagnarlo
con quel favore, e grazia appreffo Sua Maeftà, ch' ella giudicherà convenirfi alla giuftizia della caufa, e alla devota fervitù noftra. Del refto rimettendomi a quanto dal
detto Signor Giulio le farà riferito più lar-
gamen-

(a) Il Principe Filippo, figliuolo di Carlo V.
poi Filippo II. Re delle Spagne.

gamente; senza più fastidirla, le bacio umilmente le mani.

Di Roma allì xi. di Gennajo MDXLIX. (*a*)

71 *Al Granuela.*

Con tutta l'irresoluzione del negozio che il Signor Giulio ha portata, considerando le parole che ci ha riferite per parte di Sua Maestà, non volemo ancora diffidare ch'ella non sia finalmente per venire a qualche conclusione degna di sè, e della speranza che tenemo nella generosità e giustizia sua. E per questo si rimanda il Signor Giulio medesimo con quella instruzione, che la Maestà Sua desidera per sua satisfazione. Io prego Vostra Eccellenza che non voglia desistere delli suoi buoni officj, medianti i quali attendemo che 'l predetto Signore ritorni con la desiderata spedizione. E senza più dirle con tutto 'l core me l' offero.

Di Roma allì xi. di Gennajo MDXLIX. (*b*)

72 *Al*

____

(*a*) E' la 63. del Vol. III. delle Familiari con var. lez.

(*b*) Questa lettera nel MS. era fuori di luogo, e con manifesto errore nella data, dove in vece dell'anno 49. si leggeva il 48.

72 *Al Duca d' Urbino* (a).

L' allegrezza che Noſtro Signore, e noi altri avemo ſentita dell' acquiſto fatto del figliuolo maſchio, non mi ſentendo da poterla eſprimere con queſta, laſcerò che Voſtra Eccellenza ſe la immagini per ſe ſteſſa; che ſa per quanti riſpetti deve eſſer deſiderato, ed aſpettato da noi; e che 'l Signor Riniero medeſimo, il quale n' ha potuto vedere i ſegni, ve le riferiſca in parte. Reſta che in nome di Sua Santità, e di tutta la Caſa noſtra io me ne rallegri, come fo, cordialmente con lei: e che preghi il Signor Dio che queſta buona fortuna ſia, come ſperiamo, a perpetuo contento, e felicità dell' una Caſa e dell' altra. E ſenza più dirle le bacio le mani.

73 *Alla Ducheſſa d' Urbino* (b).

Non mi par che biſogni dire a Voſtra Eccellenza il gran conteato, che Noſtro Si-

gno-

(a) Queſta, e le tre ſeguenti lettere, che ſono ſenza data, certamente furono ſcritte a' primi di Febbrajo 1549.; poichè la Ducheſſa Vittoria diede alla luce addì 2. del ſuddetto meſe un fanciullo che fu Franceſco Maria II. Nel MS. erano fuori di luogo.

(b) Vittoria Farneſe, ſorella del Cardinale, e moglie di Guidubaldo della Rovere, Duca di Urbino.

gnore , e noi altri tutti avemo fentito del
feliciffimo parto voftro ; potendo per voi medefima confiderare quale e quanto fia ftato .
Bafta che da voi non poteva venire in Cafa noftra la maggior allegrezza di quefta , e
che ve n'abbiamo quell' obbligo , che fi conviene sì per il beneficio che ne rifulta ad
una Cafa , ed all' altra , come perchè fpero
che quefta contentezza farà cagione di far
che Sua Santità viva ancora qualch' anno .
Io ne ringrazio il Signor Iddio , e me ne
rallegro con voi con tutto il core : defiderando che come fete ftata fortunata a fare
un acquifto tale , così fiate diligente a man-
tenerlo , e difciplinarlo fecondo fi conviene
alla fua condizione , ed alla fperanza che
s' è già conceputa di lui . Baciatelo cordialmente in mia vece ; ed il Signor Riniero
ch' ha vifto parte della noftra allegrezza , riferirà il reftante ec.

74   *Alla Duchéffa Leonora* (a).

SAPENDO Voftra Eccellenza per quante
cagioni ci debba effere ftato di contentezza ,
e di confolazione infinita l' acquifto del figliuolo fatto dal Signor Duca , non mi ftenderò

derò

(a) Leonora Ippolita Gonzaga , vedova di Francefco Maria della Rovere , Duca di Urbino.

derò con molte parole : potendo per se medesima considerare quale è quanta sia stata l'allegrezza di Nostro Signore , e noi altri tutti , dell'acquisto d'un suo nipote ; e per quanti rispetti dovesse esser desiderato non meno dalla Casa nostra che dalla sua , non mi par che accaggia di dire . Imperò lasserò che 'l Signor Riniero , che n' ha portata sì desiderata novella , ed ha potuto vedere i segni del contento che n' avemo sentito , ne le riferisca parte . Io rallegrandomene quanto debbo con Vostra Eccellenza , e pregando Dio che ne sia di perpetua satisfazione ; quanto posso cordialmente le bacio le mani .

75   *Alla Duchessa Madre* (a).

NON accade che si dica l'allegrezza ch'avemo sentito del parto della Signora Duchessa , potendo Vostra Eccellenza considerare quanto sia stata grande dalla sua stessa , la quale è una medesima con la nostra . Le dirò bene che 'l contento che n' ha ricevuto Nostro Signore è tale , che speriamo lo debba tenere anco in vita qualche anno . Questo beneficio solo , oltre a tant' altri rispetti che ci fanno parere questa felicità maggiore ,

(a) D. Girolama Orsina , moglie di Pierluigi I. Duca di Parma , e madre del Card. Farnese ec.

re , V. Eccellenza può penfare che obbligo
ne fa tenere con la Signora Duchessa . Voftra Eccellenza ne la ringrazj da parte di
tutti noi , e fi rallegri feco di quefta fua
buona fortuna , della quale mi rallegro ancora con Voftra Eccellenza . E fenza più
dirle , rimettendomi del refto al Signor Riniero , che fe ne torna, le bacio le mani.

76   *Al Vefcovo di Fano* (a).

L'ULTIME che vi fi fcriffero di quà
furono per il Signor Giulio Orfino , il quale
a queft' ora doverà effer comparfo . Ed avendo per lui fopplito e con lettere , e con
iftruzioni a tutto , che n' è parfo neceffario ,
come arete veduto , non accade molta rifpofta alla voftra ricevuta di poi de' 14. ; fe non
quanto a quel capo , che la venuta de' Cardinali Francefi a Roma fa che fi dica , e fi
fofpetti un non fo che. E quefto ancora paf-
ferò leggiermente , effendo , come voi dite ,
novelle , e fofpetti di volgo ; e non dubi-
tando voi che fieno per alterare la buona in-
tenzione di Sua Maeftà , nè per dar difturbo al proceffo del negozio . Se il Cardinal
di

____

(a) Fr. Pietro Bertani , Modénefe , dell' Ord. de'
Predicatori , innalzato alla porpora per li molti fuoi
meriti da Giulio III. 1551.

di Ferrara viene a Roma , effendo fucceffo
protettore delle cofe di Francia in loco del
Reverendiffimo Triulzi ; è cofa ordinaria .
Di Lorena non fe ne fa altro , fe non che 'l
fuo Agente lo dice : certa cofa è che nè
l' uno , nè l' altro ha di quà moto alcuno .
E per qualunque negozio fi venghino , quì
fi fta perfeverando nella medefima buona difpofizione che il Signor Giulio ha portata , e
nella buona fperanza che voi ci date ; alla
quale ftiamo afpettando che corrifpondano
gli effetti . E con defiderio s' attende la fpedizione del fopraddetto Signor Giulio ; circa
la quale confidando che non mancherete di
far quella iftanza che fi conviene , non vi fi
dice altro.

Sopra quanto fcrivete a Noftro Signore per
la voftra de' xxii. di Marzo circa la Caftella-
nìa d' Ampofta ; dal Signor Giulio avete potuto conofcere la ftima , che fi tiene ancora
in quefto cafo di quello che fi conofce effere
in confiderazione di Sua Maeftà ; ed io , in
tutto che per me fi potrà , non mancherò d'
operarmi che la Maeftà Sua ne venga foddisfatta : ma bifogna , che ancora voi non
lafciate all' occafione di far capaci quei Signori , che in quelle cofe , che fono tanto
intricate con l' intereffo della giuftizia e col
pregiudicio del terzo , non fi può far più
che tanto . Nelle cofe della Religione fi fta
particolarmente con afpettazione d' intendere
che fi pigli rifoluzione a quanto s' ha da fa-

re , e maſſime circa al venir de' Prelati di
Trento in Roma : ſicchè ſollecitate ancora
quello negozio con ogni diligenza , e non lo
poſponete per qualunque accidente ſi ſia . Av-
viſateci ancora a che tempo s' intende , che
Sua Maeſtà farà la Dieta , ed in che loco ,
e quel che ſi può penetrare ch' ella ſia per
trattarvi : così quel che farà il Signor Principe con effetto , e che diſegni hanno della
perſona ſua . E ſe è vero del Re de' Romani , che ſi renda difficile ad accomodarſi all'
intenzione dell' Imperatore ſopra le coſe del
detto Principe; e finalmente quel che ſi può
conietturare dell' animo di quei Signori di
là circa le coſe della guerra , e da che ban-
da : e come veramente Sua Maeſtà intende
le differenze degl' Ingleſi con gli Scozzeſi .
E ſe per virtù delle capitolazioni pretendono
i detti Ingleſi che Sua Maeſtà ſia tenuta a
coſa alcuna ; e teneteci giornalmente avvi-
ſato di tutte queſte coſe . Di quà non v' ho
da dire altro , ſe non che noſtro Signore ,
grazia di Dio , ſta beniſſimo al ſolito .

Di Roma a'x. di Maggio MDXLIX.

77			*Al Signor Giulio Orſino.*

PENSO che ſarete arrivato a queſt' ora
alla Corte a ſalvamento ; che mi ſarà caro
intenderlo per le prime voſtre . E chiamo le
prime che ſieno ſubito che ſete giunto ; ri-
cordandovi quel che v' ho detto a bocca ,

che

che mi ſcriviate per ogni occaſione , e d' o-
gni coſa, ed a lungo. In che ſatisfarete tanto a Noſtro Signore , ed a tutti noi altri ,
quanto ſapete che ci è diſpiaciuto e parſo
ſtrano il modo tenuto l' altre volte . Quanto
al negozio , non accade dirvi altro ſe non
che qui ſi ſta con deſiderio aſpettando che ci
ſia corriſpoſto con gli effetti a quello , che
con tanta ragione ci è dovuto , e ſecondo
l' intenzione che ce n' è data : ſperando e
confidando nella grandezza , e nella coſtanza
dell' animo della Maeſtà Sua , maſſimamente
con sì buon mezzo ed amorevole , quale è
quello di Monſignor di Granuela, e di Monſignor d' Aras in particolare . Sicchè sforzatevi di darci preſto queſta conſolazione ; e
tenetemi raccomandato alli detti Signori , al
Signor D. Franceſco di Toledo , ed a tutti
quelli altri Signori amici , e protettori noſtri . Noſtro Signore , Dio laudato , ſta beniſſimo al ſolito , e così tutti noi altri .
Voi sforzatevi di fare il medeſimo.

  Di Roma alli x. di Maggio MDXLIX.

78   *Al medeſimo.*

DOPO ſcritta l' altra m' è venuto a notizia che 'l Signor Cammillo Colonna , io
non ſo da che ſpirito moſſo , ha detto a D.
Diego che , avvertendomi due Cardinali che
nel ricever noi Piacenza dall' Imperatore a-
veſſimo mira , che non fuſſe con condizioni

tali che poteſſerò diſpiacere al Re di Francia; in queſta avvertenza io ebbi a dire,
che in qualunque modo ſi poteſſe per noi, non
ſi laſſerebbe di accettarla; ma che, quando la
fuſſe venuta in poter noſtro, il Re poteva
credere che noi non fuſſimo per iſcordarci dell'
ingiuria ricevuta. Il che tutto, per eſſer me-
ra calunnia, e falſità eſpreſſa, (non avendo
io pur ſognato di dir ſimili parole) è facile
di conſiderare il fine a che tendono. Onde
ſarà bene che voi ſiate attento per intendere, ſe, talvolta D. Diego ſcriveſſe qualche
coſa ſopra queſto; e vi sforziate di ribatter-
lo, dove giudicherete opportuno, con moſtrare la malignità di chi ſi ſia, ed affermare
ſopra l'onor voſtro, e mio, che io non ho
detta, nè penſata coſa, che poſſa eſſere di-
verſa da quelle che voi avete portate di là.
E che in ogni caſo niſſuna ragion vuole che
io ſia uſcito a tanta inezia: e, biſognando,
potrete offerirmi a ogni giuſtificazione. E, perchè ſo quanto ſia grande la malizia degli uomini, ſarà bene che a qualche occaſione vi
sforziate di moſtrare a Monſignor di Granuela in particolare queſta ſorte d'iniquità, e
queſti officj, che ſi vanno facendo ec.

Addì detto.

79 *Al Veſcovo di Fano.*

'ANCORACHE' io ſcriveſſi quattro dì ſono per un Secretario di Gio. di Vega, e
che

che ora non m' occorra dir altro ; tuttavolta
per dar buono esempio a voi , ed al Signor
Giulio , di scrivermi per ogni occasione, non
ho voluto lasciar venire l' ordinario di Fiandra senza la presente , e dirvi come Nostro
Signore si truova qui a Tusculano sano , e
gagliardo , grazia di Dio , quanto sapessimo
desiderare ; e con desiderio s' aspetta qualche
avviso dopo l' arrivo, del Signor Giulio : sperando che abbia ad esser degno della bontà ,
e giustizia di Sua Maestà , e conforme a quella intenzione , che tante volte ci avete data . Usateci dunque ogni diligenza ; e , dove
bisogna , assecurate Sua Maestà , e quei Signori che , restituendoci ella quel che senza nostra colpa e peccato c' è stato tolto ,
ci troverà in tutti i tempi d' animo tanto
grato , e devoto verso le cose della Maestà
Sua , e dopo lei \del Signor Principe suo figliuolo, che averà causa di restar servita dell'
obbligo in che ci averà posto. E conoscerà
allora , che chi averà fatto officio in contrario per ritardare la benignità della Maestà
Sua verso Casa nostra , si farà portato ini-
quissimamente : siccome eziam di bocca non
ho potuto non soddisfarmi col Signor D. Diego di quel che io scrissi ultimamente al Signor Giulio essermi stato riferito. In che certo, il detto Signor m' ha satisfatto , dicendo-
mi che quando avesse prestata fede ad una
sorte tale d' officio saria proceduto con inge-
nuità in avvertirmene , e intesane la mia

 risporifpofta., e giuftificazione per poter fcrivere tutto infieme , quando pure li fuffe parfo di darne avvifo alla Corte ; ma che di quefto non n' avea fcritto parola . Onde il Signor Giulio potrà andare più avvertito in far l' officio ch' io gli fcriffi per contrammina di quello che io aveva intefo effere ftato fatto contra di me . E a voi , ed al Signor Giulio mi raccomando.

Di Tufculano a' xiv. di Maggio MDXLIX.

80   *Al medefimo.*

PER l' ultime mie de' x. , e de' xiv. ho fcritto abbaftanza , non folo per rifpofta di quanto fcrivete voi, ma per ricordo di quanto da voi fi defidera , e dal Signor Giulio , così circa l' ufar diligenza in penetrar le cofe di quella Corte , come circa lo fcrivere . Per quefta, acciocchè il prefente corriero non venga fenza mie , replico folamente , che qui fi fta fperando che dal canto voftro non fi manchi della debita follecitudine , e dal canto di Sua Maeftà di vedere ormai frutto di quella buona intenzione , che da lei n' è ftata data, e da voi tante volte confermata. Confidando pure che la Maeftà Sua non fia per mancarci di quello, che per tanti rifpetti ci fi deve, che non manchi alla giuftizia, alla degnità, ed alla generofità fua, è finalmente, come credemo noi, al fervizio di fe medefima. Il predetto corriero comparfe qui,

due

due giorni sono, con lettere de' xiv., e speydito, come intendo a D. Diego.; e non ha portato voftre lettere; e pur ne dà nuova dell' arrivo del Signor Giulió, e dell' audienza che Sua Maeftà gli avea già data . Penfo che non abbiate faputa la fua partita, il che n' ha dato non fo che da penfare : e fi defidera intendere, fe fi può, la cagione perchè fia ftato mandato, ancorachè D. Diego dica che fia venuto per fue occorrenze particolari . Intendo che quefto fteffo fe ne torna medefimamente alla Corte, ancorachè dicono che non paffa Milano.

Di Roma a' xxiv. Maggio MDXLIX.

Quanto al negozio noftro particolare, a queft' ora penfo che farete chiari della mente della Maeftà Sua, e, non effendo, avete a fare ogni inftanza di chiarirvene, e, fapendo che niffuna cofa ci preme più che di vedere il fine di quefta pratica, vi dovete sforzare di levarci di fofpenfione . E infieme abbiate memoria di quanto vi s' è ordinato fopra le cofe, che concernono l' intereffe della Religione, le quali fono appreffo Sua Santità nel grado che conviene, e nelle quali avete largo campo di fervire, e fatisfare fegnalatamente a Sua Beatitudine; la quale è già tornata da Tufculano, e, per grazia di Dio, così fana, e così ben difpofta come fu mai . Le lettere, che s'hanno da voi fin qui, fono de' xxv. del paffato, e del primo di quefto : alle quali, non contenendo cofa di momento, non accade dir altro, se non che in tutte le cose di Monfignor mio Reverendiſſimo di Trento m' adopererò ſempre, e così prontamente, e volentieri, come nelle mie proprie; e, perchè in queſto hanno da parlar ſempre più gli effetti che le parole, non dirò altro. Attendete alla ſanità inſieme col Signor Giulio, il quale ſaluterete da mia parte, e li farete la preſente comune.

Di Roma addì detto.

81   *Al Veſcovo di Fano.*

CONSIDERANDO Noſtro Signore la vicinità in che ſiamo dell'anno ſanto, e preſupponendo che con la grazia di Dio queſta Città, e Corte abbia notabilmente a moltiplicare di gente, giudica convenire alla cura ſua paſtorale d'eſſer ſollecito di provvedere di buon'ora alle coſe neceſſarie per poter ſupplire al vitto del popolo che concorrerà al Giubileo. E per eſſere la provviſion del pane quella che deve averſi in principal conſiderazione, Sua Beatitudine ha dato ſpezial ordine ſopra ciò da molte bande. E perchè ſegnalatamente ha deputati uomini idonei ad andare in Sicilia per levare le dieci mila ſalme di frumento, che ſi poſſono *gratis extrahere* da quel Regno per la convenzione, che ha con la Sede Appoſtolica, come ſapete; Sua Santità s'è riſoluta di farvi fare il preſente ſpaccio a poſta: con ordinarvi che

al

al ricever d'esso vi sforziate con tutta la diligenza, e studio possibile di chiedere, e mandarci spedita la tratta nella forma che fu l'ultima che ci inviaste. Certificandovi che, quanto più la cosa preme a Sua Beatitudine, e quanto più è dell'importanza che per voi stesso potete considerare, tanto più sarà alla Santità Sua accetto, e grato il servizio: però non ci perdete tempo. E acciocchè abbiate entratura, e possiate far conoscere la commessione gagliarda che vi si dà sopra ciò, non solo ne scrivo io l'allegata a Monsignor di Granuela; ma Sua Santità n'ha fatto scrivere l'alligato Breve a Sua Maestà, del tenore che, per la copia dell'uno, e dell'altra, vedrete. E non occorrendo altro per questa, e confidando, quanto dovemo, nella sufficienza, e sollecitudine vostra; faccio qui fine, con esortarvi ad attendere alla sanità.

Di Roma alli xxvii. di Maggio MDXLIX.

82 *A Monsignor di Granuela.*

SI manda il presente spaccio a posta a Monsignor di Fano, Nunzio, per la causa che Vostra Signoria intenderà da lui: la quale è in somma per anticipare qualche mese prima ad avere la spedizione della tratta consueta delle dieci mila salme di frumento di Sicilia; acciocchè avvicinandosi l'anno Santo, nel quale suole notabilmente moltiplicare il popolo in questa Città, e Corte, si

ritro-

ritrovi la provvifione fatta di quella parte del vitto che è più neceffaria. E perchè fapemo, quanto eziam in quefto particolare l'autorità di Voftra Signoria poffa fatisfarci; ho voluto per fpeziale ordine di Sua Santità pregarnela con la prefente: certificandola che fe glie ne refterà con molta obbligazione, fecondo che dal detto Nunzio intenderà più largamente. Al quale rimettendomi, faccio fine con baciar le mani di Voftra Signoria, e con pregarle fanità, e lunga vita.

Di Roma a'xxvii. di Maggio MDXLIX.

83 *Al Vefcovo di Fano.*

L'ULTIME voftre di qua fono ftate dei xxiv., e xxvii. del paffato; e di poi fi fono ricevute le voftre, e del Signor Giulio refpettive de' v. xii. xiv. xv. xx. e xxvii. del medefimo, per le quali con grandiffimo contento di Noftro Signore s'è intefo che nella materia della Religione fi fia finalmente prefa rifoluzione: e che non fi fia per tardar più a laffar tornare li due Nunzj in Germania a mettere in pratica la lor commeffione a fervizio di Dio, e falute di quell'anime. Refta che, quando non fiano partiti, follecitiate la loro fpedizione, avvertendo che fi dia tal ordine, che dove andranno poffino ftar con la debita degnità della Sede Appoftolica, e che fia a loro avuto il rifpetto che fi conviene. Avvifandovi che Noftro Signore ha fentita la

inde-

indegnità , che fu fatta patire alli Nunzj la mattina , che fi diede la fpada al Principe , e che non è parfo anco bene a Sua Santità che non fe ne fia fatto rifentimento per un' altra volta.

Ora s' afpetta qui la venuta de' Prelati di Trento per dar principio alla reformazione tanto neceffaria , e tante volte ricordata da Sua Maeftà e dalli Miniftri fuoi . Imperò farete inftanza che non fi perda più tempo a mandarli, e vi farete intendere che, quando in quefta parte non fi penfaffe di fatisfare a quanto v' è ftato promeffo , Sua Santità ne rimarrebbe con maliffima fatisfazione . Ma per effer la cofa di tanto momento, e rifultando in univerfal beneficio della Criftianità, non fi dubita che fpezialmente in quefto non fi fia per fatisfare intieramente.

Quanto alle cofe di Piacenza , s' è vifto quanto voi e 'l Signor Giulio avete fcritto ; e così per il dovere della caufa , come per le molte , e reiterate fperanze che n' avete date per tante voftre lettrere ; confidando ancora nella giuftizia, e nella grandezza dell'animo di Sua Maeftà , non poffiamo non afpettarne buon efito : ed attendefi con defiderio la rifoluzione , la quale non potendo ragionevolmente tardare a comparire , non è neceffario entrare in altri ricordi , nè in altre repliche fopra ciò .

Al Signor D. Diego fi fono refe le debite grazie delli buoni officj , che fcrivete aver

fatti;

fatti ; e voi di coſtà non mancate di fare il medeſimo col Signor Duca d' Alva , (*a*) accertandolo che della prontezza , ed amorevolezza , che tuttavia dimoſtra verſo le coſe noſtre , ſi tien qui il debito conto , e ſe li reſta con quell' obbligo che conviene : e queſto medeſimo farete col Signor Don Franceſco di Toledo.

Vi condolerete del male di Monſignor di Granuela , e vi rallegrerete della ſanità recuperata : certificandolo che e nella ſua protezione , e nell' amorevolezza di Monſignor d'Aras avemo ogni noſtra principale ſperanza.

Della impreſſione fatta coſtì , che Noſtro Signore portaſſe pericolo nel meſe di Maggio (*b*) , ci ſiamo uſi : e vi certifichiamo che Sua Santità , Dio grazia , ſi truova oggidì tanto piena di vigore e di ſanità ; che come non l' avemo viſta mai ſtar meglio , coſì ne ſperiamo ogni lunghezza di vita ; e di ciò potete ſtar ſecuriſſimo . Ricordatevi della ſpedizione del noſtro Veſcovo di Como, acciocchè Sua Santità con tutti noi altri , che la deſideriamo , poſſiamo vedere il frutto dell' officio , che voi , e 'l Signor Giulio ci

ſcri-

(*a*) Ferdinando Alvarez di Toledo , Duca d' Alva , uno de' più famoſi Capitani del ſuo ſecolo , e molto caro a Carlo V. e a Filippo II. ſuo figliuolo.
(*b*) Morì Papa Paolo a' 10. di Novembre del medeſimo anno.

ſcrivete averci fatto tanto efficacemente ; di che da Sua Beatitudine ſiete ſtati aſſai commendati.

Ricordarete ancora la coſa del Signor Annibal Bozzuto (*a*), il quale è riuſcito tanto dabbene, e virtuoſo, che Sua Santità s'è riſoluta mandarlo Vicelegato di Bologna, Città tanto importante ; con animo di tirarlo anco più innanzi di mano in mano. Onde potete inſtare appreſſo a Sua Maeſtà, che coſì per riſpetto di Noſtro Signore, e per farne favore a tutti noi, come anco per le buone qualità del detto Signor Annibale, ſi degni riceverlo in grazia, che ſe ne reſterà con molto obbligo alla Maeſtà Sua, ed a lei ne tornerà finalmente ſervizio.

Ultimamente procurate con ogni diligenza la liberazione del ſollecitatore del Cardinal Sant' Angelo, Scozzeſe ; il quale ſi truova coſtì prigione, pigliato da' Franceſi nel ritorno ſuo di Scozia : circa che me ne rimetto a quanto ve ne ſerà pienamente ſcritto dal Reverendiſſimo medeſimo. E attendete a conſervarvi.

Di Roma alli xii. di Giugno MDXLIX.

84 *A* ...

(*a*) Fu poi Arciveſcovo d' Avignone , indi creato Card. da Pio IV. nel 1565.

84   *A*..........

GIUNSE il corriero con la voftra (*a*),
e del Signor Giulio de' ix. in affai buona diligenza . E del contenuto d' effa quel che
Noftro Signore e noi altri abbiamo fentito ,
fi lafcia in voftra confiderazione ; dicendo folamente che s' afpetta la venuta del Signor
Giulio per chiaritci della riufcita , che faranno finalmente quefte cofe , e del frutto che
fi caverà delle tante buone intenzioni, e fperanze che fi fono avute . Dalle quali non ci
poffiamo perfuadere di dover reftar inganna-
ti , effendofi dalla parte noftra creduto , e
fperato in ogni cofa ragionevolmente. E quanto al tener fecreto quefto fpaccio, e non venire ad altra deliberazione fino all' arrivo del
Signor Giulio , ci s' arà ogni poffibile avvertenza : nè per ora averei a dir altro in rifpofta della detta voftra lettera. Ma il difpiacere, che ci ha portato non folo la calunnia , ma la malignità efpreffa di quelli c'
hanno dato avvifo della cattura di quei tre
Romagnoli , è ftato ed è tale in tutti noi ,

che

(*a*) Probabilmente quefta lettera è indiritta al
Vefcovo di Fano , che allora maneggiava l' affare di
Piacenza alla Corte di Carlo V. Nel MS. era dopo
quella alla Ducheffa d' Urbino a' 19. di Maggio . A
noi pare che debba ftar qui.

che non poſſiamo non dolercene fino ìl cie-
lo : conoſcendo che ſia in poter d' ognuno
di mandare dell' invenzion falſe , e che nondimeno ſia lor preſtata fede . E ſon pur coſe che non ſolamente non ſono vere , ma
nè anco veriſimili ; non ſi dovendo credere
che , mentre ſiamo ſtati nel maneggio della
recuperazione di Piacenza , abbiamo atteſo a
coſa che ci poteſſe diſturbare un negozio tale . Ma ſi vede molto bene che queſti ſono
trovati per ritardare la buona mente di Sua
Maeſtà , e la giuſta eſecuzione che s' aſpetta
da lei ; e non ci poſſiamo far altro ſe non
laſſare che la malignità faccia il ſuo corſo ;
e , rimettendoci alla verità , ſperar che finalmente ſarà conoſciuta ; perchè non avendo
pur penſato ad una coſa tale , non ſo come
poſſino trovare che l' abbiamo meſſa in pratica . Ma queſte ſon chimere che , non potendo aver corpo , ſi può credere che non ci
abbino a nuocere in conſpetto della Maeſtà
Sua . Il male , che ci fanno con effetto , è
quello che ci preme ancor più ; il quale è
pur troppo evidente , e troppo inſopportabi-
le , moleſtando in le coſe di Parma coſì in-
degnamente come fanno , e contra le capitolazioni fatte da loro medeſimi col Duca Ottavio : perciocchè ſtringono i poſſeſſori de' Beni di là dal Taro , che ſono Parmigiani , a
contribuire a Milano . E avendo formate in-
quiſizioni contra certi gentiluomini pur di
Parma , li chiamano a riſpondere a Piacen-

za; effendofi per parte del Duca offerto che,
quando fiano colpevoli, come dicono, mandandofi la querela, non fi mancherà di proceder lor contra, e caftigarli fecondo i lor
demeriti. In fomma fi vede che per ogni
via cercano di travagliarci, quando dalla parte noftra non s' è mancato, e non fi manca
non pur dell' offervazione de' capitoli, ma di
far che fi viva con quella modeftia, e con
quel maggior rifpetto, che ci poffiamo ima-
ginare verfo le cofe di Sua Maeftà: la quale non poffiamo credere che voglia comportare che ci fian fatte tante ingiurie, quando
afpettiamo mercede da lei, e rifentimento di
quelle che ci fono ftate fatte per lo paffato. Sopra di che v' avete a dolere con Sua
Maeftà da parte di Noftro Signore, e di
tutti noi altri, e fupplicarla che fi degni di
provvedervi. L' altre, che vi fi fcriffero,
fono de' xii. per l' ordinario. E altro non
occorrendo per ora fo fine ec.

85 *Al Signor Giulio Orfino.*

ALLE voftre de' xv., e de' xx. rifpondo
fuccintamente, prefupponendo che quelle del
Nunzio vi fiano comuni, e potendo effere,
fecondo che fi ritrae dal voftro fcrivere,
che all' arrivo di quefta farete partito con la
rifoluzione di Sua Maeftà, e con quella buona nuova che vi rincorate di portarne, e
che noi fperiamo ancora per tanti ragionevoli
rifpet-

rifpetti, e fpezialmente perchè così voi n'af-
fermate . Così ſto con ferma fede , come ſono ſtato ſempre , che farà quel che ne pro-
mettete ; e n' aſpettiamo la concluſione , e
la ſpedizion voſtra con quel deſiderio , che
potete imaginarvi . Intanto ſi loda la diligenza , e gli officj fatti da voi , e s'accet-
tano i voſtri ricordi ; e ſi faranno le provviſioni che deſiderate , ſecondochè ſi giudicherà opportuno . Del reſto , rimettendomi a
quanto s'è ſcritto a Monſignor Nunzio, non
vi dico 'altro ſe non che vi sforziate di corriſpondere alla ſpettazione che n' avete con-
citata . E attendete a ſtar ſano.

Addì detto.

86   *A* . . . .

H o finalmente ottenuto da Noſtro Signore , che la caſa di Voſtra Eccellenza ſia ſalva dal gettito ; ed, avendone preſa la parola
da Sua Santità, le do per queſta la mia, che
in tempo del ſuo Pontificato non ſi farà diſegno di ſtrada , che vadia per terra . Fac-
ciane ora Voſtra Eccellenza ſecuramente quel
diſegno che le pare ; e ſenza altro dirle me
le offero , e raccomando.

Di Roma alli iv. di Settembre MDXLIX.

87 *Al Signor Rinieri.*

DA Messer Ascanio Celso m' è stato riferito l'opera che Vostra Signoria ha fatto con Sua Eccellenza, e quel che procura di fare a beneficio del negozio di Messer Giuliano Ardinghelli, anzi mio proprio; perchè, come le dissi, lo reputo per tale. E di quel c' ha già operato la ringrazio, e la prego a condurre il restante, come so che può facilmente, considerando l' autorità sua appresso al Signor Duca, e l' altre circostanze di questo maneggio. E, quanto al ragionamento che m'ha fatto M. Ascanio circa quel che si desidera da me, m' occorre dirle che quello, che sta in potestà mia di fare, e che di già l' è stato offerto, sarà effettuato senza manco, e che ne può star securissima: ed in quel che depende dalla volontà, e dal giudicio d' altri, non le posso promettere l' effetto interamente per molti rispetti, che mi conviene avere in questi casi. Ma le prometto bene che io ci farò tutti quei buoni officj, che giudicherò che siano a proposito per ottenerlo; e saranno tali che, se non l' otterrò, almeno Vostra Signoria sarà chiara che da me non è restato. Prego Vostra Signoria che sia contenta di fare altrettanto dal canto suo; e perchè lo spero, e lo tengo per fermo, avendone già visto parte; e confidando nel poter suo, e nella sua pro-

meſſio-

meſſione ; le dico ſolo che di qua non ſi reſterà di fare , e di tentar ogni coſa per ſatisfarlo .

88   *A . . . .*

I MOLTI e fedeli ſervigj , che Meſſer
Pier Antonio Pecci ha fatti a Noſtro Signore , ed a noi altri tutti , in occorrenza d'aſſai momento hanno moſſo Sua Santità a penſare che ſi provvegga a' ſuoi biſogni ; e m'ha
ſpezialmente impoſto che ſcriva a Voſtra Signoria Reverendiſſima , ed Illuſtriſſima , che
li ſiano pagati dalla Camera di Bologna 25.
Scudi il meſe, non oſtante qualſivoglia ſtret-
tezza de' danari , o altri aſſegnamenti che vi
ſiano . Confidando nella deſtrezza , e nella
diligenza di Voſtra Signoria Reverendiſſima ,
che troverà modo di ſuperar tutte le difficoltà che vi foſſero , perchè queſto gentiluomo
ſia ſatisfatto , al quale io particolarmente
ſon tenuto pur aſſai. E però , oltre all' ordine datole in nome di Sua Santità , io la
ſupplico che ancora per amor mio ſi degni
far per modo , che la detta commeſſione abbia effetto . E quanto più poſſo me le raccomando , e bacio le mani.

89   *Al Vicelegato della Marca .*

VOSTRA Signoria può aver ſaputo che
Meſſer Antonio Allegretti è ſtato aſſai tem-

po familiare della buona memoria del Duca noſtro padre, ed operato da lui in alcuni affari con molta ſua ſatisfazione. Per queſto, e perchè io l'ho per uomo dabbene, e di molte buone parti, io l'amo aſſai, e lo tengo medeſimamente per mio familiare e cariſſimo. Intendo che egli ha biſogno d'eſſere ajutato da Voſtra Signoria in alcune ſue cauſe, e ſpezialmente in una contra Meſſer Michiel'Angelo della Roccacontrada: della quale e del procedere di detto Meſſer Michiel'Angelo io ſono ſtato informato per modo, che mi pare che abbia biſogno d'eſſer ſovvenuto, e preſo in protezione da Voſtra Signoria. Io non dubito che non li ſia fatta ragione, perchè dalla ſua giuſtizia non ſi può ſperar altro; ma io deſidero che li ſia fatta per modo che le cavillazioni dell'avverſario non abbiano forza di ſtraziarlo contro il dovere. E però prégo Voſtra Signoria, per farmi una volta coſa gratiſſima, pigli un poco di tempo a conſiderare da ſe medeſima queſta cauſa, ed ordini che l'equità d'eſſa, ſe coſì le pare, e queſta mia raccomandazione li procuri quella ſpedizione, che le parrà conveniente; eſſendo certo che, intendendola come ho fatto io, non mancherà di farlo ſpedir ſubito. E in queſto, ed in ogni altra coſa lo raccomando a Voſtra Signoria, come de' miei più cari come ho detto: e mi ſarà gratiſſimo intendere che queſta mia raccomandazione l'abbia giovato.

190 *A...*

90   *A . . . .*

NOSTRO Signore intende che ANNI-
BAL CARO, mio Segretario, fia pagato
del credito, che ha con la Camera a ogni
modo come è dovere. E poichè c'è quefta
occafione che li Sc. 200. di marca, che la
Camera deve avere da Meffer Ercole da M.
Fortino per conto della condennazione di
Pier Luigi Cerafi, hanno a ufcir di mano
di detto ANNIBALE per effer egli debitor
di Meffer Ercole; Sua Santità fi contenta,
che fe gli ritenghino a conto di detto credito, e che fieno fatti buoni a Meffer Ercole.
Sicchè Voftra Signoria Reverendiffima fi degnerà ordinare che quefta partita paffi per
quefta via, facendo dare altro affegnamento
al Depofitario, bifognando; poichè dice che
quefti Sc. 260. fono fpezialmente attribuiti a
lui. Voftra Signoria Reverendiffima efeguirà
in quefto la mente di Sua Beatitudine, ed a
me ne farà cofa gratiffima. E le bacio le
mani.

91   *Al Vicelegato della Marca.*

Io mi fono operato a far che 'l Signor
Anton Maria Piccolomini ottenga quella grazia che Voftra Signoria arà veduta per il
Breve, che le farà ftato prefentato, o le fi
prefenterà per fua parte; come quello che

      era

era moſſo da certi altri riſpetti; li quali ora
ceſſano per altri di maggior conſiderazione,
avendo inteſo poi coſe che non ſapeva prima. Imperò con quella deſtrezza, che vi
par conveniente in queſto caſo, ſarete contento di temporeggiare, e non effettuare detta grazia. E, perchè l' importanza di detto
Breve conſiſte nella coſa de' ſuoi creditori,
Voſtra Signoria andrà riſerbato di fargline
buono ancora in queſta parte ſenza darmi prima avviſo delle particolarità delle partite, e
de' creditori, e delle qualità loro. E altro
non m' occorrendo, me l' offero, e raccomando.

92   *Al medeſimo.*

ANTONIO Tinti da Civitanova avendo
fatta ſecurtà a Meſſer Franceſco Corſini, Fiorentino, per una certa ſomma; venendo lui
a morte, gli è convenuto pagare. E avendo
le coſe ſue liquidiſſime, e 'l ſuo credito an-
teriore a tutti gli altri creditori, e dovendo
ſecondo le conſtituzioni della Provincia eſſer
pagato prima di tutti; contra dette coſtitu-
zioni è coſtretto a ſtare inſieme con gli altri a lira, e ſoldo con eſtrema perdizione
della ſua povera famiglia; la quale intendo
eſſer miſerabile. Egli moſtra il biſogno che
tien della grazia e del favor di Voſtra Signoria con tanta modeſtia, e con tanto affanno della ſua ruina, che per compaſſione

mi

mi muovo a pregar Voſtra Signoria, che ſia contenta ancora per amor mio a far per modo, che queſto pover' uomo ſia rintegrato del ſuo. che, oltrechè farà coſa giuſta, e pietoſa, io lo riceverò particolarmente in piacere. E a Voſtra Signoria m' offero, e raccomando.

Di Roma a' xxx. di Settembre MDXLIX.

93 *Al Vicelegato d' Avignone.*

AVEMO notizia che l' officiò del Segretariato, e regiſtro, che coſtì ſi gode a beneplacito noſtro Meſſer Franceſco Vitale, figliuolo di Meſſer Ramondo, ſono di più frutto che non penſavamo; e ne ſemo ricerchi da altri con molta iſtanza, e con più offerta d' aſſai maggior carico che non ſoſtiene ora il predetto. di che potendo ſovvenire in qualche parte uno de' ſervitori noſtri, avemo penſato che 'l beneplacito finiſca; e già ſe n' era fatto nuovo partito a beneficio di Meſſer Aſcanio Celſo. Nondimeno a richieſta di Monſig. Reverendiſ. Maffeo, per non privar Meſſer Franceſco, poichè 'l poſſiede, ci ſiamo riſoluti che l' abbia il medeſimo con manco ancora che non ci ſi offeriſce di quà, e ci contentiamo che riſponda a Meſſer Aſcanio cento Scudi; oltre a quelli, che paga a Meſſer Jacomo Gallo, li quali intendiamo che ſi paghino in ogni modo. Ed a queſt' effetto, rivocando il beneplacito, vi mandiamo

mo nuova patente in perfona fua , quando
fe ne contenti . Voftra Signoria con quella
deftrezza che le parerà , ne lo facci capace ,
e negozj la cofa per modo che ne refti fatisfatto , e Meffer Afcanio ne cavi quefto emolumento di più che s' è detto ec.

94   *Al Legato della Marca .*

M' è ftato affai commendato , e raccomandato Meffer Tancredo Tancredi da Monte
Robbiano , il quale defiderando d' effer ammeffo nel Collegio di Macerata , con tutto
che 'l meriti , dubita di non effere attraver-
fato da qualcuno di quelli che vi fono , che
per l' ordinario non v' amano compagnia .
Imperò per fuperare qualche difficoltà , che
li fuffe fatta , fon ricercato dagli amici fuoi
d' impetrare il favore di Voftra Signoria , e
defidero d' ottenerlo . Imperò , fendo di qualità che 'l loco fi gli convenga , la prego che
fia contenta di tener modo , che fia compiaciuto , che me ne farà molto piacere .

95   *Al Reverendiffimo Durante .*

VOSTRA Signoria Reverendiffima vedrà
per la fupplicazione , che le farà prefentata
con quefta , la giufta dimanda che fanno a
Noftro Signore Gio. Batifta de' Vincenzi , e
Marian de' Michieli da Camerino , i quali
vogliono per pagaménto quel che ad altri fi
dona.

dona . Sua Santità ha voluto che la cosa
passi con intervenimento di Vostra Signoria
Reverendissima che sa la qualità dell' officio
che chieggono , e deve esser informata del
credito loro . Mente di Sua Beatitudine è
che , stando la cosa come essi espongono ,
ella facci per modo che siano accomodati di
detto officio per tanto tempo , che basti a
rimborsarli . Ed io la prego che , ancora per
amor mio, si degni di prestar loro ogni favore ; perchè , oltre che mi muova a raccomandarli per il dovere , ne sono stato ricerco da tale , che per qualche rispetto io desidero molto che si tenga satisfatto di questa
mia raccomandazione.

96   *Al Nunzio di Portogallo.*

VEDERETE quel che per due altre lettere vi si dice sopra alla cosa de' frutti di
Viseo . Una d' esse è dettata a mio nome
dal Cardinal di Silva , al quale è parso che
così vi si debba scrivere , mostrando di saper
gli umori, é promettendo che farà gran frutto a beneficio del negozio . Valetevi o di
questa o dell' altra alla scoperta , secondochè
vi torna a proposito: che a questo effetto vi
avemo menate le mani addosso in tutte due,
e mostrata mala satisfazione del vostro negoziato . Ma la risoluzion del tutto è che ,
vantaggiandovi il più che potete , con queste repliche , e con molte ragioni che sono
dal

dal canto voſtro, all' ultimo poniate fine a
queſta pratica in qualunque modo. Avvertendo che la penſione ſia bene aſſecurata, e
pagata in Roma ſecondo il ſolito, che coſì
è mente di Sua Santità. E queſti Signori
della Fabbrica, quanto all' intereſſe loro, ſi
contentano del medeſimo, ed in conformità
di ciò vi ſcriveranno ancor eſſi.

97   *Al medeſimo.*

PER l' altre, che vi ſono ſtate ſcritte ſopra queſto medeſimo negozio de' frutti cavati
dalla Chieſa di Viſeo, ed altri beneficj po-
ſti in perſona mia, arete inteſa la cagione,
perchè s' è tanto indugiato a mandarvi la
riſpoſta delle domande che fanno i creditori
ſopra di eſſi frutti, ſecondo la riſoluzione
portata dal Cavaliere Ugolino. Ora per la
diligenza, che s' è fatta di ſollecitarla, s' è
finalmente riſoluta, e ſi manda con queſta.
E non deve eſſer di meraviglia che ſi ſia
tanto differita, avendo avuto a riſpondere il
Cardinal di Silva; il quale trovandoſi privo
delle ſue Scritture, e fuor del Regno, dove
ancora che fuſſe, potrebbe a pena verificar
le coſe di tant' anni; e non avendo altro
lume da poter ricercare, che della memoria,
è ſtato di neceſſità che ſe ne vada ricordando, e riſcontrandole con fatica, e tempo aſſai. Con tutta queſta difficoltà la riſpoſta è
tale che ſi può facilmente comprendere, che
par-

parte d' effe domande fono con poca ragione, e parte in tutto non buone. E credo
pure che voi, e 'l voftro collega, che ne
dovete effer giudici, come giufti, e capaci
della verità, non vorrete macchiar l'onor
voftro, e gravar la confcienza di Sua Altezza, togliendo alla fabbrica di San Pietro
per dare a quelli che indebitamente diman-
dano. E voi, dopo la rifoluzion che farete,
non dovete mancare per fatisfazion di Noftro
Signore, e per confervazion della fama, e
della giuftizia di cotefto Principe, di far che
fpezialmente Sua Altezza fia bene informata
delle noftre ragioni, ed avvertita del fuo debito. E lo farete ancora per ifcarico voftro,
perchè, come già vi s'è fcritto, Sua San-
tità non ha fentito bene che nella capitola-
zion fatta vi fiate lafciato tirare a molti particolari che fono poco convenienti; come d'
affignare al Governatore della Chiefa di Vifeo sì groffa provvifione; confentire fenza la
commeffione di Sua Beatitudine, o della Fabbrica almeno, a concedere il quarto de' frutti per la reparazion della Chiefa, avendo in
ciò poco provvifto al bifogno di quefta Santa Fabbrica, e molto pregiudicato all'onor
mio; che fenza l'ajuto di detti frutti, e
fenza che Sua Altezza preveniffe il mio debito, io non era per mancare di farlo per
me medefimo, come fi fa che non ho mancato per lo paffato all'altre mie Chiefe.

Oltrechè alla Santità Sua è parfo molto
ftra-

ftrano, che l'abbiate confentito ancora con
quefta condizione, che s'aveffero prima a
pagare i debiti del Cardinal di Silva. Perchè in tanto tempo che 'l ritratto di quefti
frutti è ftato in mano de' Miniftri di Sua
Altezza, come n' hanno pagate molte partite, che ragionevolmente non fi aveano a pagare; così par che la ragion voglia, che ne
doveffero aver pagate quelle che s' hanno a
pagare debitamente; e così per confeguenza
non ci aveffe a rimaner debito alcuno di
quelli che erano contratti dal Cardinale avanti la fua partita dal Regno. le quali cofe
con alcun' altre fono parfe a Noftro Signore
affai fuor del dovere; e non fariano ftate approvate nella convenzione, fe non che Sua
Santità è ftata fempre folita di fare onore a'
fuoi Miniftri delle cofe fatte. Oltrechè io
non ho mancato di fare ogni officio, che Sua
Beatitudine fe ne contenti: parendomi per
molti rifpetti dover procurare la fine di quefto negozio con più fatisfazione, che fi può
dell'Altezza Sua. Ora, poichè le cofe fon ridotte a quefto termine, farà officio voftro di
far, come ho detto, che l'Altezza Sua refti
con fatisfazione di quanto è paffato, e ben
informata delle ragioni che s' adducono di
qua, e fopra tutto che fi ftia nell' offervanza della convenzione: facendo che i danari
che s' hanno a pagare, fi sborfino con ogni
giuftificazione, e che quelli, che fi fono mal
pagati, effettualmente fi reftituifcano. cofe

nelle

nelle quali Sua Altezza non doverà fare difficoltà, poichè per gli rifpetti detti di fopra
ci corre tanto dell' intereffe, ed onor fuo;
e poichè fa che, dovendofi quel che fi cava,
fpendere in quefta Fabbrica, la qual fi vede che
effettualmente procede con apparato e difpendio grandiffimo; fi converte tutto a fervizio
di Dio, ed a gloria di Sua Altezza ec.

98   *Aperta per li Signori Fabriceri.*

Dopo la giunta qui del Cavalier Ugolino avemo fopraffeduto di rifpondere a Voftra
Signoria Reverendiffima circa il negoziato infieme con lui fopra i frutti paffati del Vefcovato di Vifeo; perchè c'è ftato neceffario dar
tempo al Cardinal di Silva di far l'inftruzione, che fi manderà con quefta, contra
alle domande che fanno indebitamente i creditori fopra d'effi frutti. Ora, per dir il vero, Voftra Signoria ha da fapere che circa
quefta faccenda è parfo a noi altri tutti che
ella fia proceduta un poco troppo largamente
co i Miniftri di Sua Altezza; confentendo maffimamente che di detti frutti s'abbino prima
a pagare i debiti del Cardinal di Silva: perchè, effendo tanto tempo ftati nelle mani loro, ne potevano ben fatisfar quelli che fono veramente fuoi creditori, e prima che
fuffe fuora del regno; come n'hanno pagati, e vogliono pagare tanti degli altri che
non doveano, e non debbono avere. Ma
poi-

poichè a Vostra Signoria è parso di così fare, e 'l Cardinal Illustrissimo Farnese nostro
padrone ha voluto che ci contentiamo di tutto che è stato fatto da lei ; non diremo altro
se non che dalle repliche fatte dal Cardinal di Silva Vostra Signoria , ed il suo
Collega , che n' hanno ad esser giudici , co-
nosceranno facilmente che la più parte delle
lor domande sono poco ragionevoli , e quel
che debitamente ci si viene . Del resto speriamo in loro che per iscarico della lor co-
scienza , per zelo dell' onor di Sua Altezza ,
e per conservazione della liberalità , e della
divozion sua verso questo Tempio Santissimo,
farà per modo che le cose si ridurranno a i
termini del dovere : non potendo credere che
sì religioso , e sì magnanimo Principe , intesa la qualità del negozio , voglia sopporta-
re, che indebitamente ne sia scemato di quella grazia che già n' ha fatta con tanta sua
laude , e tanto suo merito appresso di Dio .
Imperò la supplichiamo si degni fare ogni o-
pera che l' Altezza Sua resti ben capace delle nostre ragioni . E non replicando altramente alla convenzione fatta , e contentan-
doci che si continovi nell' osservanza d' essa ,
le domandiamo solamente che li danari , che
s' aranno pure a pagare , si paghino giustificatamente , e quelli, che giustificatamente non
sono pagati : che ci siano restituiti , così porta
il dovere , e così confidiamo che vorrà l' Altezza Sua . Alla quale si degni ricordare l' e-

stre-

ftremo bifogno ch' avemo di far danari da o-
gni parte , per le grandiffime fpefe , ed apparato incredibile che fi fa di prefente per
condurre a fine quefta gloriofa Fabbrica . La
quale dovendo , come penfiamo , effer molti
fecoli ammirata dal mondo ; per quella parte , che a lei s'afpetta., farà pure un famofo
e perpetuo monumento della pietà , e della
magnificenza fua appreffo a i pofteri, e d'infinito fuo merito appreffo a Dio . Del refto
rimettendoci alla prudenza , ed alla carità
fua, fenza più dirle, le baciamo le mani ec.

99 *Secreta per li Signori Fabriceri al foprad-*
detto Nunzio di Portogallo.

L'ALTRA lettera , che avemo fcritto a
Voftra Signoria fopra quefta medefima materia de' frutti di Vifeo , s' è fatta , perchè
moftrandola apertamente fe ne poffa valere
a beneficio del negozio , fecondochè vedrà
la difpofizion delle cofe . Ma per quefta le
fi dice affolutamente , che non intendemo di
prefiggerle alcuna legge , anzi che in tutto
ce ne rimettiamo alla prudenza e deftrezza
fua , fperando che farà tutto con vantaggio
poffibile . E con quefta confidenza la fuppli-
chiamo fia contenta terminarlo in qualunque
modo fi fia, che ciò farà da lei fatto, aremo
per rato e per ben fatto . Ed a Voftra Signoria ci raccomandiamo ec.

100 *Al Cardinal di Coria* (a).

GLI officj fatti da Voſtra Signoria Illuſtriſſima, e Reverendiſſima col Sereniſſimo Principe, per quanto intendo per altri riſcontri, furono aſſai più, ch' ella non dice, affettuoſi, ed opportuni; e tali s'aſpettavano ſenz' alcun dubbio dalla bontà, e dalla prudenza voſtra. E così come ſono di molta ſatisfazione a Noſtro Signore, ed a noi altri tutti; così penſiamo che debbano eſſere di molto momento a beneficio delle coſe che ſi trattano, aggionti l'autorità di Voſtra Signoria Reverendiſſima la buona mente di Sua Altezza, e la giuſtizia della cauſa che ſe le raccomanda. Piaccia a Dio che ne veggiamo quelli effetti che deſideriamo; e prego chè ſi degni di continuare in queſt' opera, e di tutto che s' è degnata d' operare fino a ora, il Signor Iddio ne le renda merito; ed io ne la ringrazio quanto poſſo, pregandola ancora a tener diſpoſto il Reverendiſſimo di Trento in queſto negozio così, come è ſempre. E quanto alla ſua cauſa, per quel che li devemo, e per quel che ſperiamo dalla

ſua

(a) Franceſco di Mendozza, Spagnuolo, Veſcovo di Coria, creato Card. da Paolo III. nel 1544. 20. Decembre.

fua protezione, io non poffo effere più defiderofo che mi fia , nè procurar più ch' io
procuri , la fua fatisfazione . Ma Voftra Signoria Reverendiffima fa la durezza del negozio , e che bifogna aver tempo , e pazienza per maturarlo : per quefto io non mi
tolgo dall' imprefa per difficile che fia , e vi
metterò tutto quello ch' io fo e che vaglio per ottenerla . Intanto non manco della fperanza ch' io tengo nella generofità , e
nella grandezza dell' animo loro . E all' uno,
e all' altro umilmente bacio le mani.

101 *Al Signor Jeronimo da Correggio.*

RESTO con ogni fatisfazione così del negoziato, come del modo ch'avete tenuto con
Sua Altezza , e con quelli altri Signori della Corte , e della diligenza ufata circa gli
avvertimenti che m' avete dati , e fpezialmente del perfonaggio, che Sua Altezza manda a Noftro Signore ; il quale farà vifto , e
raccolto da Sua Santità con ogni amorevole
demoftrazione , e da noi altri onorato quanto fi conviene a perfona tale, e mandata da
tanto Principe . Dalla rifpofta di Sua Altezza, e da quella del Signor Duca d'Alva s' è
conceputa quella fperanza , che fi deve avere a parole d' un Principe tale , e d' un Signore di quella portata . Staremo ora a vedere il fucceffo. Refta che ringraziate da mia
parte Monfig. Illuftr. e Reverendifs. di Trento

del molto favor che m'ha fatto, e della protezion che fi piglia delle cofe noftre. E, quanto alli fuoi negozj di qua, dalla relazione di
Monfignor Reverendiffimo di Coria può aver
comprefa la difficoltà , e quafi impoffibilità
dell' uno ; e voi gli potete far fede dell' altro. Ma io non mancherò in tutti due di
fare ogni eftrema diligenza., che Sua Signoria Reverendiffima conofca che da me non
farà reftato , che non fia fatisfatto e compiaciuto del tutto ec.

102   *Al Duca Ottavio.*

ALLE due voftre de' xxv. del paffato rifpondo che avete fatto prudentemente a ftar
provvifti per affecurarvi del fofpetto ch'avete
avuto . E in ogni accidente fimile avete a
fare il medefimo , perchè fiamo chiari che
non fi refta mai di macchinare : e mi fono
ftati anco cari gli avvertimenti, che m'avete dati , de' quali mi valerò fecondo bifognerà . Noftro Signore , e noi tutti avemo
intefo con piacere , che 'l Conte Troilo abbia quella buona inclinazione, che voi dite,
verfo di voi ; e di qua s' è ftato di continuo nella medefima buona difpofizione verfo
di lui , e fe n' è fempre tenuto conto. Ma,
vedendolo in certo modo ritrarfi dall' offerte
noftre, ce ne fiamo ftati ancor noi . Ora
che vi par meglio difpofto, tenete pur modo di farli intendere , e d' affecurarlo , che

No,

Noſtro Signore l' abbraccerà da figliuolo , e noi da fratello ; e fate di ſapere l' intenzion ſua , che qui non ſi mancherà di ſatisfarlo di quel che per noi ſi potrà . E , quanto al maritarlo di qua , ſe egli ha maneggio o diſegno alcuno , fate che ci ſia propoſto , e che ſappiamo in che ſi deſidera l' opera noſtra ; che ci sforzeremo tutti che ſe ne tenga ben contento . Dell' altre coſe di Parma , intendo gli umori che vi ſono , e quel che vi biſogna per più ſicurezza ; e ſi va penſando alle provvigioni . Intanto ſi dorme ſopra la vigilanza del Signor Cammillo , e voſtra . E , quanto alla morte di Veſpaſiano Tagliaferro , farà bene che ſe ne faccia qualche dimoſtrazione , come di dar bando agli occiditori , por loro una taglia , perdonare a chi gli rivela , e ſimil coſe , acciocchè ſi conoſca che ſe ne tien conto . Altro non accade .

103 *A Sua Maeſtà Ceſarea .*

DALLE parole che 'l Signor Giulio Orſino ha riferite a bocca per parte della Maeſtà Voſtra s' è conceputa aſſai maggior ſperanza circa la terminazion del negozio , che non ci ſi promette da quel che riporta in iſcritto . E penſando che la giuſtizia , e la bontà ſua ſi debba finalmente mettere in atto ; ſi rimanda il medeſimo ben informato di quanto la Maeſtà Voſtra deſidera per ſatisfazion ſua . E all' Inſtruzione , e riporto

d' eſſo rimettendomi ; e ſupplicandola ſi degni darli quella benigna audienza , e quella
deſiderata riſoluzione , che s' aſpetta da lei ;
umiliſſimamente le bacio le mani .

104   A . . . .

PER parte di Pier Antonio Tinti da Civitanova mi viene eſpoſto che , avendo già
alcuni beni in Corneto , avuti per dote della Moglie , li quali ha poi venduti , una
Madonna Erſilia , e Fauſto ſuo figliuolo ne
moleſtano i poſſeſſori ; che ne ſono entrati
in poſſeſſione per negligenzia , e per contumacia della parte, ſotto preteſto d' eſſer creditori di non ſo chi , che primi erano padroni di detti beni , e d' una parte di ſpe-
zieria di più di 70. anni : coſa che non è
credibile che non ſia in tanto tempo ſatisfatta. Dalla qualità del debito , ed anco delle perſone , ſecondo mi ſi dice , potrà Voſtra Signoria facilmente conoſcere che queſta
è un' arte di cavar qualche coſa di queſta
lite . Imperò per giuſtizia , e per amor mio
che deſidero di ſatisfare a chi mi ricerca di
queſto officio , ſia contenta di non ſopporta-
re che ſia più travagliato : e mi farà piacere a porvi ſilenzio, e più ſommariamente che
ſia poſſibile. So che Voſtra Signoria vi provvederà per l'ordinario, e però ſenz'altro dirle me l'offero ſempre .

105 Al-

105   *Alla Ducheſſa Madre.*

Il Veſcovo di Foſſombruno conferirà con Voſtra Eccellenza un ſuo , e mio penſiero , il quale io deſidero che ſi conduca ad effetto per tutte quelle cagioni ch' ella conſidererà per ſe medeſima ; ſapendo quanto mi ſia cara la ſervitù di M. Giuliano ſuo fratello , e quanto ſiamo tutti obbligati alla buona memoria del Cardinale Ardinghello . Voſtra Eccellenza mi farà ſomma grazia a preſtarli tutto il ſuo favore , ed interporre tutta la ſua autorità con la Ducheſſa mia Sorella , e con ogn' altro che biſognerà, perchè queſta pratica venga a conchiuſione. Del reſto, rimettendomi a quanto il Veſcovo l'eſporrà più diſteſamente , la prego di nuovo che non manchi di farci ogni caldo officio ; e le bacio le mani.

106   *Alla Ducheſſa d'Urbino.*

Intesa la pratica, di che parlerà Monſignor di Foſſombruno con l'Eccellenza Voſtra , per non mancar di giovare in tutto quel ch'io poſſo a Meſſer Giuliano, ſuo Fratello , il quale m'è ſervitore molto grato , ho ſubito reſcritto al Veſcovo , che venghi a baciar le mani di Voſtra Eccellenza, e che conferiſca ſeco tutto il deſiderio ſuo. Il quale voglio che ella ſappia per queſta, che è

medefimamente mio , e ch' ella non mi può
fare per una volta cofa più grata che favorirlo , ed ajutarlo per modo che fi conduca
ad effetto . E rimettendomi del reftante alla
relazione , ed alle domande che le farà Monfignor medefimo ; non le dirò altro fe non
che di nuovo la fupplico , che fi degni per
amor mio fare ogni opera che l' effetto
fortifca .

107　　　*Al Duca d' Urbino.*

V o s t r a Eccellenza conofce Meſſer Giuliano Ardinghelli , e fà quanto mi fia grato
fervitore, e quanto per ogni rifpetto, e fpezialmente per quello che fiamo tenuti tutti
alla buona memoria del Cardinal fuo Fratello , io debba aver caro che mi fi prefenti
occafione di riconofcerlo della fua fervitù. Il
Vefcovo di Foffombruno , il quale verrà a
pofta per conferirle un negozio che torna in
fuo beneficio , le dirà il reftante , e vedrà
che per le fue mani io li poffo giovare. Pregola quanto poffo che fia contenta di non
mancare in quefto cafo di favorire il negozio in tutti quei modi , che dal Vefcovo
medefimo ferà ricercato; prefupponendofi che
quefta fia imprefa mia particolare. E alla fua
relazione rimettendomi del reftante, fenza più
dirle me le raccomando ec.

108 *Al Duca di Fiorenza* (a).

SON ricerco da perſona , a chi non poſſo mancare , di raccomandare a Voſtra Eccellenza Pandolfo di Ricaſoli al preſente prigione de' ſuoi Officiali , per aver date delle
pugnalate a un Lodovico Nicolini ; il quale
piuttoſto per la mala cura , che per la qualità delle ferite , par che ſi trovi in pericolo
di morire . Io prego l' Eccellenza Voſtra che
in caſo che muoja , ed anco non morendo ,
ſi degni per amor mio aver quella remiſſione
al caſo ſuo che ſogliono i diſcreti Principi
alle diſgrazie , ed agli errori, che ſono eſcu-
ſabili degli uomini , de' quali intendo che
queſto è uno . E tutta quella grazia , che li
farà , reputerò che ſia per mio ſommo favore , e lo terrò per uno de' maggiori obblighi , ch' io abbia con l' Eccellenza Voſtra .
Ai ſervigj della quale m' offero ſempre prontiſſimo ; e le bacio le mani.

109 *Al Cardinal Sfondrato.*

AVENDO inteſo che Voſtra Signoria Reverendiſſima è ſtata malata , n' ho ſentito
tanto diſpiacere , quanto ora mi piace di ſa-
H 4

pere

(*a*) Coſimo I. che fu poi Granduca.

pere che fia guarita . Per l' avvenire la prego ch' attenda con maggior cura alla fanità , e ftimi la vita fua oltre a quello che farebbe per l' ordinario , ancora per fatisfazione degli amici , e de' fervitori fuoi , de' quali io mi tengo de' più affezionati. E, pregandola che m' abbia per tale , e che fi degni ricordarfi di me , e di farmi favor di comandarmi , fenz' altro dirle umilmente le bacio le mani .

110   *A Sua Maeftà Cefarea*

LA rifoluzione, che 'l Signor Giulio Orfino ha portato dalla Maeftà Voftra del negozio di Piacenza , è tale che , potendo effer certo ch' io non fono in quella fua grazia , che finò a ora mi fon promeffa da Lei per quella devota , e fedel fervitù, che l' ho dedicata per fempre , mi par di doverle liberamente moftrare il difpiacer ch' io n' ho fentito: effendo che 'l diffimularlo poteffe parer fegno d' animo non così fincero, come 'l mio verfo la Maeftà Voftra . Il quale con tutto ciò non è punto alienato dalla fua devozione ; ma sì bene malcontento d' efferle sì poco accetto , ed in sì poca confiderazione , che non mi reputi degno della fua protezione in una caufa di tanta giuftizia , come è la noftra: quando dalla fua grandezza, dall' intereffe , che l' è piaciuto ch' abbiamo col fuo fangue, dalla particolar fervitù del

Duca

Duca Ottavio mio fratello , e mia verſo la
Maeſtà Voſtra , e dalle buone intenzioni che
ne ſono ſtate date ſempre da Lei medeſima ,
ſperavamo non pur la reſtituzione , e 'l man‑
tenimento delle coſe noſtre , ma l' accreſci‑
mento , e la ſtabilità loro , ed uno appog‑
gio della noſtra Caſa in perpetuo. Ora ch'al‑
la Maeſtà Voſtra ſia parſo altramente , ſen‑
za replicar altro contra le ſue ragioni , le
ricordo ſolo che la pratica di metter Parma ,
e Piacenza in Caſa noſtra fu moſſa prima‑
mente di qua da Monſignor di Granuela ;
mi fu fomentata da\ Lei ; e promeſſomi in
ciò ogni favore a Vormes : fu ſollecitata qui
per ſua parte da Monſignor d'Andalò , e meſ‑
ſa in eſecuzione da' noi , come coſa che ſuf‑
ſe di ſuo ſervigio . E per queſto fui richieſto
anco da' ſuoi di far che ſe ne pigliaſſe l' in‑
veſtitura dalla Maeſtà Voſtra . Ch'. ella non
ſia di quella medeſima oppenione , e che noi
ſiamo abbandonati non ſolamente dalla pro‑
tezione , ma dalla giuſtizia , e dalla pietà
ſua ; non poſſo mancare di farnele conſcien‑
za , e di tenermene gravato , com' io fo ,
con quella riverenza che ſi deve a un tanto
Principe , quanto è la Maeſtà Voſtra ; la
qual prego umiliſſimamente che non ſi tenga
offeſa di queſta mia giuſta querela . che ſeb‑
ben procede da qualche paſſione , non vien
però da ſdegno , il quale non può aver loco
tra me ſuo ſervo , e la Maeſtà Voſtra che è
mio Signore . E ſe le parrà che da qui in‑
nanzi

nanzi non m'ingerifca così ſtrettamente ne'
fuoi fervigj, come ho fatto per lo paſſato ;
la ſupplico a non credere che venga da mancamento di devozione, ma sì bene da modeſtia, e da riſpetto. Perchè vedendo il mondo la poca grazia in ch'io le ſono, e potendo i ſuoi Miniſtri parte ſuſpicare ch'io
non ſia per eſſer così ardente a ſervirla, come farei a ogni modo, e parte anco.calun-
niare le mie azioni, o interpretarle ſiniſtra-
mente ; fra la poca autorità, che me ne
viene dal canto ſuo, e la ſuſpizione che
per ſuggeſtion d'altri poteſſe naſcer nell'animo della Maeſtà Voſtra, giudico che nelle
ſue coſe ſia meglio ch'io aſpetti d'eſſer co-
mandato da lei. E così farò, pregando Dio
mi conceda grazia che a qualch'altro tempo
la mia ſervitù le ſia più accetta. E ſiccome
lo ſpero, così con molta pazienzia l'aſpet-
terò : e con ogni ſorte d'offizio m'ingegnerò di meritarlo.

Riſpoſta nelle coſe di Piacenza del MDXLIX.

ALLA Scrittura portata in nome della
Maeſtà Ceſarea da Martino Alonſo, Noſtro
Signore arebbe volentieri laſſato di riſpondere in iſcritto, ſe aveſſe potuto farlo ſenza
pregiudicio ſuo, e della Sede Appoſtolica .
Ma vedendoſi a ciò aſtretto dalla qualità di
eſſa Scrittura, uſando ſempre di quella modeſtia

deftia che alla fua natura, ed al grado che Dio gli ha datto, conviene; ha commeffo che fi rifponda non tutto quel che fi potrebbe, ma quel poco che fegue. Non repetendo il cafo empio, e deteftabile di Piacenza, nè le lettere che dopo il cafo la Città fcriffe a Sua Beatitudine di voler continuare nell' obbedienza della Sede Appoftolica; nè la forza, che fu ufata da' Miniftri di Sua Maeftà in impatronirfi del loco; e non repetendo le ample e reiterate promeffe fatte da Sua Maeftà non una volta, ma più, nè ad un folo de' Miniftri di Sua Santità, ma a molti; fa la Maeftà Sua che quando cominciò a dire al Vefcovo di Fano, ed al Signor Giulio Orfino che per ifcarico della confcienzia fua, e per poterfi giuftificare tanto più con altri, defiderava d' effer informata fommariamente delle ragioni della Chiefa fopra Piacenza; Sua Beatitudine, effendone avvifata, rifpofe che le ragioni della Chiefa erano molte ed efficaci, ma che per njun modo voleva entrare in via di giudicio, fe prima Piacenza, con tutto 'l refto occupato, non fuffe reftituita.

Perciocchè alla fua giuftificazione baftava affai l' evidenzia notoria dello fpoglio; e che la Chiefa era ftata in pacifica poffeffione per tanti anni con giufto titolo, e nel modo che era manifefto a tutto 'l mondo. Tuttavolta facendo Sua Maeftà inftanzia grande d' avere qualche gufto di quelle ragioni, ed affermando

do

do che lo faceva folo per ifcarico della confcienzia fua ; fenza che ciò poteffe in alcun
modo pregiudicare alle parti, o s' aveffe a
dubitare di forma di giudicio ; al fine Sua
Santità, per non parere o di poca fede, o
troppo dura, fi contentò con le predette condizioni e proteftazioni, che fi faceffero vedere a S. Maeftà fola alcune delle ragioni della
Chiefa in Piacenza; laffando tutte l'altre da
parte, e facendo folo capar (*così*) quelle che
più poteffero fervire al fine per il quale Sua
Maeftà le domandava : com' è un capitolo
della lega fatta a tempo della Santa mem. di
Papa Giulio l' anno 1511., la ceffione che 'l'
Imperatore Maffimiliano, fuo Avo paterno,
chiara memoria, fece alla Chiefa della Città
di Piacenza con l' intervento, e confenfo del
Re Cattolico, fuo Avo materno fimilmente
di chiara memoria, e la Capitolazione del
1521. fatta con Sua Maeftà propria.

E perchè Sua Maeftà ricercò che fe ne mo-
ftraffero gli autentichi al Signor D. Diego di
Mendozza, Orator fuo in Roma, non fi
mancò anche in quefta parte di fatisfarle ;
moftrandoli l' autentico originale della predetta ceffione dell' Imperatore Maffimiliano, e
giuftificandoli chiaramente la capitolazione che
fu fatta con Sua Maeftà ; benchè ciò poteffe parer fuperfluo, per efferfi fatta con lei
medefima, e per trovarfi verifimilmente in
fua mano ; e per efferne feguito tanto ac-
crefcimento di Sua Maeftà, che non folo non
fe

ſe ne deve ſcordare, ma riconoſcerne perpetua obbligazione alla Sede Appoſtolica. Nè alla legalità di quelle Scritture, quando ſi moſtrorno, il Signor D. Diego, eziam ricercato, oppoſe coſa alcuna: nè allora, o poi, è ſtato moſtrato qui in Roma nè da lui, nè da altri in favore dell' Imperio Scrittura autentica, o copia che contraddiceſſe al dritto della Chieſa. E nondimeno contenendo ora la Scrittura, mandata per Martino Alonſo, che, viſto ed eſaminato lo paſſato in Roma tra li Miniſtri di Sua Santità, e D. Diego circa il negozio di Piacenza, giuntamente con la copia delle Scritture che ſe li dierono, non ſi vede che dalla parte di Sua Santità ſi ſia moſtrata coſa autentica, dove ſi poſſa fondare la Chieſa, per la reſtituzione, e dal canto dell' Imperio sì: e però proponendoſi in eſſa, eſcluſe le ragioni della Chieſa, che Sua Maeſtà per forma di gratificazione darà alla Caſa di Sua Santità, e ſuoi Nepoti quaranta mila Scudi d' entrada, mentre però che ſi dia ancor Parma a Sua Maeſtà: e che ciò ſia, mirandoſi ſopra il dritto della Chieſa, e dell' Imperio, per non pregiudicare nè all' uno, nè all' altro, come di ragione ſi vedeſſe convenire: Sua Santità, ancorachè le piaccia vedere che Sua Maeſtà non ha inteſo per la ſopraddetta Scrittura far pregiudicio alle ragioni della Sede Appoſtolica, laſſa nondimeno al giudicio di Dio, e del mondo, ſe queſte coſe ſieno oneſte ed accettabitabili , o non ; e se sieno di pregiudizio grandissimo non solo alla Sede Appostolica , ma a tutta la Cristianità , o non . Onde per non far danno nè alla Sede Appostolica , nè ad altri ; insistendo in quel che Sua Maestà , eziam per questa Scrittura medesima , conferma d' aver promesso , di restituir Piacenza ogni volta che la sia della Chiesa ; la prega con tutta l' efficacia che può maggiore , ché consigliandosi di nuovo con Dio , e con la conscienzia sua , voglia riconoscere che quella Città si deve alla Sede Appostolica , e che Sua Maestà non la può tenere giustamente per molti rispetti . Nè quanto a Parma accade risponder altro , salvo che ella è similmente della Chiesa per tutte quelle ragioni che è Piacenza , e per alcun' altre particolari di più . Circa l' ultima parte spettante alla Religione , Sua Beatitudine per qualsivoglia causa non si ritirerà mai da quello che vedrà essere il servizio di Dio , e beneficio della Cristianità , come non si è ritirata fin qui ; confidando che Sua Maestà , come Avvocato della Chiesa , farà inspirata a non mettere impedimento all' autorità , e jurisdizione della Sede Appostolica , e della Santità Sua .

111   *Al Re Criſtianiſſimo* (a).

DALL' Illuſtriſſimo, e Reverendiſſimo di Ghiſa, e dal Conte Berlinghiero mandato dalla Maeſtà Voſtra, ho ricevute l' umaniſſime ſue lettere; e da loro, e dal Signor Orazio mio Fratello, e dal Veſcovo d' Imola ho inteſo quanto da ſua parte m' è ſtato riſcrito. E conoſcendo quanto ſi è grandemente umiliata verſo di me, ſuo ſervo, degnandoſi di ſcrivermi, e d' invitarmi tanto umanamente alla grazia ſua; n' ho preſo quell' eſtremo contento, che può venire da sì gran favore, e quella maggior conſolazione, ch' io poteſſi deſiderare in queſto tempo dell' avverſità noſtre: perciocchè mi ha dato animo, e ſperanza di vincere, non che di ſoſtenere, la mala fortuna che ne perſeguita, poichè la Maeſtà Voſtra ſi offeriſce correrla comunemente con noi. Queſta ſua magnanimità, la quale ſi ci rappreſenta con tanta prontezza, laſcio che ſia, come merita, riconoſciuta da Dio, e celebrata dal mondo. Io ne la ringrazio con tutto l' affetto del core, e l' aſſicuro inſieme con tutti i miei che ne terremo ſempre quella memoria, che ſi conviene

----

(a) Enrico II. che ſuccedette a Franceſco I. ſuo Padre nel 1547.

viene ad una sì generofa dimoftrazione : e confido nella bontà del Signor Iddio, e nella franchezza dell'animo, ed anco della dif-pofizione di Sua Santità, che ne le potremo anco moftrare qualche fegno di gratitudine. Intanto la Maeftà Voftra fi degni accettare la divozion di tutti noi, e di me fpezial-mente ; e fe la prometta quanto effer può maggiore, e finceriffima, e perpetua; in te-ftimonio della quale feguiranno poi quelli ef-fetti che verfo tanta bontà fua fi conven-gono, ed a noi faranno poffibili. E rimet-tendomi alla relazione, che le farà fatta dal Reverendiffimo di Ghifa medefimo, e pre-gando per la felicità d'un tanto noftro bene-fattore, me l'inchino umilmente, e nella fua buona grazia mi raccomando.

112 *Alla Regina di Francia* (a).

DELLA contentèzza che io ho prefa nel ricevere la molto cortefe lettera della Maeftà Voftra, e nell'afcoltare il perfonaggio che me l'ha prefentata ; e della fede ch'io pre-fterò di continuo ad effo prefentatore circa quanto mi fcrive ; io lafcerò che ne le fia fatta teftimonianza da lui medefimo : afficu-

rando-

———————————————

(a) Caterina, figliuola di Lorenzo de' Medici, Duca di Urbino, e moglie di Enrico II.

randola folamente in queft'ultima parte, che,
oltre alli rifpetti che la Maeftà Voftra mi
dice , per la qualità del grado e della virtù
fua , e per quel faggio che n' ha dato altre
volte della fua volontà ; e, quando per altro
non fuffe mai , per la relazione folamente ,
e per la fecurtà ch' ella mi fa del fuo buon
animo verfo di tutti noi; mi farà fempre in
offervanza come fignore , ed in confidenza ,
come amico ftrettiffimo . Del favore , che la
Maeftà Voftra mi fa degnandofi di fcrivermi,
e della molta amorevolezza che mi moftra,
non le potendo rendere con parole le debite
grazie ; la fupplico fi degni confiderare per
fe ftefla tutto quello ch' io le debbo ; e s'
imagini ch' io la paghi interamente con l' a-
nimo. E, per accertarfi che i fuoi ricordi mi
fono perfuafioni, e defiderj, fi degni metterfi
innanzi da un canto la qualità del noftro
ftato prefente , e la neceffità ch' avemo di
feguire i fuoi configli ; e dall' altro l' infinita obbligazione che tenemo a Sua Maeftà
Criftianiffima della protezione, che ne promette in quefto tempo contro ad una così
avverfa , ed indegna fortuna , quanto è quella che n'ha percoffo; e fi rifolverà facilmente che noi tutti non poffiamo mancare nè
alla confervazione di noi medefimi , nè al
compimento del debito noftro verfo la Maeftà Sua . Per le quali due cagioni fiamo for-
zati , oltre la naturale inclinazione , a tenere perpetua offervanza , e per noftra fecura

defensione la Maestà Sua Cristianissima, nella cui buona grazia supplico la Maestà Vostra che si degni di conservarmi . E confidando d' essere nella sua , poichè ne veggo gli effetti , di nuovo ne la ringrazio , ed umilmente le bacio le mani ec.

113   *Al Principe di Spagna .*

NON potendo io venire in persona a far riverenza all' Altezza Vostra , come sarebbe stato mio debito , e mio desiderio , mando il Signor Jeronimo da Correggio ; perchè le baci umilmente le mani da mia parte , e le facci fede dell' allegrezza ch' io ho sentita di questo suo felice passaggio in Italia (*a*) , e della speranza ch' avemo tutti conceputa nell' autorità , e nell' intercession sua appresso alla Maestà Cesarea a beneficio delle cose nostre . le quali avendo molto bisogno della sua protezione , con ogni umiltà le raccomando ; e la supplico si degni ricordarsi della mia divozione verso lei particolarmente , e valersene talvolta solamente per mio favore . Del resto rimettendomi a quanto le riferirà

(*a*) Il Principe Filippo , di cui s' è parlato nella nota alla lett. 70. a quel tempo passato da Barcellona a Genova , per la via di terra si portò nella Germania , e fu ricevuto a Verona da' Signori Veneziani con grandissima pompa.

ferirà per mia parte il sopraddetto Signor Jeronimo, la prego sia servita di prestarli benigna udienza, e piena fede. E con quella riverenza, che debbo maggiore, di nuovo le bacio le mani.

Di Roma alli . . . d'Ottobre MDXLIX.

114{ *Alla Duchessa d' Urbino.*

BEN può l'Eccellentissimo vostro Consorte aver conosciuto in qualche parte la molta affezione ch'io li porto, e 'l desiderio ch' io tengo grandissimo di farli servigio; ma non però n' ha veduti quelli effetti che ne vederebbe, se io potessi quel che vorrei. E se li sono stati accetti quelli pochi e debili segni, che per ora ne l'ho potuto mostrare; lo riconosco più dalla bontà sua che dalle mie dimostrazioni; le quali non hanno pur supplito al mio debito, non che abbino potuto accrescer l'amor suo verso di Vostra Eccellenza, com' ella dice. Ma da questo, o da altro che si proceda questo accrescimento d'amore, io ne sento per suo conto tanto piacere, quanto l'amo ancor io : ed altrettanto mi trovo contento per conto mio d'esser così cordialmente amato dall'Eccellenza Vostra, com'io ritraggo dall'amorevolissimo suo scrivere, e dalla gelosia che tiene della mia salute; la quale sia certa, che mi farà cara ancora per suo rispetto. E così medesimamente desidero che si conservi la sua in-

                    sieme

fieme con l' amor dell' Eccellentiffimo fuo Conforte : alla cui buona grazia , ed alla voftra infieme con tutto 'l core mi raccomando.

Di Roma alli xix. di Maggio (*a*).

115   *Al Cardinal di Monte* (b).

SAPENDO ch' Alberto , nipote d' Agolante , mio Scalco , già da primi anni è ftato conofciuto da Voftra Signoria Reverendiffima , ed è domeftico fuo fervitore ; non uferò molte parole per impetrarli appreffo di lei la grazia che defidera ; la quale è d' effere prefo a' fuoi fervigj. Solamente le dico che di già Sua Santità fe n' è contentata per quanto intendo ; e ch'io per rifpetto del detto Agolante, il quale amo fommamente, reputerò ch' ella mi faccia fingolar piacere ad accettarlo. Di che quanto più poffo prego Voftra Signoria Reverendiffima , e umilmente le bacio le mani.

116 *A...*

(*a*) O quefta lettera è fuor di luogo , o v'ha error nella data.

(*b*) Innocenzio de' Monti , o del Monte , fatto Cardinale da Giulio III. nel 1550. , e da lui adottato nella fua famiglia . Della mala riufcita di lui vedi le ftorie di que' tempi.

116   *A . . . .*

REVERENDO Amico onorando . Ago-
lante , mio Scalco , defidera , come mi dice
che Voftra Signoria fa, di mettere quel putto fuo nipote alli fervigj del Reverendiffimo
di Monte ; al quale intendo che è noto , e
che Noftro Signore , è già contento che lo
pigli . Refta che fe ne venga all' effetto , e
perciò n' ho fcritto a Sua Signoria Reverendiffima ; e prego Voftra Signoria che per
amor mio voglia far opera feco , e con Sua
Santità , bifognando , perchè la cofa fi con-
chiuda , affecurandola che me ne farà cofa
gratiffima . E a rincontro me l' offero fempre .

117   *Al Cardinal Maffeo* (a).

CREDO che Voftra Signoria Reverendif-
fima fia informata della caufa del Capitan
Luc' Antonio da Terani , circa l' imputazio-
ne che gli è data della morte del Capitan
Trajano , e che già per la diligente inquifi-
I 3 zio-

(a) Bernardino Maffeo , Romano , già Segretario
del Card. Farnefe , poi di Paolo III. , e da lui promoffo al Cardinalato agli 8. di Aprile 1549. Fu molto caro al Papa Giulio III.

zione ; che s' è fatta del caso suo, con tanti che ne sono stati prigioni , costi in gran parte la sua innocenzia . Per questo penso che Vostra Signoria Reverendissima potrà facilmente ottenere , che li sia lecito comparire per procuratore; o che 'l suo giudicio sia commesso a qualche persona d'autorità, com' egli desidera ; come sarebbe al Signor Vincenzo ; o altri della Casa di Sua Beatitudine . Io ho scritto a Monsignor Mignanello che sia contento di prestarli in ciò tutto il suo favore ; e prego anco Vostra Signoria Reverendissima che voglia fare il medesimo , parlandone caldamente da mia parte col detto Monsignore , e con Nostro Signore , bisognando ; che per li rispetti , ch'ella sa, non li possiamo mancare . E altro per questa non li accadendo , le bacio le mani.

Di Ronciglione a'iii. di Luglio MDL.

118   *A Monsignor Mignanello* (a).

PER quanto mi par di comprendere infino a ora dalle vive ragioni , che 'l Capitan Luc' Antonio da Terani allega in giustificazione della calunnia, che li vien data d'aver

fatto

(a) Fabio Mignanelli Sanese, Vescovo di Lucera, e fatto Cardinale da Giulio III. nel 1551. a' 20. Dicembre.

fatto ammazzare il Capitan Trajano ; e per
le coietture che fono in quefto cafo , io
tengo per cofa certa ch' egli ne fia innocen-
tiffimo ; e dal conftituto di tanti che ne fono ftati prigioni , efaminati , ed affoluti , io
penfo che Voftra Signoria ne potrà fimilmente effer chiara anch' ella . Egli fi può dire
che fia creatura di Cafa noftra , e non gli
poffo mancare in alcun modo di raccomandarlo quanto più poffo a Voftra Signoria , che
fia contenta di liberarlo dell' affanno , in che
fi trova , d' effer chiamato per quefto conto
a comparire perfonalmente. Ella fa come quefte cofe vanno : effo ha degli nemici affai ,
e poffenti ; non è fenza qualche error del
paffato , ancoraché ne fia affoluto ; dubita del
rigore de' giudici , delle corruttele degli avverfarj ; e , quando non fuffe mai d' altro , della difficoltà , e della lunghezza della rifoluzione che ordinariamente trovano quelli che
fi mettono prigioni . Imperò , poichè per
molte cofe può coftare l' innocenzia fua, fenza che altramente fi coftituifca, defidera grazia di poter comparire per procuratore , ovvero che 'l fuo giudicio fi rimetta a qualche
perfonaggio d' autorità , come farebbe al Signor Vincenzo , o altri della Cafa di Sua
Beatitudine ; innanzi al quale, quando fia af-
fecurato delle cofe paffate , offerifce di ftare
ad ogni cimento . E io prego quanto poffo
la Signoria Voftra , che per amor mio fia
contenta d' impetrare da Sua Santità l' una

I 4   o l' al-

o l'altra di queste cose : che certo me ne
farà piacere singolare . E senza più dirle , le
bacio le mani.

Di Ronciglione addì detto.

119   *Al Signor Balduino* (a).

IL Duca Ottavio , mio fratello , m'ha
qui inviato D. Alessandro, presentator di questa , con quello che Vostra Signoria Illustrissima intenderà da lui , e da Messer Vincenzo
Boncambi , Agente del Duca . Lo Stato che
si propone è tale , che se ne caverà cento
mila Scudi d'entrata , e più di 600. fanti
eletti per ogni bisogno . Puossi aver senza
strepito , giacchè gl'Imolesi v'hanno avuta
la sentenzia contra del Legato di Romagna ,
e per altre vie ne vengono privati , come
intenderà dai medesimi. Sicchè la Camera ci
ha legittimo regresso ; e già il Duca , il
quale era chiamato da loro , ha ridutta la
cosa a termine che quelli uomini si contentano d'esser sudditi di Vostra Signoria Illustrissima , e lo desiderano . A me pare che
debba afferrar questa occasione prima che sia
prevenuto dall' amico che procura per lui ,
come dall' apportatore stesso sarà informata .

Io

(a) Questi era fratello di Papa Giulio III. eletto
addì 8. Febbrajo 1550.

Io lo defidero grandemente così per beneficio di Voftra Signoria Illuftriffima , come per comodo del Duca , al quale tornerà bene di valerfi del favore, e degli uomini fuoi in un punto prefo: ed ella fimilmente fi potrà fervire, accadendo, della vicinanza di Parma . Il Duca ha fatto , e farà tutto quello che bifogna a beneficio di queft' opera ; imperò fi degni di comandarli , ed a me infieme con effo . E le bacio le mani.

Di Ronciglione alli iv. di Luglio M D L.

120 *Al Reverendiffimo di . . . .*

PER un fegno che mi ricordi di Voftra Signoria Illuftriffima , e Reverendiffima , e per fare il mio debito di vifitarla , ed anco per invitarla a darmi avvifo del fuo ben' effere, le fcrivo la prefente ; per la quale ancora la fupplico a tener memoria di me , e cura della fanità fua , come mi sforzo di fare ancora io della mia con l' efercizio , e con quelli pochi piaceri che fono nel paefello, dove per ogni altra cofa quafi mi piace d' effere ; fe non che mal volentieri comporto l' affenza di Voftra Signoria Reverendiffima : Alla quale intanto mi raccomando , e umilmente le bacio le mani.

Di Gradoli alli xi. di Luglio M D L.

121 *A . . . .*

PASSANDO Voſtra Signoria Reverendiſſima tanto vicina al loco dove io ſono , farà ſommo favore a me , e poco diſconcio a
lei di ripòſarſi almeno per una ſera meco ,
per cominciare a pigliar la poſſeſſione di parte delle coſe noſtre ; le quali le ſi profferiſ-
cono tutte ad ogni ſuo comando , e con animo che ſe ne vaglia ad ogni ſua occorrenza.
Mando Aſcanio , mio cameriero , che le mo-
ſtri il cammino , e le facci compagnia ; e
aſpettandola con deſiderio , le bacio le mani.

122 *Al Conte Brunoro* (a).

ESSENDO ſtato qui due giorni meco il
Conte Gio. Franceſco , voſtro figliuolo , non
voglio pretermettere queſta occaſione di ſa-
lutarvi per mezzo ſuo , e ringraziarvi de' voſtri ricordi , de' quali tengo buona memoria ;
e non mancherò di metterli in eſecuzione
quanto prima ſi potrà . Non ſo che dire ſe
non che le tengo obbligo dell' amorevolezza
ſua , e che io l'amo a rincontro quanto debbo ; e che, dove io vedrò di poterlo dimo-
ſtra-

____

(a) Brunoro II. da Gambara , Conte di Prat'al-
boino , fratello del Card. Uberto.

ſtrare o verſo di voi , o della caſa , o de' figliuoli voſtri , ſiate ſecuro che farò ſempre
volentieri ; e deſidero ancora che da voi me
ne ſia data occaſione . E con tutto l' animo
me l' offero , e raccomando.

123   *Al Cardinal . . . .*

E' STATO qui per vedermi il Conte Gio.
Franceſco Gambera ; al quale , per quei riſpetti che poſſono eſſere facilmente noti a Voſtra Signoria Reverendiſſima , io ſono affezionato . E , tornando a Perugia , più per
amorevolezza che per neceſſità m' è parſo di
raccomandarlo a Voſtra Signoria Reverendiſſima : conoſcendolo nel parlare molto deſideroſo della ſua grazia , e d' eſſerli intrinſeca-
mente ſervitore . Li ho promeſſo che farà
con effetto per la ſecurtà , che mi par d' a-
ver con lei . E ſe con qualche dimoſtrazione
li farà conoſcere che l' ha per tale , mi farà
piacer ſingolare . E a Voſtra Signoria Reverendiſſima bacio le mani.

124   *Al Cardinal Cornaro* (a).

ESSENDO l' Abate Buffalino , e Meſſer
Giulio ſuo fratello , tanto ſervitori quanto
                                    ſono

(*a*) Andrea Cornaro, nipote del Card. Franceſco,
morì Veſcovo di Breſcia nel 1551. Era ſtato creato
Cardinale da Paolo III. nel 1544.

sono di Vostra Signoria Reverendiss. e sapendo ella in che grado di familiarità sieno appresso di me , e le buone condizioni loro ; e potendo facilmente sapere il modo del viver di Corneto , dove ancor essi , per buoni che siano , hanno delle malevolenze , e dell' invidie ; non userò seco molte parole in lor raccomandazione , pensando che per se medesima farà sempre all' uno , e all'altro ogni onesto favore. Solo le dirò che sia contenta di non consentire , che ad instanzia d' altri siano legati a securtà , poichè si può fare di manco ; non essendo essi persone scandalose , ed avendo tante facoltà, spezialmente in Corneto , che , se ben non fossero disposti , sonò però necessitati a ben vivere. E sperando , come ho detto , che in questa ed in ogni altra occorrenza le saranno raccomandati ; senz' altro dirle , umilmente le bacio le mani :

Di Gradoli alli xi. di Luglio MDL.

125 *Al Vicelegato della Marca.*

ANTONIO da Montebuono , Bargello di Vostra Signoria , ebbe già il Bargellato di Perugia per intercession mia a richiesta del Capitano Bombaglino ; al quale avea da rispondere (quel che da Messer Zafiro Ferratino mi si dice che fu dichiarato) Scudi 30. il mese con alcuni altri regali . Ma , seguita la morte del Ferratino , e la prigion del Capitano , il Montebuono pigliando la cosa

per

per indecisa, ora con un sutterfugio ed ora con un altro ha differito di pagarlo insino ad ora: avendoli però assegnato un mandato di Scudi 140. in circa, de' quali dicea esser creditore della Tesoreria di Perugia; che di poi s' è trovato esser nullo. Che mi meraviglio molto di lui in questo caso, e prego che Vostra Signoria per giustizia, e per amor mio sia contenta di far per modo che 'l Capitano sia satisfatto. E, perchè non possa più dire che non fu specificato quanto gli avesse a rispondere; non ostante che fussero 30. il mese, ho voluto che Bombaglino si contenti di quelli xx. che paga il Bargello, che v' è di presente, con più scarsa condizione che non era la sua. Vostra Signoria arà veduta la fede del Conversino, ed il mandato ch'egli ha consegnato; sa ormai di quanto li resta debitore, avendolo a pagare di otto mesi a modo suo: ora a lei sta di farlo pagare. E, facendolo, oltrechè sia cosa giusta, io le n' arò obbligo. E me l'offero, e raccomando. Di Gradoli a'xii. di Luglio MDL.

126 *A Nostro Signore* Papa Giulio III.

TROVANDOMI si può dire alla foresta, non posso non essere esposto a tutti che mi vengono innanzi, massimamente a chi m'appartiene di sangue, e mi mostra desiderio di ben fare, e dolore d'esser fuor del gregge della Santità Vostra. Dico questo, perchè 'l

Si-

Signor Niccola da Pitigliano m' è venuto a trovare; ed io, come parente, e come gentiluomo, e come Criſtiano, non ho potuto fare di non aſcoltarlo. E aſſecurandomi della ſua devozione verſo la Santità Voſtra, e la Sede Appoſtolica, e dandomi qualche ſperanza dell' affetto della ſua controverſia co' ſuoi; non ho voluto diſperarlo della grazia della Beatitudine Voſtra. Anzi gli ho promeſſo di far l' officio ch' egli mi ricerca ch' io faccia, per impetrarli la remiſſione delle ſue coſe paſſate, ſiccome fo con queſta: ſupplicandola, quanto più poſſo umilmente, che ſi degni aſſolverlo, e perdonargli, e commettere che ſi dia quell' affetto alle ſue coſe, e del Signor ſuo Padre, ch' ella medeſima giudicherà che ſia neceſſario. E della converſazione che io e gli altri miei avemo avuto con lui, la prego mi faccia grazia d' aſſolvere. E umilmente le bacio i ſantiſſimi piedi.

Di Gradoli alli xii. di Luglio MDL.

127 *Al Cardinal Maffeo.*

Io non penſo già che, per li molti favori, che Voſtra Signoria Reverendiſſima ha da Noſtro Signore, ella ſi dimentichi però di tenermi in grazia di Sua Santità, ed in memoria di Monſignor Reverendiſſimo di Monte. Pure, perchè le grandezze, e l' ambizione occupa gli animi pur troppo, io ne le ricordo, coſì come le ricordo ancora che de-

ſide-

fidero ch' alcuna volta fi degni di fcrivermi.
Defidero di fapere particolarmente, fe Sua
Santità è rifoluta d' ufcir fuora di Roma , o
no, perchè poffa fare i miei calculi della gita d'Urbino, e forfe di qualcun'altra.

Mando a Voftra Signoria Reverendiffima la
lettera di Monfignor Dandino , per la quale
vedrà che fta in forfi di mandarmi copia dello fpaccio , che s' ha da fare al Pighino fopra al negozio di Piacenza . Al che vorrei
ch' ella rimediaffe con qualche deftro modo ;
perchè , febben mi piace che la pratica fia
tutta maneggiata da Sua Santità , e diffimu-
lata da noi , non è però che non voleffi intendere come le cofe fi porgono , e dire ancor io il mio parere , qualunque fi fia . Sua
Santità mi diffe che non fi farebbe parola
che non me ne faceffe parte ; e così vorrei
che Sua Beatitudine mi faceffe grazia d'ordinare al Dandino.

Alla mia partita diffi al Vefcovo di Cefena , che parlaffe con l' Arcivefcovo di Siena , fe fi contentava del governo dell' Arci-
presbiterato di San Pietro ; avendo animo di
commetterlo a Sua Signoria ; e infino a ora
non me n' ha rifpofto cofa alcuna . Voftra
Signoria Reverendiffima le ne facci ricordare,
e ritrarne la rifoluzione . E intanto mi farà
grazia a pigliarne la cura fopra di fe: ed in
cafo che l' Arcivefcovo non ci voglia attendere , penfare ad uno che vi foffe al propofito ; perchè Monfignor dell' Aquila me ne
ricer-

ricerca , ed io voglio averlo o dato , o promeſſo . In evento che 'l Patriarca non abbia fatto altro , è bene non lo faccia , perch' io riſervo quel loco per Monſignor Proſpero Santa Croce .

' Il Signor Niccola da Pitigliano è ſtato qui , e m' ha commoſſo a ſcrivere in ſua raccomandazione a Noſtro Signore . L' ho fatto con quella modeſtia che mi par che mi ſi convenga , e la mando a Voſtra Signoria Reverendiſſima , perchè v' aggiunga quell' offizio , che le par di più che ſia opportuno a beneficio ſuo ; e ſi degni darmene qualche avviſo .

· Rimando indietro a Voſtra Signoria Reverendiſſima lo ſpaccio del Clero di Colonia con lettere d' Arnoldo Broulier , per lo quale vedrà la domanda di quel Capitolo a Noſtro Signore : e inſieme con gli altri Reverendiſſimi , a chi ſcrivono , ſi degnerà pigliarne la protezione appreſſo a Sua Beatitudine . E con queſto fo fine , baciando umilmente le mani di Voſtra Signoria Reverendiſſima .

Di Gradoli alli xii. di Luglio M D L.

Ora ſpedita ancora queſta , è ſopraggiunto lo ſpaccio di Roma , per lo quale Monſignor Dandino m' invia la copia dell' Iſtruzione che ſi manda al Nunzio Pighino ; della quale ne rimando un' altra a lei con quel di più che vi deſidero : perchè mi pare che la natura del negozio , e di quelli con chi s' ha da negoziagoziare, ricerca che fi ftia più fu 'l tirato ; ed ho notato quel che mi parrebbe di dirvi, rimettendomene a Voftra Signoria Reverendiffima, e al Reverendiffimo Crefcenzio. Col quale la prego che fia contenta confultarla , e, con quella deftrezza che le pare, fupplicare a Sua Santità , che fi degni di ritrattarla , e rimandarla dietro a Monfignor Pighino ec.

128   *A Monfignor Dandino (a).*

Eвв i ieri al Borghetto la lettera di Voftra Signoria de' ix. E, quanto al negozio di Piacenza , io mi ripofo in tutto fopra l' autorità, e la prudenza di Noftro Signore ; e ho per vantaggio e per favore che Sua Santità fi degni di trattarlo come di fuo moto proprio , e come fe noi altri non ne fuffimo confapevoli . Tuttavolta , poichè preme principalmente a me , defidero che la mente di Sua Beatitudine in quefto fi adempia; la quale è ch' io fappia di mano in mano tutto quel che fi negozia in quefta materia . Perchè , febben confido , come ho detto , che

Vol. I.   K   tutto

(*a*) Girolamo Dandino , di Cefena, creato Vefcovo d' Imola da Paolo III. 15. Maggio 1546. Fu Segretario di Giulio III. e da lui fatto Cardinale nell' anno 1552.

tutto fia per paffar per le mani di Sua Santità, fecondo il bifogno, e 'l defiderio noftro; effendo nondimeno al bujo di quel che
fi tratta, mi par che mi fi lievi la mira del
maggior penfiero ch' io abbia, e di poter ap-
preffarmeli con qualche colpo ancor io; fapendo ancora il pazzo qualche cofa nelle cofe fue proprie. Oltrechè vorrei render conto
agli miei del carico ch' io tengo in quefto
affare. Sarà dunque contenta Voftra Signoria di mandarmi avanti allo fpaccio la copia
interamente di tutto che fi fcrive in quefta
materia; effendo così rimafto con Sua Santità, che io le ricordi tutto quello che m'
occorre.

Della continuazion delle cavalcate, poichè
non fi può, non ne dirò altro; ma non è
però che, per ogni cofa che poteffe avvenire,
non fuffe ben fatto. E con tutto ciò ne refto quieto.

Quanto al beneficio che defidera quel da
Toffignano, io refto fatisfatto di quel che
torna bene a lei; e non intendo mai che le
raccomandazioni, ch' io le fo, fiano in pregiudicio fuo, nè de' fuoi fervitori. Mi rallegro con Voftra Signoria dell' acquifto della
nuova Abbazia, e più del favore che le fa
Sua Maeftà Criftianiffima. E per poca che
fia al fuo merito, fpero che fia per un' arra
di maggior cofa; e defidero, che fe la goda
lungamente.

La ringrazio dei ricordi che mi dà; e come

me li conofco veri, ed amorevoli, così mi sforzerò di metterli in efecuzione. Intanto defidero ch' in ogni occafione Voftra Signoria tenga ricordata la divozion mia a Sua Santità, e mi confermi nella buona grazia di Monfignor mio Reverendiffimo di Monte, al quale particolarmente bacierete le mani da mia parte. Io defidero con anfietà di fapere quel che fia feguito delle paghe di Parma ; perchè intendo ch'è neceffario di prefente far provvifione per frumenti in quella Città : e fe pareffe a Voftra Signoria che 'l Teforiero v' andaffe freddo, la prego fia contenta rifcaldarlo, e moftrarli la neceffità di detta provvifione. E, fenz'altro dire con quefta, a Voftra Signoria m' offero, e raccomando.

Di Gradoli alli xii. di Luglio MDL.

Insù 'l voler ferrar quefta, è fopraggiunta l' altra di Voftra Signoria con la copia dell' Inftruzione. E con tutto che per riverenza io non ardifca di replicare a quel ch'è fcritto, tuttavolta confidato nella fecurtà, che Sua Beatitudine m' ha data di dir liberamente il mio parere, maffimamente nelle còfe ch' appartengono a me proprio ; non voglio mancare di dire a Voftra Signoria che mi pare che quefto ingenuo procedere di Sua Beatitudine non ha rifcontro con l' andare de' Miniftri di Sua Maeftà : e giudico che fi fia un poco troppo allargato con loro, i quali, vedendofi ftendere il dito, pigliano la mano. e voi fapete come è lor folito di fare. Imperò,

però, fecondo il mio giudicio, il quale è però fondato nell' efperienza delle cofe paffate, io defidererei che fi moderaffe nel modo che nella margine è poftillata. E la prego, quanto più poffo che con quella modeftia, e con quella deftrezza, che è fua propria, voglia proporre a Sua Santità quefto mio parere : rimettendomi però al prudentiffimo configlio della Santità Sua, ed a quella infpirazione che mi dite che muove Sua Beatitudine a procedere per quefta via. E piacendo a Sua Santità che l' Inftruzione fi moderi, farete contento ufar diligenza, che 'l Nunzio l' abbia quanto prima.

Con tutto che m' abbiate detto, che quefta Inftruzione non fi moftri, io credo che fappiate che con Monfignor Reverendiffimo Maffeo fi può conferir tutto. Imperò a lui ho fcritto che ne fia con Voftra Signoria, e con Noftro Signore, bifognando ; e fuor di quefti non ufcirà. E, altro per quefto non mi accadendo, me l' offero, e raccomando fempre.

Di Gradoli alli xiii. di Luglio MDL.

129   *Al Cardinal di Coria.*

L' A R I A di San Silveftro confinando con quella di Roma, non è meraviglia che ingroffi tanto la vifta, e la memoria degli uomini, che faccia dimenticarla de' fervitori. Quella di Gradoli, per effer più lontana alle

le cofe grandi, e tanto più purgata, non ha punto forza d'impedirmi la ricordanza di Voftra Signoria Reverendiffima; onde, per non ufcirle affatto di mente, defidererei di poterla tener qui meco qualche giorno. Ma poichè l'ambizione non lafcia che s'allontani tanto da Roma, mi contento che in fua vece mi faccia grazia d'inviarmi nel fuo paffar di qua il Signor Ernando fuo fratello; col quale mi riftorerò in parte del difpiacere che fento d'effer lontano da lei; e di ciò la prego fia contenta di confolarmi. Intanto per ridurmele a memoria, la fupplico che fi degni rivolgere alcuna volta il penfiero verfo Tofcana, e riconofcermi in qualche parte per quel fervitore che le fono, e comandarmi per farmi favore. E, baftandomi per quefta d'effermele ricordato, fenz' altro dirle, umilmente le bacio le mani.

Di Gradoli alli xiii. di Luglio MDL.

130   *Al Cardinal di Carpi (a).*

PERCHE' la lontananza non mi tolga in tutto la memoria di Voftra Signoria Reverendiffima, me le voglio rapprefentare innanzi con quefta, pregandola che fi degni, finchè

K 3   chè

(*a*) Rodolfo Pio, de' Conti di Carpi, eletto Cardinale da Paolo III. nel 1536.

chè la riveggia, tener quel ricordo di me, che merita l'affezione, è l'offervanza ch'io le porto. Intanto piacendole di darmi qualche nuova del fuo ben'effere, mi farà di molto contento. E, altro non m'occorrendo, umilmente le bacio le mani.

Il dì fopraddetto.

131   *Al Cardinal Crefcenzio* (a).

Con molto difpiacere ho intefa la perdita che Voftra Signoria Reverendiffima ha fatta del fuo Nipote. E conofcendo la prudenza, e la coftanza dell'animo fuo, e la cognizion che tiene, e la rifoluzion ch'io penfo ch'abbi fatta delle cofe del mondo; mi parrebbe di far torto a lei, e vergogna a me, fe voleffi entrare a confolarnela. Imperò me ne condolgo folamente feco, e prego Iddio che le dia miglior fortuna in tutte l'altre fue cofe; e in quefta le conceda fortezza e pazienza.

Ringrazio Voftra Signoria Reverendiffima del molto onore, che l'è piaciuto di fare a Madama nell'entrata di Bologna; il quale in-

ten-

(a) Marcello Crefcenzio, Romano, promoffo al Cardinalato da Paolo III. nel 1542. Morì in Verona nel 1552. mentre per affari del Concilio da Trento paffava a Roma.

tendo che è stato tale, che ce ne tenemo tutti onorati, e ne le siamo obbligati insieme con lei.

132 *A Nostro Signore.*

DESIDEROSO di saper nova della Santità Vostra, di ridurmele a memoria, e di mostrarle quella devozione, e quell' osservanza che le debbo, e che le porto infinita; mando Messer Ascanio Celso a posta a baciarle umilmente il piede da mia parte. E la supplico che s' imagini, che io le sia davanti con quell' affetto devotissimo che ho sempre verso la Santità Vostra, e con tutto il core le renda quelle grazie, che io son tenuto per le umanissime demostrazioni, ed eccessivi favori, che mi fa tutto giorno. E pregando l' altissimo Signore per la salute, e per la felicità sua; rimettendomi a quanto dal detto Messer Ascanio le farà esposto in mio nome, umilissimamente le bacio il santissimo piede.

133 *Al Signor Gio. Batista Monte* (a).

MESSER Ascanio presente bacierà le mani di Vostra Signoria Illustrissima da mia par-

K 4

te,

(a) Figliuolo del Signor Baldoino, e da Papa Giulio, suo Zio, eletto Gonfaloniere di Santa Chiesa ec.

te, al quale rimettendomi di quanto a bocca l'ho commeſſo, non le dirò altro ſe non che deſidero ch'ella m'abbia per ſuo, come ſono veramente. E, degnandoſi di comandarmi, ſi chiarirà con gli effetti della mia buona volontà verſo di lei. E nella ſua buona grazia mi raccomando.

134 *Al Cardinal di Monte* (a).

MESSER Aſcanio, mio ſervitore, qual mando a poſta per baciar il piede a Sua Santità, bacierà le mani di Voſtra Signoria Reverendiſſima da mia parte. La ſupplico ſi degni accettarlo per ſegno della molta affezione che le porto. E del reſto rimettendomi a quel di più che da lui le ſarà detto, umilmente me le raccomando.

135 *Al Signor Balduino.*

DA Meſſer Aſcanio Celſo, mio ſervitore, ſarà baciata la mano a Voſtra Signoria Illuſtriſſima da mia parte, ed eſpoſto a bocca quel tanto che m'occorre. La prego ſi degni vederlo gratamente in mia vece, e preſtarli

---

(a) Innocenzio di Monte, adottato da Baldoino, fratello di Papa Giulio, e da queſto creato Cardinale, ſubito dopo la ſua eſaltazione.

ſtarli fede , e comandarli quanto penſa ch' io poſſa fare in ſuo ſervigio. E con tutto 'l core me le raccomando.

136 *Al Signor Aſcanio della Cornia* (a).

MANDO a poſta Meſſer Aſcanio a baciare il piede di Sua Santità in nome mio , e ſpezialmente a viſitare Voſtra Signoria Illuſtriſſima , ed eſporli a bocca quel che m' occorre . Sia contenta di vederlo, ed aſcoltarlo volentieri , e farli i ſoliti ſuoi favori per amor mio . E con tutto 'l core me le raccomando.

137 *Al Cardinal Pacecco* (b).

ESSENDO io ſervitore di Voſtra Signoria Reverendiſſima non occorre ch'ella ſi ſcuſi d'avermi viſitato nel partire, dovendo correre tra me , e lei più toſto buoni effetti , che belle dimoſtrazioni . Incontra al caldo che ſente a Roma , non poſſo ſe non ricordar-

---

(*a*) Fu celebre Capitano de' tempi ſuoi , e nipote di Giulio III. per lato di Sorella . Vedi la lettera 43. di queſto Volume.

(*b*) Pietro Pacecco, detto anche il Cardinale Gienenſe , fu creatura di Paolo III. che lo promoſſe alla porpora nel 1545. A lui è indiritta la lettera 40. di queſto Volume.

darle il buon frefco ch'avemo di qua; fe per
avventura il ragionar delle cofe faceffe cafo,
come l'imaginarfele. Io l'invito a goderfe-
lo ancora infieme con me qualche giorno, e
con effo le prometto buoni vini, e acque
gelidiffime: ma fiamo molto mal forniti di
melloni, de' quali dovete aver copia; e vada per ricompenfa del caldo.

Quanto alla feneftra della lite, io penfava di ridurre il mio che fi contentaffe d'accordo di farla aprire con qualche convenzione che non li fuffe di pregiudizio. Ma fa-
cendomi coftare che, fenza pregiudicare alla
Chiefa, non fi poteva accomodare, e che li
faceva torto evidentiffimo; e dolendofi di
me, e domandando piuttofto licenza ch'io li
faceffi quefto disfavore in cofa tanto chiara
per lui; io non ho avuto più ardire di parlarne. E 'l giorno medefimo ch'io ricevei la
lettera da Voftra Signoria Reverendiffima, facendolo tentare per altra via, mi fece dire
che la cofa era terminata, avendo già avuta la fentenza in favore fopra quefta caufa;
non fenza rimproverarmi che da quefto e Voftra Signoria Reverendiffima, ed io poffiamo
vedere ch'a torto favoriamo il Capitan Mu-
nozzo. Sicchè Voftra Signoria Reverendiffima
mi perdoni; che fopra quefto non mi pare di
poter fare altro: ed in ogni altra cofa fono
fempre al fuo fervizio. E la prego fi degni
di comandarmi.

Di Gradoli alli xv. di Luglio MDL.

138   *A Nostro Signore.*

CONTINUANDO tra la Casa nostra, e la Città di Camerino (*a*) quell'affezione che è nota per l'interesse passato: essi non restano di ricorrere a me nei lor bisogni, e io non posso mancar loro. Imperò supplico alla Santità Vostra si degni perdonarmi se troppo spesso le sono importuno. Quella Comunità desidera che la Santità Vostra si degni farle grazia dell'appalto della lor Tesoreria medesima, per satisfazione e concordia universale di quello Stato, e senza danno alcuno della Camera. Pregola umilissimamente che sia servita di far loro questo beneficio per sua benignità, che mi farà di favore, e di contento grandissimo. E, rimettendomi nel resto a quanto da Messer Ercole Voglia lor' Oratore le farà sopra di ciò riferito, umilissimamente le bacio il santissimo piede.

Addì detto.

139   *Al Cardinal Camerlengo.*

LA Duchessa mia Sorella con la maggiore instanza, che mi facesse mai di cosa alcuna,

mi

____

(*a*) Ottavio Farnese ebbe da Paolo III. suo avolo, l'investitura del Ducato di Camerino.

mi ricerca ch' interceda appreſſo a Voſtra Signoria Reverendiſſima di farle ottenere in affitto l' entrate di Monte Marciano con quelle condizioni, che s' offeriſcono dagli altri, e con quel vantaggio di più che parrà a Voſtra Signoria Reverendiſſima che ſia oneſto : perchè non ha mira di cavarne guadagno, ma ſolo ſi muove per un certo riſpetto, ch' io dirò poi a Voſtra Signoria Reverendiſſima, delle tratte di Sinigaglia ; che del reſto non ſi vuole altro che l' utile, e la ſicurezza della Signora Elena, e di quelli putti. Ed io inſieme con Voſtra Signoria Reverendiſſima m' opererò ſempre a beneficio loro ; e riſolvaſi d' accomodar la coſa, che v' abbino quella intera ſatisfazione che deſiderano. Io la prego che non mi manchi in queſto, ſe deſidera farmi piacere ; ed in qualunque termine ſi ſia la coſa, ſi degni di fermarla, e diſporſi a compiacerne la Ducheſſa, ſenza punto di pregiudicio della Signora Elena, e con tutte quelle cautele, che vi ſi ricercano. Sarà contenta per amor mio reſcrivermi ſubito, ed intanto mozzar la pratica d' ogn' altro partito che le fuſſe propoſto. E con queſto le bacio le mani.

Il dì detto.

140 *Al Vescovo dell' Aquila* (a).

NON prima ch' adesso ho potuto rispondere a Vostra Signoria con tutto che l' abbia desiderato per ringraziarla dell' avviso, che m' ha mandato del viaggio di Madama, il quale ho visto volentieri. E, perchè mi par diligente, arò caro scriviate a Messer P. Lippi che mi tenga talora ragguagliato delle cose che li pajono degne d'avviso, e spezialmente di Madama, e del Signor Alessandro.

Quanto al loco di San Pietro, Monsignor mio, *Res non est in integro*. Io, avanti che partissi, avea dato intenzione ad altri, e promesso liberamente per modo ch' io non posso mancare. Quel ch' io posso, mi riservo nell' animo di compiacer Vostra Signoria in qualche altra occasione. In questo la prego che m' abbia per iscusato: e me l' offero, e raccomando.

Dalle Grotte alli xv. di Luglio MDL.

141 *All' Auditore della Camera.*

RICERCATO di dire il vero nella causa di Messer Guido Palelli, Commissario della

la

(a) Monsignor Berardo Santi da Rieti.

la Camera, fopra le fpoglie che fi litigano
avanti a Voſtra Signoria, già del Reverendiſſimo Triulzio ; io dico che ſcriſſi una
polizza al detto Meſſer Guido, che doveſſe
conſegnare a Meſſer Sebaſtiano quel calama-
ro, e alli altri quell' altre coſe d' argento,
che ſi pretendono contra di lui ; penſando
che Noſtro Signore, felice memoria, ſe ne
doveſſe contentare, come io deſiderava d' ottenere da Sua Santità. Ordinando intanto ad
eſſo Meſſer Guido, che ne parlaſſe prima una
parola alla Santità Sua, egli mi riferì poi
ch' eſſo Noſtro Signore non ſe ne contentava : ed io riparlandone a Sua Beatitudine,
non ne potei cavare coſtrutto . E queſto è
quanto io ſo del caſo predetto : della giuſtizia me ne rimetto a Voſtra Signoria Reverendiſſima , alla quale m' offero , e raccomando .

Di Gradoli alli xv. detto.

142   *A Monſignor Nicolas.*

Non ho potuto prima che ora riſpondere
alla voſtra de' x. la qual m' è ſtata gratiſſima al ſolito ; e, ſebben conoſco l'amorevolezza, e la diligenza voſtra, non però voglio entrare a ringraziarnela, parendomi che
ſi paſſino i termini della familiarità ch' è tra
noi. Baſta ch' io ho Voſtra Signoria per quell'
amico che m' è, e ch' io di buona volontà
vi corriſponderò ſempre, e deſidero di poterlo

lo fare ancora con gli effetti . Per ora , in loco di ringraziamenti e di riftoro, con quella fecurtà che mi par d' aver con voi , vi richieggo, che fiate contento di durare la fatica cominciata per me , di tenermi avvifato di tutto che vi par degno di notizia . Che trovandomi in quefta , fi può dir , folitudine , ella può penfare quanto mi fia caro di faper qualche cofa del mondo ; non avendo ancora del tutto mortificata l'ambizione. Ho fentito grandiffimo piacere dell' acquifto fatto da Sua Maeftà del terzo figliuolo ; e me ne rallegro come , e con chi debbo , così come fo ancora con voi . Della Tefta del Signor Marefcalco, avendomene fcritto Meffer Sebaftiano , mio Secretario , per parte di Monfignor di Bellai , ho fcritto al Reverendiffimo Maffei che la confegni a Sua Signoria Reverendiffima ; non fapendo , ch' aveffe laffata a voi la commeffion di mandarla . Ora Voftra Signoria ne fia con l' uno e l' altro di loro che ve la confegnino; ed in buona grazia del Signor Marefcalco mi confervate . A' Monfignor Reverendiffimo di Bellai bacierete le mani da mia parte ; e nel fuo paffar di qua, fupplicatelo che degni il noftro ofpizio; e mantenetemeli in grazia, perchè li fon fervitor di core. E fenz'altro dire a Voftra Signoria m'offero, e raccomando.

Di Gradoli addì detto.

143   *A Monsignor di Pola* (a).

PER altra vi ho detto quanto defidero
nella Inftruzione mandata da Sua Santità al
Nunzio Pighino (b), della quale s'è mandata la copia poftillata al Reverendiffimo Maffeo. Afpetto quel che fi rifolve circa ciò,
ed è neceffario che fi folleciti.

Del guadagno fatto nella primiera me ne
rallegrerei più che non fo, fe non aveffi
paura che la Maga vi lufinghi con queft' efca
per farvi rimanere all'amo. State in cagnefco
con lei per l'avvenire; e del favor, che v'
ha fatto, vi dico il buon pro.

A Meffer Giuliano avete fatto bene a
fcrivere come avete fatto; e di più vorrei che fe li mandaffe copia dell' Inftruzione
di Noftro Signore; ma con avvertimento che
diffimuli di faper quefta nuova pratica di Sua
Santità; ingerendofi per l'ordinario col Pighino, e cavando da ognuno più che può,
fenza moftrar niente del fuo a neffuno. Pur
con-

(a) Antonio Elio, da Capodiftria, che fu fuc-
ceffore nel Vefcovato di Pola all' apoftata Giambatifta
Vergerio, fratello dell' altro apoftata Pietropaolo. Di
lui fi parla nella lettera 41. di quefto Volume.
(b) Sebaftiano Pighino, Vefcovo di Ferentino,
appreffo di Alifa, indi Arcivefcovo di Siponto, creato Cardinale da Giulio III. nel 1551.

conferite ogni cofa con Monfignor Maffeo , ed avvifate di voftro parere. Sarà con quefta una a Monfignor Nicolas ; efortatelo a fcrivermi fpeffo, e trattenetelo amorevolmente da mia parte. Il fimile farete con Campos , il quale ringrazierete degli avvifi mandati, e pregherete che non manchi per l'avvenire.

Fate d'intendere quanto prima dove fi truovi Meffer Ottavio Ferro, e fcriveteli in mio nome ch'io defidero infinitamente, che torni al governo di Parma ; perchè ne fono con grande inftanza ricerco di là, e quella Città lo defidera molto; facendovi quell'opera che vi par neceffaria per difporla a venire.

ANNIBALE m'ha detto d'aver veduto l'Orazione di Monfignor della Cafa (*a*), e m'è venuta voglia grandiffima di leggerla un tratto. Vorrei che facefte con Sua Santità che fuffe contenta d'accomodarmene per una fola corfa; promettendole che glie ne rimanderò fubito, e che non ne farà prefa copia: che così li prometto da ora; e mi farà grandiffimo piacere. E' neceffario che vegniate quanto prima, e v'afpetto con defiderio. State fano.

Di Gradoli alli xvi. di Luglio MDL.

(*a*) La celebre Orazione del Cafa a Carlo V. Imperatore intorno alla reftituzione di Piacenza.

144　*A M. Bartolommeo Tommaſi.*

SECONDO la relazione, ch'io ho di Roma, de'cavalli comprati, e mandati da voi, penſo d' eſſer ſatisfatto; ma più mi ſatisfo dell' amorevolezza, e della diligenza voſtra, della quale vi ringrazio molto. E, perchè per l' avvenire abbiate comodità di ſcrivermi a voſtro modo, vi ſi dice che abbiate queſta commeſſion perpetua di pigliarne degli altri, ſecondochè vi capiterà coſa che vi paja al propoſito. Sopra tutto ricordatevi di provvedermi un Turco portante, che abbia quelle parti che ſi ricercano per l' Imperadore, al quale diſegno di donarlo. Del coſto di queſti che ſon venuti, ho ſcritto a Roma che ſia ſubito pagato. E, ſe poſſo alcuna coſa per voi, ſon tutto voſtro.

Di Gradoli addì ſopraddetto.

145　*Al Veſcovo Mignanello.*

UN' altra volta ho ſcritto a Voſtra Signoria in raccomandazione del Capitan Luca Antonio da Terani, l'innocenzia del quale ogni dì più ſi chiariſce; e credo che non ci reſta più che far chiaro. Stando queſto, io non veggo perchè non debba eſſere udito per procuratore; avendo per tanti riſcontri purgato quel che li biſognaſſe purgare in carcere. Io ho pregato Voſtra Signoria, e di nuovo la

ripre-

riprego che fia contenta almeno in mio nome impetrar grazia da Sua Santità che la
fua giuftizia, poichè s'è conofciuta, li fia
fatta buona, fenza metterlo in quefto cimento della prigione, e farlo berfaglio degli Avverfarj. E, la prego fia contenta rifponder-
mene qualche cofa; che non vorrei però che
la fua grandezza la faceffe non degnar di re-
fcrivere. E, fuor di baja, io defidero che
Voftra Signoria abbracci quefta cofa, poichè
lo può far giuftamente: ed a lei m' offero,
e raccomando. Addì detto.

146 *Al Signor Afcanio della Cornia.*

LASSANDO ftare le chimere che fi fon
fatte fopra le mie arme trovate in Cafa de'
Mantachi; e l'imputazione che m'hanno voluto dare, delle quali io mi rido; dirò folo
a Voftra Signoria Illuftriffima che quelle,
che fono mie veramente, io defidero che mi
fieno reftituite; e la prego, quanto più poffo, che mi ci voglia far favore a rico-
nofcerle per mie: potendo Ella farlo più che
neffun altro per avermele vedute in doffo,
in Germania una buona parte, e l' altra forfe in armeria. Oltrechè da molti altri, e
dal mio che n' ha cura, le faranno moftrate
per mie. Muzio fe ne volfe valere quando
fece la compagnia; e con tutto ch' io faceffi
più volte parole feco fopra di ciò, non le
potei però riavere; pigliando egli in quefte

    cofe

cofe più fecurtà della negligenza mia che non
devea . La cofa è qua , e l' arme fon mie
con effetto ; e Voftra Signoria lo fa , ed altri ne le poffono far fede . Sìa pregata a far
ogn' opera che mi fi rendano , come mi pare , che fia giufto. E a Voftra Signoria m' offero ec.

147   *Al Vefcovo d' Imola .*

AVENDOMI il corriero trovato alla campagna , non rifponderò puntualmente a tutti
i capi della lettera di Voftra Signoria , rifer-
bandomi a farlo con più agio per non tenere il corriero . E , ringraziandola folamente
dell' amorevole officio fuo , e del deftro modo tenuto a porgere il mio parere a Noftro
Signore , la prego che continovi a far chiara Sua Santità , ch' io non le ho replicato
per altro , che per quella fecurtà ch' è parfo a Sua Beatitudine di darmi in quefto negozio, di dirle quanto m'occorre; il che non
m' è parfo fuffe fuor di propofito . Ma mi
rifolvo poi , fecondochè Sua Santità ha
prudentiffimamente difcorfo , che fia bene di
far così per ora . Se nel proceder poi parrà
a Voftra Signoria di ricordarle che fia bene
di far qualche menzione per lettere , così
dello fpoglio, come della libertà della ricompenfa; l'una , e l'altra delle quali cofe fono
da lor medefimi più volte ricordate, e prefup-
pofte in quefto negozio; a lei me ne rimetto .
          Intan-

Intanto la prego si degni di baciar umilmente il piede di Sua Santità del molto favore che ne fa, e della paterna affezione che
mi moſtra, la quale io conoſco pur troppo ;
facendone Sua Beatitudine ſegni tanto mani-
feſti, che non pure a noi, che ne ſentimo
il profitto, ma a tutto il Mondo ſon chia-
riſſimi. E, non mi trovando io parole atte a
dimoſtrare l' allegrezza ch' io ne ſento , e
l' obbligo grandiſſimo ch' io le tengo di tanta liberalità , nè modo alcuno di poterla ri-
conoſcere, non ſo che altro mi dire ; ſe non
pregare Voſtra Signoria che, in quel megliot
modo che può, l'eſprima in parte di quel ch'
io deſidero e non poſſo eſprimer io . E queſto medeſimo deſidero che faccia col Reverendiſſimo, ed Illuſtriſſimo Cardinal di Monte , promettendogli la corriſpondenza, chè li
debbo dell' affezione, che Sua Signoria Reverendiſſima mi porta ; riſerbandomi per altra
a riſpondere più particolarmente alla ſua.
Dalle tre Cannelle a'xvii. Luglio MDL.

148   *Al Cardinal . . . . (a)*.

I L corriero mandato m' ha trovato alla
campagna alle tre Cannelle, e per queſto non

L 3

ho

(*a*) Probabilmente è diretta queſta lettera al Cardinal di Monte.

ho comodità di rifpondere a tutti che m'hanno fcritto, nè d'ogni cofa; non volendo perder tempo a rimandarlo indietro per conto del negozio principale. Credo che Voftra Signoria Reverendiffima fia certa ch' io non ho replicato all' Inftruzione di Sua Santità per profunzione, nè per diffidar del giudicio di Sua Beatitudine, ma folo per la fecurtà che la Santità Sua s' è degnata di darmi in quefto negozio, ch' io dica liberamente quel che m'occorre. E parendomi per le fperienze delle cofe paffate che la natura del negozio, e di quelli con chi abbiamo a negoziare, richiedeffe che non fi doveffe procedere così largamente; non penfo che abbia nociuto a ricordarlo. Tuttavolta confiderato che Sua Beatitudine ha penfato ogni cofa, refto fatisfattiffimo di tutto, e mi duole aver dato difturbo di me alla Santità Sua. Imperò Voftra Signoria Reverendiffima farà contenta di baciarle umilmente il piede del molto favore che mi fa, e della fatica che s' ha prefa, così del formare l' Inftruzione, come di darne così minutamente conto a Voftra Signoria Reverendiffima; efprimendole, più affezionatamente che può, l' obbligo ch' io ne tengo alla molta benignità fua verfo la Cafa noftra. E, per non dar più indugio alla cofa, mi contento che non fi faccia altra ammenda nell' Iftruzione: defidero bene che Voftra Signoria Reverendiffima faccia fede a Sua Santità che nel negozio medefimo, ogni volta

che

che s'è ne parlato, s'è fatto sempre menzione
così dello fpoglio, come di ricompenfa libera;
e che da'Miniftri di S. M. medefima s'è fempre intefo così. E poichè alla Beatitudine Sua
non è parfo ora di fpecificarlo ; poichè nondimeno le par ragionevole , faria bene avvertir Sua Santità, fe le pareffe che nel proceder della pratica vi s'andaffe mettendo qualche parola , che moftraffe che quefte cofe fi
prefuppongono ; rimettendomi però del tutto interamente al prudentiffimo giudicio della
Beatitudine Sua. E altro circa quefto non m'
occorrendo , le concludo che refto, come ho
detto , fatisfattiffimo di tutto 'l negozio. Conofco di poi la grazia che Noftro Signore ne
fa' grandiffima della tratta de'grani della Marca ; e anco di quefto Voftra Signoria fi degnerà baciarne il piede a Sua Santità da mia
parte : avvertendo di fermar la licenzia di
dieci mila ftara che fi cavano di Romagna
del Cardinal Sant' Angelo ; che quefte fono
in effere, e bifogna averne la tratta di quella Provincia fpezialmente . Quanto ai danari
per la provvifione de' detti grani , lodo il
modo tenuto ; ringrazio quelli che fono entrati mallevadori : e per non aver tempo di
fcrivere a tutti , Voftra Signoria Reverendiffima facci l' officio con effi per me , e mandi la procura a ratificar quel che ci farà fatto ; che tutto farò . E penfo che bafti pigliar folamente tre mila Scudi per adeffo .
Dell' altre cofe , afpetto il ritorno d' Afca-

L 4

nio,

nio , e la venuta del Pola ; col quale conferirò, alcun' altre ragioni , che mi muovono a' defiderare la correzione dell'Iftruzione. E all' arrivo di quefta, Voftra Signoria Reverendiffima folleciterà a venir quanto prima ; non trattenendo per quefto l' Inftruzione ; la quale intendo che fia per rifoluta nel modo che Sua Santità la fermerà. Voftra Signoria Reverendiffima fia contenta vincere quefta difficoltà ch' avemo della paga di Parma (a) , con tutti quelli officj che vi parranno neceſfarj col Teforiero, e, bifognando, ancora con Sua Santità , perchè ormai fi paffa il fegno .

Dalle tre Cannelle addì detto.

149   Al Cardinal Maffeo.

Da Meffer Stefano Monzio, apportator di quefta , Voftra Signoria Reverendiffima intenderà il defiderio ch' egli ha d' effer operato da Noftro Signore nelle cofe di Polonia , e le ragioni , che lo muovono, e l' entratura ch' arebbe in quella Corte , per avervi un fratello in molta grazia di quel Re ; che per le fue qualità mi pare a propofito fenza quefta confiderazione. E affolutamente direi che Voftra Signoria Reverendiffima potrebbe

fare

(a) Giulio III. aveva affegnato due mille Scudi al mefe per la guernigione di Parma.

fare ogni officio, che egli doveffe effer mandato a far con quel Re quei complimenti
che fon neceffarj ; fe già non fi fuffe rifoluto tra noi, che fuffe bene di conftituire un
Legato fopra quefto affare particolarmente, e
fopra la protezione di quel Regno, e ferma-
to anco che fia il Reverendiffimo d'Augufta.
Imperò, quando con Sua Santità quefta rifoluzione non andaffe innanzi, avendofi a mandare gentiluomo privato, Voftra Signoria Reverendiffima mi farà grazia a fare ogni officio che fia mandato effo Meffer Stefano. In
cafo che fi rifolva la parte della Legazione,
defidero che fia raccomandato all' Illuftriffimo
Cardinal d' Augufta, perchè fi vaglia di lui
in quel che li tornerà bene in quefta parte ;
che mi farà gratiffimo ; e lo giudico opportuno sì per li rifpetti detti di fopra, come
perchè tengo, farà perfona accetta a quel
Re. Oltrachè in quefto cafo io defidero fommamente far piacere a Madama noftra, la
quale con molta efficacia me lo raccomanda.
Il dì detto.

150   *A Meffer Paolo Mario.*

Non ho voluto rifpondere alla voftra de'
xii. fino a tanto che non ho fatta la diligenza, della quale mi ricercate con Monfignor Reverendiffimo Camerlingo per conto del
fitto di Monte Marciano, del quale io l'ho,
per quanto ho potuto, aftretto a compiacere
la

la Signora Duchessa. . Quel che Sua Signoria
Reverendissima mi risponda , vedrete per la
sua inclusa ; la quale m' è parso di mandarvi, acciocchè veggiate che per me non manca di farci ogn' opera ; ed anco il Camerlingo mostra inclinazione di compiacerla . Resta
vedere , se la cosa è integra , e più se 'l
contratto si può riscindere , poichè è fatto ;
che non so come . Investigate voi quel che
vi par ch'io possa, e debba domandare a Sua
Signoria Reverendissima, poichè semo in questi termini ; ed avvisate , che non mancherò
di richiedernela . E , senz' altro dire , mi v'
offero sempre.

Di Gradoli alli xix. di Luglio MDL.

151   *A Messer Bindo Altoviti.*

LA Comunità di Vetralla mi ricerca che
le faccia fare un deposito in Roma di mille
Scudi per un suo negozio, del quale m' è
parso di richiedere Vostra Signoria; e vi prego siate contento di farlo, avendo provvisto
che non possiate perdere . Perchè, oltre all'
obbligo che ve ne farà la Comunità, vi si
daranno per fidejussori quelli particolari , che
ci saranno proposti ; li quali sono sufficienti
per molto maggior somma . E lo riceverò da
Vostra Signoria in piacere singolare.

Di Gradoli alli xix. di Luglio MDL.

152 *A Messer Santi.*

AVENDO bisogno la Comunità di Vetralla d' un deposito in Roma di mille Scudi, io vi prego che per amor mio siate contento di confessare d' averlo sopra di voi . E
per vostra securezza, oltrechè la Comunità
vi s' obbligherà, vi si daranno per securtà
quelli particolari, che dall' Agente suo intenderete; i quali son buoni per assai ma-
gior quantità. Tanto che non potendo perdere, v' obbligherete quella Terra, e a me
ne farete piacere. Il dì detto.

153 *A Messer Tommaso del Giglio* (a).

DA Monsignor di Pola, e Messer Curzio
arete inteso il bisogno che mi stringe a provvedere de' danari per vettovagliar Parma ; e
di che importanza sia questa provvisione voi
lo sapete . Io vi prego siate contento d' entrar promessa per me , insieme con gli altri
che intenderete, per quella somma di tre per
fino in cinque mila Scudi che si piglieranno
per questa provvisione . E dall' occasione ne-
cessaria potrete considerare quanto mi sarà
grato il piacere che mi fate; ed insieme con
gli

(a) Era Bolognese , e Datario del Cardinale.

gli altri ricevuti da voi ve n' arò obbligazione. E voſtro ſono.

Di Gradoli. Alli xix. di Luglio MDL.

154 *A Meſſer Curzio Frangipane.*

MANDO queſto corriere a poſta per non ritardare la provviſione de'danari da farſi per conto de'grani. Ancorachè jeri a Monſignor Reverendiſſimo ſcriveſſi che lodava il modo preſo di pigliarli a compagnia d'officj, e ſpecificaſſi che baſtavano ſolamente tre mila Scudi; per queſta replico il medeſimo, che tre mila mi par che baſtino per ora, e che'l pigliarli a compagnia d'officj mi piace; e prego ſpezialmente voi che in queſto negozio mi vogliate ſervire della voſtra promeſſa. Anzi, perchè per la voſtra m' offerite di farlo, l' accetto, e ve ne ringrazio; e mi farà caro che diſponiate il Giglio a fare il medeſimo, al quale io ne ſcrivo l' incluſa. Aſcanio, e Meſſer Jeronimo Maffeo ſaranno gli altri che promettono, alli quali non iſcrivo; perchè di Meſſer Jeronimo ho ſcritto al ſuo Reverendiſſimo figliuolo; ed Aſcanio penſo che lo farà ſenza ch' io gli ſcriva, eſſendoſi offerto per una ſua. Terminate la coſa ſubito per queſta via, quando quella di Bindo Altoviti, che m'accenna il Veſcovo, non vadia innanzi; che non mi diſpiace. E per queſt' effetto vi mando la procura ſtipulata, come vedrete. Dell' altre coſe non ho che

dirvi

dirvi per ora, fe non che con difpiacere ho intefo il fofpetto, che s' ha de' Mantachi, non per altro che per conto loro ; avendoli per fervitori . Avvifate quel che n' è ftato . Addì detto.

Quefta vi fia comune con Monfignor di Pola, in cafo ch' egli non fia moffo, come difegnava, per venir qua.

Per lettere di Meffer Afcanio fono avvertito di non fo che combattimento d' alcuni, li quali non fo chi fieno : nè manco credo che 'l Duca Orazio fia in quefta pratica; perchè fo che a quefti giorni dette licenzia ad uno che voleva combattere . Io lo intenderò meglio, e farò ogni buono officio, come fon tenuto . Ma mi maraviglio ch' ogni mofca, che vien per l'aria, fi pofa fopra di me . Tanto fo io di quefto duello, quanto di cofa che non fia in *rerum natura* ; pur pazienzia . Attenderemo a far bene, e dica ognuno quel che ben li viene.

Nella procura nomino Meffer Jacomo Maria Sala, e Meffer Melchiorre per procuratori, poichè il Notaro ha ftefo il nome de' procuratori in numero di più, ed a loro do la facoltà di nominare gli officj, o li Cafali fecondochè fia meglio.

155 *Al Vefcovo d' Afti* (a).

RALLEGRANDOMI prima con Voſtra
Signoria della Chieſa acquiſtata , alla ſpedizione della quale io non mancherò di farle
ogni ajuto , ſecondochè dall' Eccellentiſſimo
Principe di Piemonte ſon ricérco ; io non voglio mancare di pregarla , ad inſtanza di chi
deſidero ſommamente di compiacere , che ſia
contenta d' accettare per ſuo Vicario Meſſer
Gio. Antonio Gioja Dottore d' Afti; del quale intendo che Voſtra Signoria ſarà beniſſimo
ſatisfatta per le qualità , che ſono in lui di
meritare , e ſoſtenere quell' offizio . E per
queſto tanto più volentieri ne la ricerco , e
la prego quanto più poſſo che ſi voglia contentare di farmi queſta grazia ; offerendomi
al rincontro a quant' io poſſo , e vaglio per
lei. E ſenz' altro dirle , me le raccomando.
Di Gradoli addì detto.

156 *A Meſſer Jacomo Maria Sala* (b).

Ho ricevuta una voſtra inſieme col Breve
di Noſtro Signore nuovamente dato fuora contra

(*a*) Monſignor Gaſparo Capri, che ſucceſſe a Monſignor Bernardino di Croce.
(*b*) Queſti fu Bologneſe ; il Cardinale lo adoperò
in Avignone ; e gli procurò di poi il Veſcovato di
Viviers nella Linguadoca.

tra *Brigofos* ec. e la copia della Bolla di Clemente fettimo; ed ho intefo gli avvertimenti che date intorno a tal negozio . A che rifpondo che l' animo mio è di non contravvenire un pelo all' ordinazioni di Noftro Signore , e di fervire gli amici , e fervitori di modo, che Sua Beatitudine non venga offefa in una minima cofa.

E credo, perchè Luc'Antonio da Terani ha provato coftì in giudizio l' innocenzia fua , e che fta qua col Duca Orazio , che ha alcuni luoghi nello Stato , che non fono fottopofti alla Chiefa ; che in quefto cafo non venga difubbidita Sua Beatitudine , compiacendofi ad un fervitore affezionato , che fi ripari qua ; ed il medefimo intendo di Bombaglino , e fimili . E per quefto farete diligenzia d'intendere particolarmente da chi meglio vi parrà , e fpecificarmi , fe giuftamente poffo effere imputato di ciò, e fe Sua Santità è per averlo a male , e chiarirmi quefto punto ; perchè , come ho detto , defidero in ogni modo non mancare a quefti fervitori della Cafa , ed infieme portare quel rifpetto che devo a Noftro Signore. E ftate fano.

Di Gradoli alli xix. di Luglio MDL.

157　　*Al Signor Onorio Savello .*

GLI uccelli , e cani , che Voftra Signoria m' ha mandati , mi fono cari ; sì perchè fono, per quel che appare , belli , e buoni ,

sì

sì che non n' avea nè simili, nè d' altri.
Onde ne ringrazio Vostra Signoria pur assai
che sì opportunamente m'ha servito; ed ogni
volta che faremo in campagna, che ci faremo pur spesso, ne ricordaremo di lei, e del
suo presente. E, perchè ella promette di mandare altri sparvieri, ed astori; quando io non
la sollecitassi, l' Abate non mancherà solle-
citarla, come cacciator maggiore degli altri.
E di continuo me l' offero, e raccomando.

Di Gradoli il dì detto.

158 *Al Cardinal Cornaro.*

Io ho fatto buon giudicio (come Vostra
Signoria Reverendissima dice) ch' ella non
uscirebbe di Roma, non per altro, se non
perchè molte sono per l' ordinario le cagioni, che ce la debbono ritenere. E si potria
dire che non avessi giudicato temerariamente,
poichè l' effetto è seguito. E se non è per
niuna di quelle cause, che io mi sono imaginato, si può anco dire: e chi sa che quella gamba non abbia cervello? e che non abbia voluto mostrar d' esser la cagion essa, e
ne sia un' altra? Ora, se fusse quella che m'
imagino, mi piaceria la cagione, e l' effetto insieme; e quando sia pur questa, mi
dispiace la cagione, e mi piace l' effetto in
quanto alla satisfazione che ne torna a lei;
perchè all' ultimo Roma è Roma, e Viterbo,
e Gradoli non son Roma. E se qui avemo

del

del frefco , e delle acque , non ci fono de'
melloni , e dell' altre cofe che ci mancano .
Non voglio dir ancora che non ci fia pafto
per l'ambizione ; perchè in quefto cafo la
notrifco con quelli favori che Noftro Signore
fi degna farmi di lontano . Ma bafta bene ,
che quando pur la gamba le dolga , eh' ella
non fe n' ha però da dolere a par di me ,
che ne fento il fuo male , e il mio danno ;
poichè mi priva di quella fperanza , ch' io
avea di paffar quefta mia folitudine , la più
parte, con Voftra Signoria Reverendiffima, e
tollerarla con efferle più vicino . Ma poichè
tutto torna a fuo contento , io n' ho piacere , e fopporterò il defiderio che hò d' effer
feco , più moderatamente eh'io potrò. Intanto la prego che fi mantenghi fana, acciocchè
ci rivediamo allegramente ; e da lei in quefta affenzia non voglio altro, fe non che per
amor mio vifiti Sua Santità più fpeffo che
non farebbe , e le moftri con ogni affetto la
devozion mia , e l'obbligo che io con tutta
la mia Cafa le tengo per gli ecceffivi favori , che le piace di farmi. E, oltre di quefto, fi degni mantenermi nella grazia del Reverendiffimo di Monti, e nella fua infieme ,
nella quale umilmente mi raccomando .

Il dì detto.

159　　*A Meſſer Curzio ec.*

QUESTA notte vi s'è ſpacciato un corriero, e però de' negozj non vi ſi dice altro. Mando il preſente a poſta, perchè porti nove ſtarnotti, li quali ho preſo io medeſimo a caccia con queſti miei buon compagni. E ſieno per primizie di quelli che ci
capiteranno alle mani, li quali tutti ſaranno
dedicati a Sua Santità. Intanto, ſe Aſcanio
non è partito, fate che da lui, o da chi vi
parerà, in ſua aſſenza, ſiano conſegnati allo
Scalco di Sua Beatitudine con quelle parole,
che arricchiſcono la povertà delli doni, e
che accreſcono la buona volontà del donatore. State ſano.

Di Gradoli addì detto.

160　　*Al Cardinal Maffeo.*

IL Cardinal di Trento con molta efficacia mi ricerca, che faccia offizio con Noſtro
Signore per Meſſer Jacomo Guerriero, e ſuo
fratello, parenti del Signor Jeronimo da Fermo, antico e cariſſimo ſuo ſervitore, qual
fu ſeco in Conclave; per impetrar grazia da
Sua Santità, che non ſieno moleſtati per
aver preſe l'arme in quella novità di Sede
vacante: non coſtando che loro abbiano fatto, nè procurato coſa alcuna in diſervizio
della Sede Appoſtolica. E, perchè moſtra molto

tò di defiderare, che quefti tali fieno liberi della moleftia, che vien lor data per quefto conto, e Voftra Signoria Reverendiffima fa, che non fi può mancare; io la prego fia contenta di far quell'offizio, che le pare a propofito, così con li Miniftri, come con Sua Beatitudine, bifognando, per impetrar quefta grazia, o giovar loro almeno in quanto fi può; fecondochè da Meffer Gio. Gherardino lor parente, il quale è in Roma per quefto, Voftra Signoria Reverendiffima farà ricerca: che da lui medefimamente farà informata di molti particolari, che fanno a difgravamento loro. Io la prego che di grazia fia contenta pigliarli in protezione, che me ne farà grandiffimo piacere. E le bacio le mani.

Di Gradoli. Il dì detto.

161   *Al Vicelegato del Patrimonio.*

BARTOLOMMEO Cianfala da Vetralla dice d'efferli levato dal Bargello del Patrimonio circa 23. ftara di grano, che egli mandava a' fuoi pecorari per lor vitto, e alcune fue cavalle. E perchè egli allega che non fapeva l'ordine, che v'era; e con tutto che 'l fapeffe, la neceffità delle fue cofe, e 'l non avere altro modo da provvederle, lo fcufa in parte; io vi prego che fiate contento interpretare quefta fua tranfgreffione in *meliorem partem*, e farne grazia a me proprio; provvedendo li fiano reftituite le ca-

M 2   valle,

valle , e 'l grano che gli è ſtato levato ; che certo me ne farete grandiſſimo piacere , ed a rincontro mi vi offero.

Di Gradoli addì detto.

162 *A Madama d' Auſtria* (a).

MI truovo più lettere di Voſtra Eccellenza di viaggio , e di Parma ; alle quali riſpondendo, mi rallegro prima che ſana e ſalva , e coſì onorata , ed accarezzata , come intendo che è ſtata per tutto , ſi ſia condotta in caſa ſua ; e più che ella vi ſia amata , e riverita univerſalmente da tutta la Città ; perſuadendomi che ciò ſia di grandiſſimo momento alla ſatisfazione univerſale , ed al mantenimento del Signor Duca in quello Stato . Oltre a quel che farà la prudenza , e diligenza ſua , e i buoni ricordi che continuamente farà a ſuo Conforte , fra' quali deſidero che ſia il primo quello della guardia di ſua perſona. Jeri comparſe qui Meſſer Amerigo Antinori ; e queſta mattina l' ho ſpedito a Roma inſieme con Meſſer Aſcanio da Nepi per fare la provviſione de' danari , ſe la mi verrà fatta, per la compera de grani.

(a) Margarita d' Auſtria , figlia naturale di Carlo V. e moglie del Duca Ottavio . Era ſtata pria maritata col Duca Aleſſandro de' Medici.

hi . Ma io dubito di poterli trovare , perchè
fono al di fotto con tutti gli amici miei ;
effendo quali impegnati, e quali intaccati da
me per fopplire al depofito , e per altri miei
debiti ; e non avendo più coi mercanti quella fperanza , che foleva, al buon tempo. Pure ho ordinato che fi tenti qualcuno, e, riu-
fcendomi , faremo fenza toccare il depofito :
quando non, ci ajuteremo con parte d' effo ,
la quale non ferà però tale che non ce ne
rimanga per poter fopplire agli altri bifogni,
giacchè i grani fono pur danari . Mi duole
non poter più che tanto ; che con la volontà io concorro a tutte le neceffità di cotefta
Città fenza rifervo. Per i medefimi ho fcritto diligentemente al Cardinal Sant' Angelo ,
e penfo che non fi partiranno da lui , che
ne caveranno l' ordine di farvi voltar fubito
tutti i fuoi ricolti di Ravenna: e penfo che
Sua Santità fi debba contentare di conceder-
ne la tratta per quella fomma che ne farà
di bifogno ; di che ho fcritto a Sua Santità
con quell' efficacia ch' io ho potuto . Voftra
Eccellenza attenda a confervarfi , ed aver la
folita cura alla cautela del Signor Duca , e
alla fanità del Signor Nipote.

Di Gradoli li xx. di Luglio MDL.

163. *Al Duca Ottavio* (a).

RISPONDO con questa a più lettere di Vostra Eccellenza. E venendo a quel che più importa, Amerigo venne qui jeri, e questa mattina l' ho spedito con Ascanio da Nepi a Roma : e nel passare andranno al Cardinale S. Angelo (b), al quale ho scritto strettamente, che non manchi subito dar ordine che tutti i suoi grani di Ravenna sieno portati a Parma : e penso che non mancherà. A Roma ho scritto che si faccia ogni diligenza d' aver danari per il resto; ma io non so come mi verrà fatta : avendo ormai stracca ognuno, e non mi trovando più credito che tanto. Se si aranno, manderò subito la Spinella a far la provvigione del restante. Quando pur non si trovino, non credo che ci sarà di molto disordine valerci di parte del deposito, essendo il frumento, si può dire, danari contanti in questi tempi : ma bisogna far fantasia di rimetterli. Nostro Signore con la sua amorevolezza ha preso assunto per se

steffo

______

(a) Questa lettera nel MS. era senza data, e posta per errore avanti a quella al Duca di Urbino 20. Decembre. Noi con buone ragioni l' abbiamo fatta stampare in questo luogo.

(b) Ranuccio Farnese, fratello di Alessandro, detto il Card. S. Angelo.

ſteſſo di negoziare in noſtro beneficio con Sua Maeſtà : e ſi contenta che noi lo laſciamo fare , ſenza moſtrar di ſperarne altro . Tuttavolta mi fa parte di tutta la pratica ; e, due giorni ſono, mi mandò l' Inſtruzione che Sua Santità manda ſopra quel noſtro particolare al Nunzio Pighino ; ſopra la quale ho rimandate a Sua Santità alcune avvertenze . E così Sua Beatitudine ſpera cavarne preſto quel conſtrutto che ſe ne può cavare ; perchè viene al punto , e parla riſoluto ; ed altrettanto ricerca Sua Maeſtà . Mi meraviglio grandemente che Voſtra Eccellenza abbia avute lettere dalla Corte de' xxv. del paſſato , come m' accuſa per la ſua , e non ci ſieno mie di quel tempo . Don Diego (a) paſsò di quà alli ix. di queſto ; ed eſſendo la ſera in Viterbo con animo di venir la mattina a trovarmi a Gradoli , dove avea mandato ad invitarlo , ebbe la notte due corrieri , uno da Siena , e l' altro dalla Corte ; e , riſoluto di non venir più , ſe ne corſe a dilungo a Siena con molta fretta . Per quel medeſimo corriero penſava di aver lettere ancor io; e mi par gran fatto che ſia altrimenti . Dell' altro negozio propoſtomi da Meſſer Amerigo,

M 4   al

(a) D. Diego Urtado di Mendoza , Conte di Tendilla , fu Ambaſciatore di Carlo V. alla Santa Sede ; e in queſti tempi ebbe da lui il governo di Siena.

al ritorno ch' egli farà , Voſtra Eccellenza
farà riſoluto . Intanto l' eſorto a tener buona
cura della ſua perſona : ed io farò il ſimile ,
ſecondochè ella me n' avvertiſce . E , facendo per queſta fine, me le raccomando ·

Di Gradoli xx. di Luglio. M D L.

164 *Al Signor Don Giovan de' Medici* (a).

I L cavallo, che Voſtra Signoria Illuſtriſſima ha mandato a preſentarmi , oltrechè per
ſe ſteſſo è tale , che mi deve eſſer cariſſimo,
venendomi da lei , e donandomiſi con quella affezione , che mi moſtra nella ſua lettera ; m' è prezioſo, e mi farà perpetuo ſegno
dell' amor ſuo ; del quale tengo quel conto ,
che devo d' un Signor di tanto merito , e
di tanta ſperanza , e figliuolo d' un tanto
mio Signore , quanto è l' Eccellentiſſimo Signor Duca ſuo padre ; al quale deſidero, che
baci le mani da mia parte . E ringraziandola
quanto poſſo del dono, e dell' onor che m' ha
fatto , me l' offero per ſuo come ſono, e deſideroſiſſimo della ſua grandezza .

Di Gradoli addì detto.

165 *Al*

(*a*) D. Giovanni figlio del Duca Coſimo, poi creato Cardinale . Morì in età di 19. anni nel 1562. con
gran dolore del Padre, che perdette nel medeſimo anno D. Garzia, altro ſuo figlio di minore età.

165   *Al Duca Ottavio.*

PER altre ho fcritto che avea mandato a
Roma Meffer Afcanio con Meffer Amerigo a
far la provvifione del dinaro per la provvifione de' grani , ed impetrar la tratta da Sua
Santità . Ora, venendo il Cavalier Tiburzio,
dico a Voftra Eccellenza che la tratta s' è
ottenuta con tutte le difficoltà che ci fon
fatte, e con tutto il bifogno delle Terre della Chiefa, per particolare inclinazione di Noftro Signore verfo le cofe noftre ; e folamente ne femo obbligati a Sua Santità . Quanto
alla provvifione del dinaro, ho quafi per conclufo di aver 3000. Scudi, Dio fa, con quanto mio finiftro , ed aggravamento d'amici ;
pure faranno in effere , ed avemo la tratta ,
che importa . Refta che fi fupplifca a tutto
il bifoguo della Città, ed a quanto ci occorre ; che gli Altoviti fi contenteriano di condurre a Parma quella fomma , che foffe neceffaria per il vitto di quella , avendo in
mano li 3000. Scudi, e avendo di ciafcuna
foma, che conduceffero, giulj quattro di guadagno. Il quale non mi par mal partito; ed
è ftato fatto un' altra volta da Benvenuto
Oliviero. Ma , fentendo che la Città medefima fuole ancor ella far provvifione , a me
parrebbe che con molto più vantaggio potrebbe fare una fomma di danari , e pigliar
quefta imprefa da fe, avanzandofi il guadagno

gno che fi darebbe al mercante ; poichè avemo la tratta ; e nel condurlo fpenderanno il
medefimo che 'l mercante. Il Cavalier Tiburzio è informato del tutto , e ne parlerà con
Voftra Eccellenza . Confideri il partito, e lo
proponga , fecondo le pare, e mi rifolva quanto prima , acciocchè fi penfi alla fpedizione.
E del refto referendomi ad effo Cavaliero ,
me le raccomando.

Di Gradoli alli xx. di Luglio MDL.

Quefta era per credenza di Meffer Tiburzio, il quale fe ne viene a giornata; e, perchè nel medefimo tempo che egli parte, viene in pofte con diligenzia Meffer Maurizio ,
Segretario del Cardinal d'Augufta , m'è parfo che ferva per duplicato, e mandarlo avanti , acciò Voftra Eccellenza abbia più tempo di rifolvere quanto ha da fare ; e da
Meffer Tiburzio intenderà il reftante a bell'
agio . Sarà con quefta ancora una di Meffer
Amerigo che fcrive di Roma , e di tutto
afpetto quanto prima rifoluzione . E di nuovo me le raccomando .

166 *Al Maftro Generale d' Altopafcio.*

PER rifpofta della lettera, che Voftra Signoria mi fcrive , non mi pare che accaggia
dir altro , fe non che alla volontà ch'io tengo di fare ogni forte di fervigio all' Eccellentiffimo Signor Duca fuo Signore , ed al
merito voftro , non è molto gran cofa quel

ch' io

ch'io ho fatto della Commenda d'Altopafcio.
E defidero che mi fi prefenti maggiore occafione di compiacer Sua Eccellenza in maggior cofa , e far cofa grata a Voftra Signoria . Il cavallo , che 'l Signor D. Giovanni
m' ha fatto prefentare , m' è ftato foprams-
modo gratiffimo , ed opportuniffimo ; effendo
venuto in tempo , che mi truovo , fi può
dire , a piedi . A Voftra Signoria fono particolarmente obbligato dell' affezion che mi
moftra ; e in ogni fua occorrenza m' offero
prontiffimo a farle piacere.

Il dì fopraddetto.

167   *Alla Comunità di Mont' Alto.*

PER provvifione, che noi defideriamo che
fi faccia di grano , e biade , che difegnamo
di trarre di quefto Stato , e fpezialmente di
Mont' Alto , per ufo della noftra Cafa , de-
putiamo il Capitano Leonardo Serucci , e
Tome . . . . ; per noftri Commiffarj con
ampia facultà di pigliar d' ogni forte di biade , di qualunque fiano , al prezzo che da
loro farà giudicato conveniente ; e di diftor-
nare tutte le compre che fino a ora fi fuffero fatte da perfone foraftiere ; reftituendo i
danari , che per tal conto foffero ftati sborfa-
ti da loro ; e con tutte quelle altre facultà
che fiano neceffarie a detta provvifione . E
per fede di ciò facciamo quefta noftra lettera aperta ; comandando a tutti Officiali , e
Mini-

Miniſtri dello Stato, che circa ciò quelli obbediſcano ſotto pena della noſtra diſgràzia.

Di Gradoli addì detto MDL.

168 *A Meſſer Claudio Tolomei* (a).

CONOSCO dalla relazione degli amici voſtri che non v' è caduto dell' animo punto di quella affezione , che avete già moſtrata tant' anni a tutti noi altri , nè della ſperanza ch' avete collocata ſpezialmente in me ; di che ſento tanto piacere , quanto mi diſpiace che fino a ora non abbiate colto quel frutto dell' una, e dell'altra, che io ho ſempre deſiderato . Non ſò dir donde ciò ſi procede , e lo dovete imputare ad ogn' altra coſa piuttoſto , che a poca cura ch' io tenga di voi , o poca cognizione che io abbia delle virtù e de' meriti voſtri . Ma per ora voglio che mi baſti ringraziarvi dell' amor che m' avete ſerbato , e della diſpoſizione che tenete di venirmi appreſſo : Del reſto rimettendomi a quanto n' ho ragionato con ANNIBALE , e con gli altri voſtri di qua , v' eſorto a venir quanto prima, e v' aſpetto con deſiderio ec.

169 A-

(a) Claudio Tolomei , Saneſe , Veſcovo di Curſola , chiariſſimo letterato di queſto Secolo XVI. Morì in Roma nel giorno 23. di Marzo dell' anno 1555.

169. *Alla Ducheſſa d' Urbino.*

Gli eredi di Meſſer Jeronimo Vagnarella d' Urbino hanno certo debito con la Camera per conto delle impoſizioni che già furono fatte per la fortificazione di Peſaro. Deſiderano ridurre queſto debito a minor ſomma, e venire ad una compoſizione di pagare un tanto l' anno. Quel favore, ed ajuto, che Voſtra Eccellenza mi farà, mi farà gratiſſimo, e per favor di chi me ne ricerca, il qual deſidero che venghi conſolato, e perchè intendo che ſono oppreſſi da altri debiti, e hanno ſorelle da maritare. che in ſimil caſo mi pare convenevole qualche agevolezza, e ſgravamento.

Di Gradoli, a' xxi. di Luglio MDL.

170 *Al Pighino, Nunzio preſſo la Maeſtà Ceſarea.*

Nostro Signore per ſuà benignità m' ha fatto grazia di conferirmi quell' ultima parte della ſua Inſtruzione, la qual comprende particolarmente il negozio di Piacenza. E conſiderato con quanto amore Sua Santità l' ha preſo ſopra di ſe, n' ho molto piacere, e reputo per gran ventura noſtra che tutto proceda sì onoratamente, e con tanta autorità per le mani di Sua Beatitudine. E ſpezialmente mi rallegro che Voſtra Signoria ne ſia mezzo, dal quale mi prometto tutta quella

dili-

diligenza che deve al fervigio di Sua Santità, e di più quella amorevolezza che fo che porta particolarmente a noi altri, e alla fpedizione delle cofe noftre. Imperò, rimettendomi in tutto e per tutto a lei, fcrivo a Meffer Giuliano, mio Agente, che non s'ingerifchi più nel negozio; anzi diffimuli di non faper cofa alcuna di quanto ella ha proporre a Sua Maeftà, acciocchè fi vegga che tutto è di moto proprio della Santità Sua; e non fi curi di fapere, fe non quel tanto che da lei li farà detto per fua elezione, e per beneficio del negozio. Del quale io prego Voftra Signoria che fia contenta pigliar quella cura, che fi conviene a cofa di tal momento. E perchè mi vo imaginando che fi ftarà in fu i generali, e fu le lunghe; la prego con ogni induftria s'ingegni cavarne qualche coftrutto; che quefto è l'intento principale di Sua Beatitudine e 'l bifogno noftro.

171　　*All' Ardinghello* (a).

MAGNIFICO noftro Cariffimo. Stando in Gradoli, Noftro Signore m'ha mandata copia
dell'

(a) Il Commendatore Giuliano Ardinghelli, che alla Corte dell'Imperadore maneggiava per nome del Cardinal Farnefe l'affare della reftituzione di Piacenza. Si noti che quefta lettera nel MS. è fenza data, e pofta con altre poche in fine del Codice. S'è creduto doverla mettere in quefto luogo.

dell'ultimo capitolo dell'Inftruzione di Monfignor Pighino, appertinente alle cofe di Piacenza; del quale vi fi manda con quefta il contenuto brevemente. La natura di quefto negozio è tale, che Sua Santità vuol moftrare di tener quefta pratica coll'Imperatore fenza noftra participazione, e come di fuo moto proprio: e però avete a diffimulare di faperne cofa alcuna, e moftrare che, avendo detto, o propofto fino a ora cofa alcuna, fia ftato feparatamente negoziato da voi, come da noi, fecondo l'ordine che avete avuto di qua da noi altri. E con quefto avvertimento avete a effer con Monfignor Pighino, rimettendovi in tutto e per tutto a quel tanto che da effo farà trattato: e facendo quel folo che da Sua Signoria farete avvertito di dover fare; e avvertendo lui di quel che ritrarrete di diverfe parti che faccia a beneficio della fua pratica. Avvifate però fempre noi di quel tanto che da effo vi farà comunicato, o caverete da altri: fempre come da voi, e come non avefte punto che fare in quefta negoziazione ec.

172 *Al Duca Ottavio.*

Tornando Amerigo informato di tutto che appartiene al negozio de' grani, e avendolo effo medefimo maneggiato, non accade ch'io dica altro, falvo che non ho potuto fare più che m'abbi fatto: pure fpero che fi

farà

farà fupplito al bifogno della Città , la quale , fra li grani che fi conducono di prefente , e 'l nome che avete a dare di maggior
fomma, credo che piglierà grand'animo. Delle provvifioni, che s' hanno a far di quà per
Romagna col Duca di Ferrara nella Marca ,
fe ne fono fatte una gran parte ; e di mano
in mano s' andrà facendo fecondo il bifogno.
Voftra Eccellenza dia riputazione alla cofa
con moftrare la provvifione gagliarda; e, bifognando maggior provvifione , ho detto a
Meffer Amerigo il modo che mi par di tenere fegretamente . Dell' altre cofe il medefimo
viene inftruttiffimo, e a lui me ne rimetto .
Dalla Corte ho lettere de' xiii., e de' xv., e
non ci è altro fe non un rifcaldamento del
Vefcovo di Fano in fu quefta andata del Pighino : moftrando di defiderare che per le
mani fue fi concluda qualche cofa, e par che
fi truovi qualche migliore inclinazione ne'
Miniftri di Sua Maeftà . Del refto femo ai
medefimi termini ; e non credo che avanti
all' arrivo del nuovo Nunzio abbiamo rifoluzione alcuna . Voftra Eccellenza attenda a
confervarfi . E, altro non occorendo, me le
raccomando .

Di Gradoli alli xxiv. di Luglio MDL.

173 *A Madama* (a).

So che il risentimento, che Vostra Eccellenza ha fatto con sua Maestà, non basta;
tuttavolta è bene che si faccino intendere tutti questi andamenti di D. Ferrante (b). Quanto al rimedio, del tutto io ero deliberato di
far quel che Vostra Eccellenza desidera, cioè
di venire a Parma; ma dubito che non mi
verrà fatto, per esser necessario non discostarmi
da Nostro Signore, almanco fin che si finisce
la pratica cominciata da Sua Santità. Intanto circa questa parte io desidero che Vostra
Eccellenza mi scriva liberamente, e di sua
mano propria, quel che sarebbe suo parere
che si dovesse fare, e che partito pigliarebbe
a questa cosa per se medesima; e quanto prima aspetto che me 'l dica distesamente. In
questo mezzo, perchè io conosco che si porta
pericolo, e mi parrebbe pur troppa gran vergogna che per imprudenza nostra seguisse disordine; son risoluto che sia bene che 'l Duca stia meglio guardato che non istà; e che
per ogni modo facci quelli fanti di più, che

Vol. I.   N   sono

(a) Cioè Madama Margherita d'Austria.
(b) D. Ferrante Gonzaga, Viceduca di Milano per
Carlo V. e nemico de' Farnesi, anche per private pas-
sioni, insidiava Parma. Ecco il motivo di tanta sollecitudine nel Cardinale perchè fosse munita, e vetto-
vagliata.

sono necessarj alla securezza così di dentro, come di fuora. E, perchè veggo che si va dubbioso (forse perchè Vostra Eccellenza non gli allarga la mano col deposito) l'Eccellenza Vostra mi farà piacere a esortarnelo da se medesima, e in questa parte offerirli, e darli con effetto quelli denari che bisognano ; perchè è necessario che per due mesi facciamo così. E per questi bisogni ha da servire il deposito, non manco che per una guerra aperta: e Vostra Eccellenza non si sgomenti che, per reintegrare la somma depositata, si troverà qualche altra via, e fra pochi giorni farò che si rimetta quel che se n' è cavato . Ma questo non accade dire al Duca ; se non che Vostra Eccellenza per questo bisogno non solamente non li ha da mancare, ma darli ancor animo che 'l faccia, e stringerlo ancora, bisognando . E quanto alla cosa de' grani , avendo inteso dal Monterchi il bisogno della Città , e 'l disegno del Duca di provvedere nei contorni , ho già dato ordine che fra 'l Cardinal S. Angelo , ed altri si faranno fino a cinque mila Scudi da investirli in questa provvigione, con questo che 'l ritratto venga in Vostra Eccellenza. E però , per anticipare a comprarli con vantaggio, l' Eccellenza Vostra li dia per questo conto liberamente fino a 5000. Scudi, e pigli il ritratto loro sopra di se, per restituire al Cardinal S. Angelo , e a quelli, che gli aranno prestati. E io manderò a Vostra Eccellenza fra pochi giorni questi

ſtſ 9000. che dico, per tenerli ſaldi nel depoſito. E ſopra tutto mi piace che l' Eccellenza Voſtra metta le polizze del depoſito in
danari, non eſſendo ſe non bene d'averli ma-
neſchi. Del reſto col benefizio di queſto tempo, e con la pratica di Noſtro Signore, il
quale di nuovo ha promeſſo di riaſſumerla gagliardamente ; ſpero che le coſe piglieranno
qualche forma.

174   *Al Signor Paolo Vitelli.*

IN riſpoſta di due, che mi trovo di Voſtra Signoria, le dico prima che, ſubito giunto Amerigo, l' ho ſpacciato con Aſcanio da
Nepi a Roma per la tratta de' grani a Sua
Santità, e per li danari per la provviſion
d' eſſi; in caſo che ſi poſſino avere, che dubito aſſai di no; perchè io non gli ho ; gli
amici ſono tutti intaccati ; le promeſſe ſon
logore, e 'l credito è ſcemato : pure ho commeſſo che s' uſi ogni diligenza. E, avendoli,
ſpedirò ſubito lo Spinello per pigliarli in
Romagna, o nella Marca, ſecondochè ſi tro-
veranno. In tanto ho ſcritto per li medeſimi
al Cardinal S. Angelo, che non manchi di
mandare tutti i ſuoi di Ravenna alla volta
voſtra con un ſuo che ne faccia fine, e pigli
il ritratto d' eſſi ; che altrimente non credo
che voglia ſtar forte. E, in caſo che i danari non ſi poſſino avere, ſarà neceſſario valerſi di parte del depoſito ; che a ogni modo

de' grani in queſto tempo ſi può far ſubito
ritratto. E in ogni caſo o dei miei danari,
o del depoſito che ſi piglino, io intendo che
voi ſiate tenuto a rimetterli. Del negozio,
del quale Amerigo m' ha parlato, eſſo medeſimo vi dirà quel ch' io ne ſento. Intanto
attendete con quella amorevolezza, e con
quella diligenza ch' avete fatto fin quì, alla
cuſtodia, e alla ſatisfazione di coteſta Città;
che noi di qua non mancheremo del noſtro
debito, ed anco della cautela che mi ricordate della perſona; avendo molto piacere che
'l Duca ſia più cauto ancor eſſo, che non ſoleva, ſecondochè mi dite. Intenderò dove ſi
truova Meſſer Ottavio Ferro, e farò ogni
opera di rimandarlo a coteſto Governo, ſecondo il voſtro ricordo. Io ſto ora ripoſatiſſimo delle coſe di coſtà, poichè 'l Duca ſi
guarda della perſona: perchè del reſto ſon certo che la vigilanza voſtra ſupplirà; e la prudenza, e la bontà di Madama penſo che ci
farà gran giuoco. Altro per queſta non occorrendo, mi vi raccomando ec.

175   *A* . . . .

MOLTO Magnifico noſtro Cariſſimo. Oltre a quel che Monſignor Reverendiſſimo S.
Angelo vi ſcrive de' ſuoi grani di Ravenna,
i quali hanno a ſervire per il biſogno di Parma, io non poſſo dirvi altro, ſe non che a
voi non accade moſtrare di quanta importan-

za

za fia quefta provvifione. Ed effendo, quanto fete, amorevole delle cofe noftre, fon certo che non mancherete di fare ogni diligenza perchè i grani fi cavino, e fi conduchino a Parma. Tuttavolta, perchè penfo che vi farà qualche difficoltà, fentendo che la Provincia patifce ancor effa, avete a fare l' ultimo sforzo e con Monfignor Reverendiffimo Legato, e con i fittuarj, e con tutti quelli che bifognerà difporre a benefizio di quefto negozio, perchè fi contentino della tratta d' effi; e con manco ftrepito che fi può, e con ogni celerità fi conduchino a Parma. Io n' ho fcritto al Reverendiffimo Legato, e penfo che non mancherà di corrifpondere alla fperanza che avemo in Sua Signoria Reverendiffima. Del refto ci rimettemo tutti nella voftra diligenza. E a voi m' offero, e raccomando.

Di Gradoli alli xxv. di Luglio MDL.

176 *Al Cardinal Crefcenzio.*

INFINO a ora avendo fentito che nella cofa de' Mantachi non è mancato chi con ogni diligenza ha cerco di trovar fe io fon confapevole del lor delitto; e fenza averne indizio, nè pur verifimilitudine alcuna, me n' hanno dato imputazione; io non mi fon voluto muovere, nè parlarne parola, perchè fi faceffe cimento dell' innocenzia mia. Ma ora che ognuno fi devrà effer chiarito, non

 voglio

voglio effer tanto, negligente nei bifogni degli amici, e de' parenti, che fi creda dal mondo ch' io gli abbandoni nelle neceffità.

Il Signor Onorio Savello m' appartiene, quanto Voftra Signoria Reverendiffima fa; e me li fento obbligato quanto non le potrei dire, avendomi moftro nelle mie afflizioni, e fpezialmente nella Sede vacante, quanto io ne poffo far capitale in ogni fortuna. Trovafi in quefto travaglio che Voftra Signoria Reverendiffima vede, e non li dovendo in alcun modo mancare, ricorro a Voftra Signoria Reverendiffima pregandola di fovvenirlo. Io non fo quello fi fia' trovato contra di lui. E quanto alla pratica, che i Mantachi hanno tenuta con effo lui, fi fa che fono ftati fempre infieme una cofa medefima; fi fa che il Signor Onorio non avea da fare con P. Penzoni, nè con Cammillo Pifcianfanti; e nel tempo che feguì il cafo, fo io che ftava malato di gotte. Che abbi dato lor ricetto, era quel loco per prima familiariffimo a loro: ed avendo avuto i Baroni una certa libertà per lo paffato, ed effendo ciò ftato avanti al bando, pare in certo modo che non doveffero i Miniftri di Sua Santità ricercar quefta cofa con tanta aufterità; non effendo mai ufato a Roma, nè da Pontefice alcuno, tanta ftrettezza di procedere contra i Signori. E fe ci fono le Bolle degli altri Papi, fi vede però che non erano così pienamente offervate contra i Signori. E, benchè l' in-

ten-

tenzione di Noſtro Signore è ſantiſſima , io
crederei che doveſſero fare che 'l precetto di
Sua Santità , come tutte l' altre leggi , ri-
guardaſſe al venire , e non al paſſato . Ma
poniamo che ſia in qualche colpa , il che non
credo , io ſon tenuto a non mancarli d'ajuto
per quanto io poſſo , così per amor di lui ,
come di quelli ſuoi Nepoti ; li quali m' appartengono pure ſtrettamente , e non hanno
a patire per conto del Zio , pervenendo per
teſtamento la roba a loro . Prego Voſtra Signoria Reverendiſſima con la maggiore efficacia , ch' io poſſo , che ſia contenta d' intercedere appreſſo a Noſtro Signore che per farmi uno di quelli favori , e di quelle grazie,
che non mi ſarà manco accetta che la reſti-
tuzion di Piacenza , ſia ſervita d' aver quella remiſſione a queſto Signore per amor mio,
e quella compaſſione a quelli figliuoli , che
le detterà la benignità e la clemenzia ſua: e
almeno che ſi degni di far ſopraſſedere l' eſecuzione contra delle lor coſe, tanto ch'io ritorni a Roma . Che parlato ch' io arò con
Sua Santità , e dettole alcune coſe , ch' in
queſto caſo mi par che s' abbino da conſiderare, e gli ſcandali che ne poſſono avvenire ;
io rimarrò poi ſatisfattiſſimo di tutto che piacerà a Sua Beatitudine che ſi eſeguiſca .
Che, come ſa Voſtra Signoria Reverendiſſima, queſta tempeſta vien moſſa contra al Sig.
Onorio particolarmente dal Conte di Sarno ,
il quale è quello , ch' egli col Signor Cam-

millo Colonna ; e tra loro , e quefta Cafa
effendo fuccefle le nemicizie dell' importanza
che fono fuccefle , mi par che quefto fia un
rinnovarle , e che ne poffa nafcer di molto
male . E , quando pure quefte cofe foffero per
andare avanti , io mi rifolverò di venirmene
per due , o tre giorni a Roma , ancorachè
fia col rifico della fanità ; perchè non mi
pare di poter mancare in quefto articolo di
far il debito con Noftro Signore verfo quefti
miei . Intanto fia contenta di domandare a
Sua Santità quefta grazia con quella riverenza , e con quella fommeffione che le fi deve
per parte mia . E parendole di moftrarle ancora quefta , a Voftra Signoria Reverendiffima me ne rimetto . E umilmente le bacio
le mani .

Di Gradoli a'xxvi. di Luglio MDL.

177 *Al Duca di Fiorenza.*

IL Signor Onorio Savello , parente mio ,
perfona ch' io amo affai , ed a cui fono obbligato per molti rifpetti , fi truova imputato per confapevole di certi omicidj feguiti alli giorni paffati in Roma ; e per quefto è
chiamato a giuftificarfi . Io per molte ragioni penfo che fia innocente ; tuttavolta egli
non s' affecura di cimentarfi con la Corte ,
potendo far di manco . Dubitafi che li Miniftri di Sua Santità non procedano tanto ri-
gidamente , che non fi dia fpazio a poter

mo-

moſtrare per altri mezzi l' innocenzia ſua. E perchè io tanto poſſo mancare a lui quanto a me ſteſſo ; ſperando egli molto nell' interceſſione di Voſtra Eccellenza appreſſo la Santità Sua ; la prego quanto più poſſo , che ſi degni pigliare la ſua protezione per modo che l' abbia a giovare ; e per lo manco impetrar da Sua Santità che ſi proceda in queſta cauſa maturamente , e ſi dia tempo all' eſecuzione contra di lui , tanto ch' io torni a Roma ; perchè allora , fra li favori che li farà l' Eccellenza Voſtra , e l' opera ch' io ſpero di far con Noſtro Signore , penſo che le ſue coſe paſſeran bene . Ma biſogna ch' ella mi faccia grazia di ſcrivere a Sua Santità, e di commettere al ſuo Imbaſciatore queſta raccomandazione di maniera che non paja dell' ordinarie . E , per tutto quello che può la ſervitù mia appreſſo di lei , la ſupplico che me ne voglia far favore . E umilmente le bacio le mani.

Di Gradoli addì detto.

178 *Al Veſcovo di Pola.*

PER l' incluſa di Monſignor di Sauli vedrete che le coſe di Vincenzo Trinciante vanno a traverſo a Bologna , ſe non ſi riparano di coſtà col Legato, il quale m' ha pur promeſſo che non li ſarà data moleſtia alcuna . Biſogna che , tra Monſignor Reverendiſſimo Maffei , e voi , li ſtringhiate i panni addoſ-
ſo

fo di forte che dia ordine al Vicelegato, che
li paghi i fuoi affegnamenti fenza replica: e
per la prima voftra dateli fperanza , e ficurezza che li faranno pagati ; fe non che noi
non poffiamo vivere di qua con lui : tanto
è cruciato con ognuno . E dite a Monfignor
Reverendiffimo Crefcenzio da mia parte che
non ifcherzi con Vincenzo , e che penfi di
confolarlo a ogni modo : e voi non mancherete di follecitare , che fe ne cavi la provvifione che fi ricerca fopra di ciò . E ftate fano .

Di Gradoli alli xxvii. di Luglio MDL.

179   *Al Signor Antonio Simoncelli.*

L A vifita , che Voftra Signoria mi manda
a fare per Meffer Giovan Trivio , è ftata
fuperflua ; il dono m' è ftato grato : ma gratiffima è l' affezione , ch' ella mi moftra . E
di tutto infieme la ringrazio, e la prego che
da qui innanzi fi vaglia di me , e mi tenga
per fuo , come fon tenuto d' effere per ogni
rifpetto . E me l' offero , e raccomando per
fempre.

Il dì detto .

180   *Al Signor Jeronimo da Correggio.*

P E R varie occupazioni ho indugiato a far
rifpofta alla voftra de' vii. di quefto ; alla
quale, in quanto al capo della mia guardia ,

m'acm' accade dire che io conosco la cura che tenete della mia persona, e ve ne ringrazio; e penso, come dite, che gli nemici miei non manchino d' insidiarmi. Ma, se non son securo con la mia famiglia ordinaria, e nei lochi dove mi trovo adesso spezialmente; non so che mi debba far più, se non rimettermi alla custodia di Dio, nella quale mi son sempre rimesso: e spero nella bontà sua, e nella mia innocenzia, che mi renderò salvo; tanto più che non sono così negligente della mia salute, com' altri vi riferisce. Per altre v' ho fatto intendere gl' impedimenti che si sono scoperti nella pratica che si disegnava di condur per voi; che n' ho molto dispiacere. E, desiderando di venirne a capo in qualche altro modo, vorrei sapere se vi risolvete alla pratica seconda; perchè m' ingegnerei in tutti i modi di concluderla. E, aspettandone avviso da voi medesimo, non vi dico altro, se non che mi truovo al nostro Stato con li nostri soliti, lontano dall' ambizione, e dall' invidia, e, credo, dalli macchinamenti degli avversarj: e mi trattengo con quelli onesti piaceri che dà il paese, dove mi saria carissima la vostra presenza. Ma intanto che dimoriate di costà, mi farete piacere a lassarvi rivedere a Parma; dove so che sete dimorato, ed anco chiamato, secondo intendo dal Signor Paolo. E di quanto ritrarrete dal proceder di là, e dei bisogni del loco, mi farà grato che mi diate

rag-

ragguaglio . E con quefto mi vi offero , e raccomando .

Di Gradoli alli xxviii. di Luglio MDL.

SCRITTA quefta , è comparfa l' inclufa di Monfignor di Ceneda (*a*) , per la quale vederete la difficoltà che ci fi fa da S. Maeftà Criftianiffima ; che me ne dogliò pure affai , e defidero che vi rifolviate alla pratica di Maffa con li 1000. Scudi d' entrata ; che io farò ogn' opera col Cardinal di Silva , che fe ne contenti ; e quanto prima n' afpetto rifpofta .

181   *Al Cardinal Maffeo .*

MI truovo a fare rifpofta a due di Voftra Signoria Reverendiffima , che contenendo , la più parte , avvifi , non accade dir altro fe non che mi fono gratiffimi , e che ne la ringraziò . E , quanto alli Conciftoriali , m' è ftata fopra modo cariffima la fpedizione del Monafterio in perfona del Reverendiffimo Monte , col quale farà contenta d' allegrarfene in mio nome , che certo mi rallegro d' ogni fuo bene ; vedendo con effetto che mi porta affezione , come Voftra Signoria Reverendiffima mi fa fede . Ricordole che 'l Conte Niccola è difpofto a fatisfare a-
gli

____

(*a*) Michel della Torre .

gli uomini d' Acquapendente, e non aspetta altro che la dichiarazione del Mignanello, di quello che vuol paghi loro; e quanto più presto Vostra Signoria Reverendissima potrà, farà bene che lo facci dichiarare, perchè possa effettuare quanto promette. Messer Berardino Cafarelli mi raccomanda una spedizione dell' Abate Guiducci, al quale non si può mancare; e son chiaro, che Nostro Signore si contenterà di farli ogni grazia. Imperò desidero che Vostra Signoria Reverendissima pigli questo assunto di fargliene una parola, che come buon compagno, e conclavista, Sua Santità farà ogni favore; ed io desiderandolo assai, lo raccomando a lei, e a Messer Berardino ho detto che facci capo con essa.

Il Vescovo d' Aquino m' ha scritta una bella, e moral lettera; e, oltre a ciò, mi piace assai per essere amorevole, e libera, e familiare. Ma non mi basta l' animo di risponderle per le rime; basta bene che m' ingegnerò servare i suoi ricordi, quanto la fragilità umana comporta: e m' andrò, più che posso, riformando, per aver come dite, a convenir diaconalmente alla riforma degli altri. Arò caro che ringraziate il detto Vescovo de' precetti, e dell' amorevolézza sua, e me li raccomandiate.

Messer Lorenzo del Re di Polonia comparse qui, e la notte medesima andò via spedito di tutto, secondochè scrivete, salvo che si rescrisse la lettera del Re, perchè si rin-

gra-

graziava Sua Maestà della Medaglia, la quale mi fu mandata dal Vescovo di Cracovia, e non dalla Maestà Sua. I Montaguti desiderano di nuovo esser raccomandati al Cardinal Crescenzio; ed io prego Vostra Signoria Reverendissima che sia contenta di farlo in mio nome caldamente; e di più mandar chiamando Messer Gaspare delle Armi, uno de' deputati a saldare i lor conti, e da mia parte raccomandarli ancora a lui, che così fo intendere a loro che ella farà.

Di Gradoli addì detto.

Il Reverendissimo di Silva mi richiede con grande instanza che io mi contenti di lassarli fare un Suffraganeo nella Chiesa di Massa. Io non vorrei fare errore in questo; però desidero che Vostra Signoria Reverendissima o lo distolga da questa dimanda, o mi dica come ho da fare per contentarlo senza biasimo mio, e senza carico della Chiesa; ed a esso lui Cardinale ho scritto.

182   *Al Cardinal di Silva* (a).

L'APPEZIONE di Vostra Signoria Reverendissima verso me, com'ella dice, non

è co-

(a) Michele Silva, Portoghese, già Vescovo di Viseo, eletto Cardinale da Paolo III. 22. Decembre 1539.

è cofa nuova : tuttavolta m' è grato che mi
fi confermi ancora per fue lettere . A rincontro ella può ftar fecuriffima ch' io l'amo,
e l' offervo quanto devo , e quanto ella merita.. La ringrazio degli avvifi conciftoriali
che mi fono più cari di quelli del mondo ;
dal quale mi fono , fi può dire , ritirato ,
ftando in quefte folitudini . Quanto al fuffra-
ganeo che defidera nella Chiefa di Maffa ,
io mi contento di fatisfarla fenza mio biaf-
mo , e fenza pregiudicio della Chiefa . Imperò ho fcritto al Reverendiffimo Maffeo ,
che ne fia feco ; e fe fi rifolverà che , fecondo i Canoni., lo poffa fare , fcriverò al
Giglio , e al Reverendiffimo Crefcenzio , fecondochè mi richiede . E in tutto che la poffa fervire offerendomele prontiffimo , umilmente le bacio le mani.

Di Gradoli alli xxviii. di Luglio MDL.

183   *A Meffer Bernardino Cafarelli.*

Ho fcritto al Reverendiffimo Maffeo, che
in nome mio fia contento di pigliar l' affunto , che l' Abate Guiducci fia compiaciuto di
quanto defidera ; e mi farà caro che li fuc-
ceda . Siatene con Sua Signoria Reverendiffima , che non doverà mancare di farci ogn'o-
pera , così per amor mio , come per i meriti dell' Abate . E circa la vigna del Boccac-
cio non accade far altro per ora . State fano ;

no ; e potendo per voi cofa alcuna, fon voftro fempre .

Di Gradoli addì detto.

184 *Al Cardinal Camerlingo* (a).

CON quefta farà una dell'Agente del Duca d'Urbino , per la quale Voftra Signoria
Reverendiffima vedrà il modo , ch'egli propone di rifcindere le convenzioni fatte del
fitto di Montemarciano , e di compiacere la
Ducheffa mia forella . Io la prego che , po-
tendolo fare con onor fuo e con lecita fcufa , com'egli allega , fi degni di darle quefta fatisfazione ; e fia certa che la Signora
Elena , e i figliuoli faranno fecuriffimi del
loro , ed io vi farò fempre di mezzo , e fo
che non fi va ad altro cammino , che di
non ifconciare le cofe di Sinigaglia . E , altro per quefto non occorrendo , bacio umilmente le mani a Voftra Signoria Reverendiffima .

Di Gradoli addì fopraddetto.

185 *Al*

(*a*) Guidafcanio Sforza , de' Conti di Santa Fiore , nipote di Paolo III. per Coftanza fua figliuola ,
eletto Cardinale nel 1534. e detto volgarmente il Cardinale Santa Fiore . Fu Camerlingo dello Stato Pon-
tificio in luogo del defunto Cardinale Spinola . Morì
nel 1564. in età d'anni 45.

QUESTA farà per rifposta della voftra de' xxv. Le lettere , che, fono venute dalla Corte , vi fi fono mandate fubito dietro in due rimeffe , e di tutte s' afpettano il diciferato , e i difcorfi che vi farete . S' afpetta ancora, poichè arete parlato a Noftro Signore , tutto quel che puntualmente arete paffato con Sua Santità, e quel di più che fentirete dell' ultime lettere della Corte a Sua Beatitudine , e delle eofe d' Affrica (*a*) . Il Buoncambi per una fua lettera mi dimanda non fo che , e non lo fpecifica, rimettendofene a voi . Avvifate quel che vuol dire . Fate intendere ai Montauti che ho fcritto al Cardinal Maffeo , che faccia l' officio , che defiderano , con Crefcenzio , e con Gafpar dell' Arme : che fiano con Sua Signoria Reverendiffima ; e voi , e Meffer Curzio in tutto che potete fate loro ogni favore . Non rifpondo a Meffer Baftiano , perchè non ho fe non a ringraziarlo della diligenza che ufa

Vol. I.   O   in

(*a*) Alfude alla fpedizione fatta per ordine di Carlo V. dal Principe Andrea Doria , e D. Giovanni di Vega Vicerè di Sicilia con una riguardevole flotta di galee , e di navi contra Tripoli di Barberia, Città poco innanzi conquiftata dal feroce Corfaro Dragut Rais.

in avvifarmi . Fatelo voi per mia parte , e
diteli che refto in quefto fatisfatto di lui , e
che continui , ancorachè non abbia rifpofta ;
perchè , dove accadrà che li rifponda , non
mancherò di farlo . Il medefimo fate con
Monfignor Bozzuto . Hovvi fcritto quel che
mi pare del partito conclufo con gli Altoviti ; afpetto che mi diciate fe nel partito di
Bonvenuto c'era la fecurtà di ftar loro della
perdita , che in quefto cafo vi s' è detto ,
che diate loro lo fcritto fottofcritto . E follecitate la provvifione , perchè femo follecitati
da Parma . State fano . addì detto .

186   *Al Cardinal Cornaro .*

M E S S E R Gabriele Fulgenzio da Vetralla , dottor di legge , e perfona molto fofficiente , e fperimentato in altri governi , e
da me fpezialmente , defidera d' effer commiffario di Corneto ; e fpera per mia interceffione ottenerlo da Voftra Signoria Reverendiffima . Io la prego che per amor mio fi
degni d' accettarlo in quel loco ; ch' oltre
ch' egli lo merita , e Voftra Signoria Reverendiffima ne farà ben fervita , lo riceverò
in fomma grazia da lei , alla quale umilmente mi raccomando .

Di Gradoli , alli xxix. di Luglio M D L.

187 *Al Mignanello.*

MESSER Gabriele Fulgenzio da Vetralla ha da avere una certa fomma di danari
dalla Comunità di Civita Caftellana del fala-
rio fuo, quando in quel loco fu mio Locotenente. Egli offerifce dar buon conto alla
Comunità. Voftra Signoria farà contenta e
per il dovere, ed ancora per amor mio far
di modo ch'egli venghi fatisfatto. Gli è ben
vero, per aver lì certi malevoli, che ftarà a
findicato a Roma, o in altro loco dove parerà a Voftra Signoria. E fe in altro potrà
giovare il detto Meffer Gabriele, per effer
uomo che fi è moftrato fempre dabbene negli
offizj che ha avuto; quella me ne farà piacer fingolare. E a lei di continuo m'offero.

Di Gradoli, alli xxix. di Luglio M D L.

188 *All' Eletto di Perugia* (a).

MOLTO Reverendo ec. Non refterò,
quando l' occafione mi fi porgerà, in qualfi-
voglia cofa pigliare quella ficurtà di Voftra
Signoria che da un amorevole, e affezionato

O 2

fra-

(a) Fulvio della Cornia, fratello del Capitan
Afcanio, e nipote del Papa, da cui fu fatto Cardinale nel 1551. Vedi la lett. 43. di quefto Vol.

fratello pigliar fi deve. E, benchè la prontezza dell' animo fuo verfo di me mi fia già per molti rifpetti chiara, nondimeno mi è ftata grata vederla ancora nella fua lettera. Fin' a queſt' ora non è occorfo valermi dell' opera fua : per l' avvenire, come ho detto, quando occorrerà, me ne valerò volentieri, ficcome l' amorevolezza, ch' ella mi porta, richiede. E a quella di continuo m'offero.

Di Gradoli, il dì fopraddetto.

189 *A Monfignor di Pola.*

RESPONDERASSI a bell' agio alle voſtre portate dallo Spinello; per ora, quanto alla cofa di Meſſer Sebaſtiano, avete a faper prima che 'l fatto ſtà con effetto, come io ho detto all' Auditore, e che non ho detto bugia.

E febbene il teſtimonio degli altri Cardinali ripugna al mio, eſſi fanno fede della prima inclinazione del Papa, felice memoria; per vigor della quale io mi moſſi a far la polizza in favore di Meſſer Sebaſtiano, e fondato in quella medefima io feci anco parole col Palello, che non voleſſe confegnare quelli argenti a lui, e a quelli altri fervitori di Triulzio. Ma di poi effendo il Palello ricorfo al Papa, e per la fua relazione, o d' altri che fi mutaſſe di propofito; quando di nuovo feci officio per efecuzione della polizza ch' io avea fcritta, non trovai quello

lo

lo riscontro ch' io pensava , e non mi partii
con quella satisfazione , ch' io desiderava, in
beneficio di Messer Sebastiano . E di questo
ho fatto testimonio, con animo però che non
venisse in giudizio ; e che l' Auditore sapes-
se il vero assolutamente , e che s' intromet-
tesse ad assettar la cosa in qualche modo ; rimettendomi a Sua Signoria della giustizia .
E non mi pare che la relazion mia sia fal-
sa , perchè in diversi tempi può essere , ed
è stato con effetto che 'l Papa mostrasse di
contentarsene , e che di poi si rilevasse dalla
sua prima disposizione; come voi sapete, che
soleva andar riservato in tutte le sue cose .
E con tutto ciò io non l' ho fatto con animo
di nuocere a Messer Sebastiano, nè per averlo
in quella poca considerazione ch' egli dice .
E' ben vero che non s' è avuta quell' avvertenza, che si poteva avere, di provveder che
la parte non se ne facesse cavaliere. Ma ,
fra l' instanza fatta da loro, e 'l poco prov-
vedimento usato , come s' è detto , la cosa
è qua : e non è tale che meriti la rottura
che Messer Sebastiano ha fatta . E volentieri vorrei potervi rimediare ; perchè desidero
che conosca in qualche parte l' animo mio
verso di lui. Imperò, se piglierà la cosa con
quel temperamento che si deve , penso che
faremo a tempo ; e a Monsignor Reverendissimo Maffeo ho scritto che vegga di ridurlo
a miglior deliberazione , e che voi li darete
informazion del tutto , come è passato . E

così

così desidero che facciate , e mi farà caro
che vi riesca per ogni rispetto ; quando nò ,
penserò ch' egli sia risoluto di seguir miglior
fortuna , e di ciò non l' imputo : e me ne
contenterò, quando io pensi che sia per questo ; perchè in vero li desidero ogni bene ,
ed ogni satisfazione . E, con tutto che a me
sia carissimo, non vorrei però per conto mio
farli danno , nè interrompere i disegni , e le
speranze sue . Imperò mi farà gratissimo che
siate seco , e che l' esortiate a non iscande-
lezzarsi per cosa di sì poca mia colpa , e a
pensar meglio alla dimanda che mi fa ; e di
poi , con ogni sua satisfazione , m' ingegnerò di consolarlo in qualunque modo si risol-
verà che sia meglio per lui . E per questa ,
non avendo tempo , non vi dirò d' altro , ri-
serbandomi per altra a dirvi dell' altre cose .
State sano .

Di Gradoli , alli xxx. di Luglio MDL.

Aspetto che me ne scriviate quanto prima , e rimando la lettera dell' Auditore , il
quale ringrazierete da mia parte dell' avvertimento : e mi farà gratissimo che la mia
lettera non sia altrimente registrata , poichè
il mio intendimento non è stato che serva
in giudicio .

190 *Al Cardinal Maffeo.*

DA Monsignor di Pola Vostra Signoria Reverendissima sarà appieno informata dell' alterazione di Messer Sebastiano per una lettera ch' io ho scritta in testimonianza del negozio che passa tra lui, e 'l Palello; il che è veramente, come io ho detto. Tuttavolta non è stato animo mio che 'l testimonio si producesse in giudicio; ma voleva che l' Auditore ne fosse informato, acciocchè interponesse l' autorità sua in qualche modo a dar quell' affetto alla cosa, che li pareva che si convenisse. Mi duole grandemente che se ne sia fatto pregiudizio a Messer Sebastiano, e più ch' egli l' abbia presa con tanta acerbezza; potendo pensare per ogni rispetto che io non ho fatto per nocerli, nè per istimarlo poco, come egli dice; e che da me può sperare tutti quei comodi e quei favori che io potrò mai farli ragionevolmente. E confesso che in questo caso s' è peccato per innavvertenza di non avvertir l' Auditore, che la parte non intendesse il mio testimonio. Tuttavolta la cosa è fatta, ed è, come ho detto, per inavvertenza, e non per altro: e vorrei volentieri potermene tirare in dietro; nè per questo mi pare che Messer Sebastiano abbia a venir meco a questa rottura. Imperò Vostra Signoria Reverendissima sarà contenta chiamarlo a sè, e mostrarli la cosa sempli-

cc-

temente come la ftà , e 'l difpiàcer ch'io ho
che fe li fia fatto pregiudicio contra mia voglia ; e difporlo a continuare in quella medefima buona volontà , che fon certo che ha
fempre avuta verfo di me , ed affecurarlo della mia verfo di lui, della quale fi potrà meglio chiarire per l'avvenire . E penfo che 'l
debba fare , fe già non ha prefo quefto accidente per occafione di feguir maggior fortuna ; che in quefto cafo , quando lo ftar meco penfi che li fia di poco profitto , per non
farli danno , io mi contenterò della fua rifoluzione . E fino a tanto che Voftra Signoria
Reverendiffima ne li parla , e che egli non
penfa meglio a quefto fuo moto , ed a fangue freddo non mi fà intendere l'animo fuo;
non li rifponderò altramente . E quanto prima defidero , che Voftra Signoria Reverendiffima me ne dia ragguaglio.

Di Gradoli , alli xxx. di Luglio MDL.

191   *Al Duca Ottavio.*

MESSER Niccolò Spinelli farà apportator di quefta , il quale è confidente degli
Altoviti ; ed effendo cofa noftra , io medefimo ho procurato , che abbi l'affunto di condurre quefto negozio della provvifione de' grani per Parma ; perchè fon certo che arà così l'occhio alle cofe noftre , come all'indennità de' fuoi principali in quefto negozio ,
dai quali è deputato a ricevere il ritratto de'

detti

detti grani. Mi pare che sia a proposito ancor dell' impresa, che quanto più presto si faccia fine di questa prima condotta; perchè col medesimo ritratto si farà di nuovo altra condotta per maggior benefizio di cotesta Città. E per lui non m'accadendo altro, a Vostra Eccellenza mi raccomando.

Di Gradoli, alli xxx. di Luglio MDL.

192   *Al Vicelegato della Marca.*

VOSTRA Signoria vedrà per gli ordini di Nostro Signore qual sia la mente di Sua Santità per sovvenire al bisogno della Città di Parma quanto alla provvisione de' grani; alla quale spezialmente è stato deputato da Sua Santità Messer Niccolò Spinelli, apportator di questa. E, benchè dove corre l' ordine di Sua Beatitudine, non mi pare ch'accaggia, ch' io m' intrometta; perchè questo negozio torna in benefizio della Casa nostra, non ho voluto mancare di raccomandare ancora in mio nome questa sua commessione a Vostra Signoria. E la prego, quanto più posso, che sia contenta in ogni occorrenza favorirlo, e vincere ogni difficoltà che ci potesse nascere; che, oltre al servizio che ella farà a Nostro Signore, io particolarmente n' arò obbligo con vostra Signoria. Alla quale m' offero ec.

Di Gradoli, il dì sopraddetto.

193. *A Messer Gia. Niccolò Angeloni.*

V I mandiamo inclusa l' inftruzione d' un caſo che ci ſi propone, e perchè, come vedrete, la domanda è giuſtiſſima, e l' eſecuzione ci ſi promette faciliſſima; non potendo la Camera aver queſto guadagno ſe non per opera dell' inſtigatore. Ed eſſendo veramente creditore, come dice e moſtra, ne pare che non ſe li debba negar quel che chiede: e ſiamo certi che Noſtro Signore ſe ne contenterà. Dall' altro canto noi ci vorremo valere di queſta occaſione a cavarne qualche coſa da Sua Santità, almeno per farne bene a un ſervitore, per benefizio del quale ci è ſtata propoſta. Imperò ne farete con Noſtro Signore, e con quella diligenza che potrete maggiore, li metterete innanzi la qualità del caſo, e 'l deſiderio noſtro; ſupplicandola per giuſtizia che 'l delitto ſia punito, e il creditore della Camera ſia ſatisfatto; e per grazia che ſi degni di quel che ſopravanza concedervene, ſe non tutto, una parte. E in queſto ci rimettiamo alla voſtra deſtrezza che veggiate di cavarne più che potete; che nel tentar Noſtro Signore vedrete facilmente quanto vi potete ſtender oltre. Ma il noſtro diſegno è di non averne manco che un offizio onorevole per uno de' noſtri ſervitori, a chi deſideriamo molto di far queſto beneficio. Negoziate la coſa, come avete inteſo, diligengentemente ; e promettendovi Sua Santità, fate che la cofa fi commetta al Governatore, o a chi Sua Beatit. vorrà ; e noi ordineremo fubito che l' inftigatore venga, o mandi a fare il reftante . E non mancate di darne avvifo quanto prima.

194   *A Meffer Andrea Boni.*

MAGNIFICO noftro cariffimo . Per rifpofta della voftra vi dico folo, che io ho ordinato a tutti i miei di Roma , e fpezialmente pregato il Reverendiffimo Maffeo, che vi facci tutti quei favori in nome mio , che fiano poffibili : mi farà fommamente caro che ne fentiate giovamento . Defidero da voi che mi facciate quefto piacere , che Meffer Niccolò Spinelli fia fatisfatto del mandato , del quale effo è creditore della Teforeria di Romagna . Son certo che in quefto cafo, effendo creditori della Camera in groffo , che fi tocca del voftro ; ma , perchè fo ancora che con la fomma maggiore del voftro credito andrà quefto facilmente, io vi prego che fiate contento di pagarlo : e penfate di farmene un piacere fingolare ; perchè per qualche mio effetto io defidero fopra modo che lo Spinello fia accomodato . E fon voftro.

Di Gradoli, al primo d'Agofto MDL.

195 *A Messer Lodovico da Bertinoro.*

TRA le grazie, ch'io ho ricevute da Noftro Signore, m'è ftata gratiffima quella che Sua Santità m' ha conceduta a benefizio del Vefcovo di Ruftici circa le Decime del Regno; la quale non folamente mi fu fatta, come ho detto, ma fu anche efeguita dalli Miniftri. Ora intendo che, non oftante quefto, è ftata rivocata, il che non può effere fenza offefa di Sua Beatitudine; perchè la grandezza dell' animo fuo non dà quefto modo di procedere, ed io ne refto con molta vergogna. Imperò prego Voftra Signoria che, così per grandezza di Sua Santità, come per onor mio, e anco per benefizio del Vefcovo, fia contenta di ricordare a Sua Beatitudine che detta grazia è ftata fatta a me; e fupplicarla umiliffimamente da mia parte che fia fervita di confervarmela, e per amor mio favorir quefto negozio per modo, che 'l Vefcovo refti fatisfatto di quefto fuo defiderio. E fenz'altro a Voftra Signoria m' offero fempre, e raccomando.

Di Gradoli, addì detto.

196 *Al Vescovo di Rustici (a).*

ALLA ricevuta della lettera di Vostra Signoria ho scritto subito a Messer Lodovico Mastro di Camera di Nostro Signore , perchè ricordi a Sua Santità la grazia , che le piacque di farmi delle Decime di Vostra Signoria , e la supplichi da mia parte che si degni di conservarmela . Ho scritto ancora al Reverendissimo Maffeo , che sia contento di fare sopra ciò ogni offizio opportuno ; e, come ne fo volentieri ogni diligenza , così desidero che ne venghi consolata . E in questo me l' offero , e raccomando.

Di Gradoli, addì detto.

197 *Al Cardinal Maffeo.*

MESSER Marc' Antonio Piccolomini ragionerà a Vostra Signoria Reverendissima a nome mio del bisogno , che ha il Conte (b) Gio. Francesco da Gambara per l' annate de'
fuoi

(a) Quinzio de' Rustici , Romano , fatto Vescovo di Mileto da Papa Adriano VI. nel 1523. morì in Roma nel 1566.

(b) Figlio di Brunoro II. da Gambara , nipote del Cardinale Uberto , e creato Cardinale anch' esso da Pio IV. nel 1561. e poi Vescovo di Viterbo da San Pio V.

ſuoi beneficj , e per le Decime del L. Voſtra Signoria Reverendiſſima l' aſcolterà , e
gli crederà tutto quello che gli dirà intorno
al deſiderio , che ho che ſia ajutato . E la
prego che faccia ogni poſſibile opera per ſuo
benefizio : e ben ſa quella quanto io deſidero
di farli ogni oneſto piacere . E a voi umilmente mi raccomando . Di Gradoli , il dì detto .

198.　　*A Noſtro Signore.*

Il Conte Gio. Franceſco da Gambara ,
Nipote del Cardinal, buona memoria, e mio
cariſſimo familiare , è in Roma moleſtato per
le Decime dell' anno L. quali poſe la ſanta
memoria di Paolo ſopra la ſua Abbadia di
San Lorenzo di Cremona , ed altri ſuoi beneficj . Onde ſupplico umilmente Voſtra Santità , che glie ne voglia far grazia , non a-
vendo egli pagato li due anni 48. , e 49.
paſſati ; il primo , perchè era vivo il Car-
dinàle , il ſecondo , perchè era familiare del
Papa . E di queſto la ſupplico , non ſolo per
eſſere il Conte Nipote del Cardinale , come
ho detto , il che per ſe ſteſſo pur merita
conſiderazione ; ma ancora perchè deſidero da
lei queſto favore , per eſſere familiar mio
oramai di ix. anni , ed amandolo io per le
ſue buone qualità aſſai . Di che Voſtra Santità mi farà grazia ſingolare a farli ogni oneſto piacere . E umilmente le bacio i Santiſ-
ſimi piedi . Il dì detto .

199 *A Meſſer Tommaſo del Giglio.*

QUESTA vi darà Meſſer Marcantonio Piccolomini, il quale mi dice che, per ordine delli offiziali di Roma, il Conte Gio. Franceſco da Gambara è moleſtato per l'annata della ſua Abbadia di Cremona, ed altri beneficj, ſolo per negligenzia di chi s'abbia fin qui avuto cura di queſto; e la moleſtia datali è tanto innanzi, che s'è venuto alla ſcomunica. Io grandemente deſidero, che ſia ajutato per tutte le vie ch'a me ſono poſſibili; onde procurerete la dilazione *ad ſex menſes*, ſe non ſi può aver di più, con tutti quei modi più favorevoli per il Conte che vi ſapete immaginare. E parlerete con Meſſer Marcantonio, al quale crederete tutto quello, ch'intorno a ciò vi dirà del deſiderio ch'io ho, che queſta coſa ſi rimedj con ogni utile e favore di eſſo Conte. Il quale Meſſer Marcantonio però offeriſce cauzione bancaria; che ſarà tanto più agevole a provvedere a queſto negozio. Queſta lettera non è raccomandazione ordinaria, ma mero mio deſiderio che 'l Conte ſia ſatisfatto per quanto ſi può: il che vi doverà ancor far eſſere tanto più diligente, oltre quello che ſolete nelle coſe mie. E attendete a conſervarvi.

Di Gradoli, il primo d'Agoſto MDL.

100 *Al Cardinal di Trani* (a).

VOSTRA Signoria Reverendiffima non m'imputi a negligenza che fino a ora non l'abbi rifoluto della mente del Cardinal Sant'Angelo circa al negozio dell' Abbazia di Farfa ; perchè io non fono ftato feco fe non circa due ore a Ronciglione (b), e in complimento di continuo col Reverendiffimo Camerlingo : nel qual tempo reftai però con effo che convenimmo un' altra volta per ragionar lungamente così di quefto, come d' altre mie cofe domeftiche. Il che di nuovo ho mandato a ricordarli ; e fra fei, o otto giorni l' afpetto a Gradoli, dove rifolverò con lui tutto quello che ne potrò ritrarre : e Voftra Signoria Reverendiffima può ftar ficura che, in quanto a me, farò tutta quell' opra ch'io potrò, perchè tra noi, e l' Abate, e tutta la fua Cafa fia quella convenienza, e quell' unione che fi ricerca alla parentela, e alla buona volontà che ci è ftata per l' addietro, e che Voftra Signoria Reverendiffima defidera

per-

(a) Giandomenico de Cupis, Romano, eletto Cardinale da Leon X. 26. Giugno 1517. Decano del Sacro Collegio.

(b) Picciola Città fituata fopra un lago del medefimo nome nel Patrimonio di San Pietro, che colla fua Contea apparteneva ai Farnefi.

perchè io per li rispetti ch' ella dice , e per mia inclinazione particolare lo desidero a par di lei . Stati che saremo insieme , io le darò subito avviso della risoluzione che ne caverò . Intanto la supplico a non dubitare , ch' io non sia verso lei di quel buon animo , che debbo essere per corrispondenza del suo verso di me ; del quale io la ringrazio quanto io posso , e spero di renderlene il cambio ; e non sono tanto vecchio , che non possa venir l' occasione di farlo con gli effetti. Non è bene di mettere ogni cosa in carta ; ma presto doverà rinfrescare , ed a bocca potremo ragionare di quanto occorre sopra questa materia . Vostra Signoria Reverendissima mi tenga pur per suo , che io mi prometto di lei tutto quel che mi offerisce . E, senza più dirle per questa , umilmente me le raccomando .

Di Gradoli , il dì primo sopraddetto .

201   *Al Cardinal Maffeo.*

Io ottenni da Nostro Signore l' esenzione di Monsignor di Rustici , e fu messa , per quanto intendo , in esecuzione da' Ministri . Ora Sua Signoria mi scrive che è stata revocata ; che non posso credere che Sua Santità lo comporti , così per la grandezza dell' animo suo , come per non far questa vergogna a me . Imperò prego Vostra Signoria Reverendissima che si degni farne una parola con

Sua Santità, che, oltre al benefizio che ne
fegue al Vefcovo, io lo riceverò da lei per
grandiffimo piacere.

Di Gradoli, il dì detto.

202 / *Al Cardinal S. Fiora.*

RINGRAZIO Voftra Signoria Reverendiffima delle fue bone trote. M' invito a
goder dell'altre più frefche; ma non le poffo
dire il quando, perchè fto afpettando il Cardinal di S. Angelo, in compagnia del quale
difegno di congiurare alla deftruzion loro.
E, fubito che farà giunto, ne darò nova a
Voftra Signoria Reverendiffima, acciocchè ci
poffa ricevere con qualche provvifione penfa-
ta; perchè mi protefto che me ne voglio cavar la voglia. Intanto a Voftra Signoria Reverendiffima, e al Signor Conte mi raccomando. Di Gradoli, il dì detto.

203 *A Meffer Lodovico da Bertinoro.*

MANDO a Voftra Signoria quattro fagianotti prefi oggi da me medefimo. Non voglio che penfiate che quefto dir *me medefimo*
voglia dire un gran cacciatore; perchè, fe
ben mi penfava di effere, non mi riefce; e
voglio dir da me, perchè mi pare una dif-
grazia di quelli che mi capitano alle mani.
E così poffono effere più cari, perchè fono
più rari. Io avea penfato di tenere Sua Santità

tità fornita per la bocca sua di questa uccel-
lagione ; ma , non mi venendo fatto , me
ne vergogno : e con tutto ciò per un segno
del mio buon animo , vi mando questi ; pregandovi che con qualche ornamento di parole gli facciate parer migliori , e più che non
sono ; e da mia parte li presentiate a Sua
Santità , baciando umilmente li piedi di Sua
Beatitudine . Il dì sopraddetto .

204   *Al Cardinal Crescenzio.*

PER gli rispetti , che Vostra Signoria Reverendissima può considerare , e per mia naturale inclinazione io amo grandemente il
Conte Gio. Francesco da Gambera , e desidero di farli ogni sorte di comodo , e di piacere . Imperò la prego si degni per amor
mio in ogni sua occorrenza averlo per raccomandato particolarmente. Intendo che si truova in non so che travaglio per conto dell'annata . Se da lui , o da' suoi Vostra Signoria
Reverendissima fosse richiesta del suo favore ,
mi sarà sommamente caro che non manchi
di prestarglielo in tutti quei lochi che li potrà giovare. E mi piacerà che sappia , ch' io
non ho mancato di raccomandarlo spontanea-
mente a Vostra Signoria Reverendissima. Alla quale umilmente bacio le mani.

Di Gradoli , alli ii. di Agosto MDL.

205. *Al Podestà di Ronciglione.*

N ELLA caufa, che Mattio Celio ha con
gli Offiziali per conto d'un certo cammino,
avete a fare ogn' opera ch' eſſo Mattio venghi ſatisfatto, come intendo che diſponeno i
Statuti, e vuole ogni dovere, fabbricando
maſſimamente a decoro della Terra. Che, oltre ch' abbia ragione, li ſi viene ancora per
riſpetto della ſervitù di Giuliano ſuo figliuolo appreſſo di noi. Imperò non mancate di
trovar modo che ottenga queſto ſuo giuſto deſiderio : e ſtate ſano. Il dì detto.

206 *A Noſtro Signore.*

M ONSIGNOR d' Imola per ordine di
Voſtra Santità m' ha dato conto della nuova
commeſſione mandata per corriere a poſta al
Nunzio Pighino ; e fattomi veder la copia
della lettera, che Voſtra Beatitudine ha voluto, che ſe li ſcriva ſopra al noſtro negozio. Il che mi è ſtato da un canto d' una
grandiſſima ſatisfazione ; perchè dalla cura che
ne tiene, e dalle fatiche che vi dura, com-
prendo chiariſſimamente la molta benignità,
ed affezion ſua verſo di noi. Dall' altro canto mi tormenta un poco di dubbio, che la
Santità Voſtra abbia voluto far ſopraſſedere
queſto ſuo moto, perchè per avventura le
ſia parſo che non ne reſti interamente ſatisfatto,

fatto, o che mi fondi più nelle speranze, che mi si mostrano dalla Corte, che negli offizj che escono dalla bontà, dalla prudenza, e dall'autorità sua. Io, Padre santo, non replicai alla sua prima Instruzione se non per via d'avvertimento; e conosco che mi debbo in ogni cosa rimettere al sapiente, e paterno consiglio suo; e veggo apertamente, che tutto quello, che può venir di ristoro, e di stabilimento allo stato nostro, non può procedere da altri che da lei; ed in lei sola confido. Imperò, quietandomi in tutto al modo che la Santità Vostra prese allora di guidar le cose nostre, scrissi subito all'Ardinghello, mio Agente alla Corte, tutto quello che da Monsignor d'Imola mi fu ordinato da sua parte. E non sono per rinnovarli altra commessione, se non quanto paresse a Monsignor Pighino d'ordinarli da se medesimo; perchè li potrebbe parer per avventura che questo poco indugio di lassar venire a luce questi parti concetti da loro, fosse per portar qualche vantaggio di più alla sua negoziazione: che, quanto a me, so benissimo che le chimere che propongono, non hanno corpo, ed ho notizia delle passate, e di chi le fa, e di chi le crede. Imperò supplico la Santità Vostra che si degni pur di seguir la sua santissima intenzione, dalla quale qualunque opera si nasca, e qualunque effetto ne segua, il Duca mio fratello, e tutti noi altri ne resteremo satisfatti, e benefi

P 3

cati

esti da Vostra Beatitudine . E del negozio non altro .

Rendo grazie infinite alla Santità Vostra del favor che le è piaciuto di farne a degnar la nostra Casa della presenzia sua ; che , oltre alla contentezza che n' ho ricevuta , io so bene di quanto profitto ne sia una tanto umana dimostrazione verso di noi . E , se non pare che siamo troppo ambiziosi , la supplico umilmente a confermarci talvolta la grazia , che ci ha fatta , con valersi di quella , e della Cancelleria , e del giardino di Transtevere , se le pare , che sieno degne di tant' ospite . E , perchè per se medesima ne fa di questi favori , m' arrischio a supplicarla di nuovo a degnar ancora queste nostre capanne dello Stato ; almeno perchè , avendo noi fatto sua tutta quella che è nostro , e noi medesimi , la gente conosca che la Santità Vostra n' accetta per tali . E , per più non fastidirla , bacio umilissimamente i suoi santissimi piedi .

Di Gradoli , alli ii. d' Agosto MDL.

107   *A Monsignor d' Imola .*

QUANTO agli avvisi , mi basta che siate contento di darmi di quelli ch' importano ; che degli altri io n' ho pure assai , e me ne curo poco . Quanto al negozio , se questo nuovo ordine mandato al Pighino , Nunzio , è mosso da qualche ombra presa da

Sua

Sua Santità, ch' io non mi fatisfaccia del primo, ne fento difpiacere; ma la cùra che fpezialmente tien di quéfto negozio, e la fatica che vi dura, mi fa tanto chiaro argomento della fua benignità verfo di noi, che io mi confolo di tutti gli affanni miei, e me ne rallegro oltre modo. All' Ardinghello, dopo fpedita l' Inftruzione a Monfignor Pighino, fu dato quell' ordine di ritirarfi dalla negoziazione, e di diffimular la notizia della pratica di Sua Santità, che voi medefimo mi fcrivefte; e 'l corrier mandato con la fofpenfion d' effa lo troverà con quefta difpofizione. Io refto fatisfattiffimo del modo prefo allora da Sua Santità; e fpero tanto poco nelle fperanze di Giuliano, e del Vefcovo di Fano, che mi rifolvo che ogni indugio, che fi conceda alla pratica loro, fia tempo perduto. Dall' altro canto, dall' autorità di noftro Signore, e dalla fincerità del Nunzio fpero tutto quel di bene, che può dar la natura di quefto negozio. E però defidero, che la Santità Sua continui nell' efecuzion dell' imprefa cominciata; e m' affliggo, fe ella dubi che ne poffa fucceder cofa, che dal canto fuo non fia per efferne d' intera fatisfazione, qualunque fi fia l' effetto che ne rifulti. E, fe fapeffi per certo che Sua Santità fi foffe ritirata per quéfto, o per credere ch' io poffa fperar più nella negoziazion di quelli che l' hanno trattata fino a ora, che di chi va per trattarla; manderei

rei subito a levar l' Ardinghello dalla Corte,
non tanto che gl' interdicessi la pratica di
questo negozio , come ho fatto fino a ora .
Ma perchè io vo pensando che Sua Beatitudine non si sia mossa a dar questo nuovo ordine senza qualche altra considerazione ; avendoci massimamente a correre poca perdita di
tempo ; mi son risoluto a riportarmi assolutamente a qual delli due ordini piacerà a
Sua Santità che si segua ; ed a Giuliano
scriverò solamente che a Monsignor Pighino
dia pieno ragguaglio , come penso che arà
già fatto , di tutte le cose passate , e che gli
apra tutte l'intenzioni , che gli son date per
l' avvenire ; e di poi metta , o dismetta , o
l' una , o l' altra commessione , secondo che
da lui precisamente li farà detto . Da voi
desidero che facciate per modo , che dall'animo di Sua Santità si levi ogni dubbio, ch'io
non sia contentissimo di tutte l' azioni sue ,
e che non confidi , e speri in lei non solamente in questo affare, ma in tutti i desiderj
miei , quanto più si può sperare , e confidare
d' un Principe prudentissimo , e tanto amorevole della Casa nostra . Al quale con ogni
umiltà vi piaccia di baciar da mia parte i
Santissimi piedi ; e renderli immortali grazie
del favor che ci fa di degnar la Casa nostra
della sua persona . E al Reverendissimo di
Monte bacierete le mani , e l' esorterete a
pigliar quella securtà delle cose nostre , che
voi sapete che si desidera da tutti noi . E,

con

con quefto facendo fine , mi v' offero fempre . Di Gradoli, addì detto.

. Vi mando l' alligata diretta a Noftro Signore , la quale parendovi a propofito , la
darete a Sua Santità . A me pare aver tant'
obbligo a quefto buon Principe che , poichè
per ora non lo poffo moftrar con altro., fappia almeno che lo conofco ; e vi' prego a
baciarnele i piedi , e ringraziarlo con quella
maggior efficacia che fapete . Del negozio io
non vi gabbo punto a partito ; e la creduli-
tà del Vefcovo di Fano , e degli altri noftri
fapete che c'.è prima cognita che di prefente . però è bene non laffare niente addietro;
e Sua Santità , oltre quello che ha fatto a-
morevolmente, l'ha fatto anco prudentiffimamente . Staremo a vedere. State fano, e baciate le mani a Monfignor Reverendiffimo di
Monte . Tutto voftro il Cardinal Farnefe.

208   *Al Cardinal Maffeo.*

V i d i finalmente il deciferato della Corte , e ne ritraggo che torniamo fu i medefimi andamenti di fempre fperanze per trattenere , e lunghezze per non concludere ; e ,
fe non aveffimo provato tante volte , arçb-
bon ragione a credere che ci fteffimo forti .
Ma pazienza ; fiamo al di fotto noi : e quel,
che mi dà più affanno , è che dubito che
Noftro Signore non penfi ch' io creda loro ,
poichè ha mandato a fofpendere la commef-
                                      fion

fion data a Monfignor Pighino . Vorrei che
Voftra Signoria Reverendiffima , che fa la
fperanza che io ci ho avuta per lo paffato ,
faccia fede a Noftro Signore di quella , che
ci poffo avere per l' avvenire : e , fe conofceffe che Sua Santità aveffe prefa ombra alcuna , per la quale fi fuffe ritirata dal negozio , le faceffe fede ch'io non me ne vo prefo alle grida , e la fupplicaffe a non diftorfi
dalla fua intenzione. All' Ardinghello fi fcriffe , che non s' intromerteffe più nel negozio ,
e che fi rimetteffe di tutto a Monfignor Pighino ; ora non fo perchè Sua Santità rin-
novi l' ordine . Se penfa ch' io fuffi mal fatisfatto della prima Inftruzione per la replica ch' io feci , mi farà gratiffimo che la di-
finganni : ma , perchè potrebbe effer qualche
altra confiderazione , io ho prefo per partito
di fcrivere a Giuliano , che ftando nella medefima vanità delle fue fperanze negozj , o
non negozj , fecondo che da effo Monfignor
Pighino li farà detto. Perchè , quanto a me ,
io fon certiffimo che tutto quello di buono ,
che avemo a fperare in quefto affare , n' ha
da venire dall' autorità , e dalla prudenza di
Noftro Signore ; e in fua Santità interamente me ne rimetto . De' grani non accade altro . Il partito fatto mi fatisfa , e defidero
che fi folleciti la fpedizione . Nella Marca
ho mandato lo Spinello , perchè affifta alla
compera ; il medefimo piglierà il ritratto a
Parma . Del modo di condurlo , e de' falvi-

con-

condotti , mi rimetto all' ordine , che darete
voi altri di coſtà . Degli avviſi , e degli avvertimenti , che Voſtra Signoria Reverendiſ-
ma mi dà , la ringrazio . E altro per queſta
non m' occorre , ſe non ſia contenta di baciare umilmente il piede a Sua Santità della
fatica , che ſi piglia nelle coſe noſtre : e del
favore che ci fa grandiſſimo a degnarſi d' entrare ne' noſtri tetti . E a Voſtra Signoria Reverendiſſima umilmente mi raccomando. .

Di Gradoli, alli iii. di Agoſto M D L.

209   *A Giuliano Ardinghelli.*

Per altre mie , e di Monſignor di Pola
arete inteſo l' aſſunto , ch' era ſtato preſo da
Noſtro Signore , di negoziar le coſe noſtre
con Sua Maeſtà nel modo ch' arete viſto per
il contenuto dell' Inſtruzione data in queſta
parte a Monſignor Pighino , della quale vi
fu mandato un ſunto . Per le medeſime vi
fu detto, che Sua Santità voleva trattar queſta negoziazione come da ſe , moſtrando di
farlo ſenza partecipazion noſtra . E per queſto vi ſi commiſe che voi non vi curaſte d'
intervenirvi ; e diſſimulando d' averne avvertimento , o notizia alcuna da noi , laſſaſte
tutto il maneggio al Nunzio, conferendo ſolamente ſeco quel che pareva , che poteſſe
riſultare a benefizio del negozio , e ritraendo da tutti , ed avviſando noi altri di quanto v' occorreva . Ora Noſtro Signore , conſi-
deraꞓ

derate alcune cofe , che mi parve di ricordare a Sua Santità nella detta Inftruzione (della quale fi degnò di mandarmi qui copia) e
avendo , per lettere di Monfignor di Fano
diritte a Sua Beatitudine , e per le voftre
fcritte a me , vifto che voi fperate in qualche parte nella reftituzione di Piacenza (ancorachè non fe ne creda cofa alcuna) ha penfato che fia bene di foperfedere l' ordine dato al Pighino , per non interrompere il cor-
fo di quefta voftra fperanza , attefo che nella fua commeffione quefta reftituzion fi pre-
fuppone in un certo modo per difperata . Imperò di nuovo li ha fatto fcrivere per corriero a pofta delli xxix. del paffato che , trovando che 'l Vefcovo , e voi perfeveriate in
quefta paftura , laffi negoziare a voi ; aju-
tando , e fecondando il voftro negozio fenza moftrare quel che fi contenga in quefta
parte nella fua Inftruzione . Il che conofco
che Sua Santità ha fatto con molto amore ,
e per gelofia piuttofto , che non fi poffa dire che 'l fuo procedere abbi fatto pregiudizio
alla reftituzione , che voi fperate (ancorachè fia contra ogni fua credenza) che per
ritirarfi da favorir le cofe noftre , o che fi
fia raffreddato da quel fervore con che ha
prefo quefto affunto fopra di fe . Imperò avete a tener gli occhi aperti ; e vedendo che
la pratica voftra abbia qualche fondamento ,
potrete tirare innanzi , e dare di tutto conto al Nunzio , ed a noi . Ma quando fia

pur

pur fondata in aria , come fi crede , e come
v' avete a sforzar di fcoprire quanto prima ;
in quefto cafo vi dovete ritirare , e laffare
ingerire nel negozio Monfignor Pighino , fecondo l' ordine della fua Inftruzione. Ma bifogna avvertire che 'l negozio incamminato
da voi , può effere interrotto da qualche avvifo di D. Diego : il quale io penfo che arà
dato conto coftà di quanto ha paffato Sua
Santità a bocca con lui , che farà ftato conforme all'Inftruzione data al Pighino, e pre-
fupporrà medefimamente la defperazion della
reftituzione. A che mi pare che debbiate replicare , che 'l ragionamento di Noftro Signore feco, può effere ftato per un certo modo di difcorrere , e di toccar le cofe ; ma
che con effetto non hanno a penfare che l'
intenzione di Sua Santità fia quefta ; e che
quefto negozio non ha da paffare per le fue
mani, come fi vede che non gli è ftato commeffo . E moftrate che noi altri non ce ne
poffiamo contentare , nè averlo per confidente , dovendoci per molte cagioni effer fofpetto . Così anderete tant' oltre ftringendo , e
follecitando la rifoluzione , che fiate chiaro
fe quefte voftre fperanze hanno corpo . E
chiariti di non , toglietevi fubito , come ho
detto , dalla voftra pratica , e laffate che 'l
Nunzio attacchi la fua ; avendo fempre la
mira che la lunghezza della voftra rifoluzione non ritardi la buòna intenzione , e là
fperanza che tien Noftro Signore di venirne

prefto

presto a capo per la via presa da Sua Santità. In conclusione non vi andate gabbando da voi medesimi (*a*). *Se vi è fondamento in quello mi scrivete, cercate venirne al fondo piuttosto che potete. Io non ne credo niente per la parte mia, e non vorrei dargli occasione di perder più tempo; perchè di là non si cerca altro, e per noi fa la brevità. Sicchè attendete a spedirvene, ed, in evento che non vi sia altro, lassiate la negoziazione dell' Instruzione prima a Monsignor Pighino; al quale servirete, e porretegli in mano ogni cosa, come a quello che ha la negoziazione lui totale. Sollecitate di cavar le mani della tratta di Sicilia, avvertendo che la mia licenza ha da esser di mille salme più dell' ordinaria.*

Di Gradoli, alli iii. d' Agosto M D L.

219   *Al Vescovo di Fano.*

SApendo per lettere di Messer Giuliano, e di Vostra Signoria, e per quel che intendo, che Vostra Signoria scrive a Nostro Signore, con quanto amore e sollecitudine ella continua di travagliarsi nelle cose nostre; ancorachè non mi sia nuovo (avendone per l' addietro veduti tant' altri segni ed effetti) non voglio però mancare di mostrarle

le

(*a*) Di mano del Cardinale.

le almeno, ch' io conofco quefta fua affezione, e quefta cura che tiene di noi altri,
e di ringraziarnela, come fo con quefta.
Pregandola ancora, che non fi ftanchi di tirare a fine quefta pratica; ricordandole folamente che vi fi defidera la preftezza della
rifoluzione: la quale, o conclufione, od
efclufione che ne fegua, ci farà gratiffima; attefo che ftanchi omai di quefta sì lunga fofpenfione, attenderemo a metter l' animo in
pace, e contentarci di quel ch' è piaciuto a
Dio, ed a Sua Maeftà Cefarea. E, del refto rimettendomi a quel di più che da Meffer Giuliano li farà riferito, con tutto 'l core me l' offero, e raccomando.

Il dì fopraddetto.

211　　*Al Duca di Fiorenza.*

VENENDO il Cavalier Ugolino a Fiorenza per baciar le mani di Voftra Eccellenza della grazia che l' ha fatto a liberarlo della moleftia, che li era data fopra la fua Commenda; per effer così fervitor fuo, come
mio, e di fomma fede; ho penfato che fia
buon mezzo con effa a farli intendere tutto
quel che paffa con Sua Maeftà intorno al negozio di Piacenza. E, avendoli commeffo
quanto le ha da riferire, la prego fi degni di
darli piena credenza. E confidando che, dove ella potrà, non mancherà per fe medefima di facilitare, e favorire le cofe noftre,

non

non piglierò altrimente fatica di raccomandargliele . Ma riportandomi a quanto da lui le farà detto sopra di ciò, le bacio le mani. Di Gradoli, addì detto .

212   *Alla Ducheſſa di Firenze* (a).

Ho commeſſo al Cavalier Ugolino, il quale viene a Fiorenza per viſitar l' Eccellenza del Signor Duca, e la Voſtra, che in mio nome faccia la riverenza, ch'io debbo a uno, e l' altra . E prego lei che ſi degni d' aſcoltarlo benignamente ; e , quanto alla parte ſua, d' accettar da lui gratamente quei ſegni che le farà dell' affezione, e dell' oſſervanza che le porta . E in ogni ſua occorrenza , lo raccomando a Voſtra Eccellenza . Alla quale bacio le mani. Il dì detto.

213 :   *A Meſſer Curzio Fregipane.*

Con molto piacere inteſi , che Noſtro Signore avea fatto favore a tutti noi altri comunemente con degnar della ſua preſenzia l' abitazion noſtra : ma ſopra modo mi ſono rallegrato , che ſia riſoluto d' onorar particolarmente la mia . Vi ricordo che ſono demoſtra-

---

(*a*) Donna Leonora figlia di D. Pietro di Toledo Viceré di Napoli.

ſtrazioni che in Papa Paolo fel. mem. non erano coſì da notare, perchè le faceva per un ſolito; ma in Papa Giulio, il quale conoſco che 'l fa per farmi veramente favore, mi toccano l' anima. Voglio dire che non manchiate di riconoſcer l' onore, che Sua Santità mi fa, e queſta tanta ſua benignità verſo di me, con tutte quelle dimoſtrazioni, che ſi convengono dal canto mio: ringraziandola umilmente da mia parte, ed onorandola con tutti i ſuoi con ogni ſorte di riverenzia, d' amorevolezza, e di corteſia, e ſenza reſparmio. Io di quà v' ho ſubito inviato queſta mattina due ſome di queſti vini; che d' altri frutti del paeſe non poſſo preſentar Sua Santità. E ho mandato di qui intorno di molti amici, ed andrò io medeſimo a caccia per farvi qualche buona provviſione di ſtarnotti, e di fagiani, i quali, ſecondochè ſi aranno, coſì ſi manderanno con diligenzia. Fate che l' entrata di Sua Santità non ſia per la Cancelleria, ma per l' altra Sala di là; perchè le ſtanze freſche ſieno ritirate per Sua Santità. Ordinate tavole diſtintamente per i gentiluomini, per i camerieri, e per gli altri, ſecondo ſi conviene; e paſcete ancora i Lanzi, e fate buona cera ad ognuno. Il dì ſopraddetto.

214 *All' Arcivescovo di Fiorenza* (a).

VOSTRA Signoria è informata della cosa di Marcello Alfani mio antico, e caro servitore; e si debbe ricordare che, avendo avuto in Camera la sua supplicazione segnata da Sua Santità, che la Camera la vedesse, fu vista da lei a chi la Camera la commise; ed ella dichiarò che fusse da concedere, e la soscrisse. Questa supplicazione così soscritta, è perduta, e per non aver di nuovo a farla passare a Sua Santità, per la brevità si desidera che segni la medesima nel medesimo modo, che fu segnata l'altra; e Vostra Signoria per ogni via può esser chiara che sia giustissima. La prego che sia contenta per mio amore di segnarla, ed, in tutto quel che può, di favorirla; accertandola che mi farà grandissimo piacere: perchè Marcello mi serve già molti anni, e non avendo avuto altro che questo, ed in patria sua, mi par d'esser tenuto a conservarglielo. E a Vostra Signoria m'offero, e raccomando.

Di Gradoli, addì detto.

215 *Al*

(a) Antonio Altoviti di Firenze, eletto Arcivescovo nel 1548. Dimorò lungamente in Roma, di che rende ragione l'Ughelli.

215 *Al Vescovo di Perugia.*

VOSTRA Signoria conosce Marcello Alfani, e sa quanto tempo m' ha servito ; ed io so quanto ben mi pare d' esser tenuto, ch'almeno quel poco di grazia, che gli è stata fatta in tutto il tempo della sua servitù, li sia mantenuta. Li fu dato in Perugia non so che, che ora li vien travagliato ; ha bisogno di favore co i Cherici di Camera, e spezialmente con l' Arcivescovo di Fiorenza. Prego Vostra Signoria che, ancora per amor mio, sia contenta di raccomandarlo, e, bisognando, fare una parola con Nostro Signore ; acciocchè abbia interamente il suo desiderio. E dal merito, e dalla lunghezza della sua servitù Vostra Signoria può facilmente considerare quanto questo offizio mi farà grato, e l' obbligo ch' io glie n' arò. E a Vostra Signoria m' offero, e raccomando.

Il dì sopraddetto.

216 *Al Podestà di Bolsena.*

MESSER Domenico Picioro d'Acquapendente m' espone, che del tempo, ch' egli fu Podestà in quel loco, resta creditore di quella Comunità di non so che somma, secondo che vi farà costare; e che li fu dato un certo assegnamento, del quale non s' è potuto valere fino a ora. E, perchè giusta cosa è

che

che fia fatisfatto, non mancate o d' aſtringere quelli a chi fu drizzata la Bolletta del
ſuo credito, che la paghino eſpeditamente ;
o, conoſcendoci lunghezza, o difficoltà ad
eſigerla, far che la Comunità ripigli queſto
debito, e l' accordi quanto prima, come è
ragionevole. E bene valete.

Di Gradoli, il dì già detto.

217　　*Al Cardinal di Ferrara* (a).

MANDO a Voſtra Signoria Reverendiſſima cinque fagianotti per tributo de' cani, e
degli uccelli ſuoi, che gli hanno preſi ; della bontà de' quali ſi può chiarire da queſti
frutti che ſe ne cavano. E s' io fuſſi altrettanto buon cacciatore, n' arei mandati prima, e più di queſti ; ma in loco della ſoffi-
cienzia noſtra ſi degnerà di pigliar la buona
volontà, e goderſi queſti pochi per amor
mio ; ricordandoſi che le ſon ſervitore, ed
affezionato. E umilmente le bacio le mani.

Di Gradoli, alli iv. d' Agoſto MDL.

218　　*Al Reverendiſſimo di Silva.*

Ho ſopraſſeduto di riſpondere alla lettera
di Voſtra Signoria Reverendiſſima per farlo
di

____

(a) Ippolito II. d' Eſte, fatto Card. da Paolo III.
nel 1538.

di mio pugno ; ma non m' è venuto anco*
fatto , parte per effere in queſto licenziofetto
anzi che nò , e parte perchè la caccia me
n'ha diſtolto ; della quale , perchè Voſtra
Signoria Reverendiſſima mi ſcuſi , le mando
fino a 4. ſtarnotti . Degniſi goderſeli per a-
mor mio , e con queſto poco d' offerta ſo-
ſtenga il digiuno della riſpoſta , la quale non
mi contento , che ſi faccia, ſe non da me
medeſimo . E intanto umilmente me le raccomando . Addì detto .

220   *Al Cardinal S. Angelo.*

Il Reverendiſſimo Camerlingo m' aſpetta
a S. Fiore , dove avendo ad eſſere ancora il
Duca Orazio , è bene che ſia ancora Voſtra
Signoria Reverendiſſima ; perchè avendoſi a
conferire , e riſolvere alcune coſe noſtre , è
bene che ſiamo tutti inſieme . Imperò l' aſpetto qui quanto prima , perchè andiamo di
compagnia . E le bacio le mani .

  Addì detto .

220   *A Meſſer Curzio.*

Mando a poſta al Cardinal di Ferrara
cinque fagianotti , e quattro ſtarnotti al Cardinal di Silva . *Ornate munus verbis.* Maſtro
Nanni ſe ne torna , e ſon reſtato ſeco che 'l
pavimento della Cappella , perchè corriſpon-
da alla bellezza del reſto , ſia ancora eſſo ben

lavo-

lavorato : e mi fon rifoluto, che fia di mat-
toni intagliati , ed arrotati , come egli vi
dirà . e così che gli fcanni d' intorno fiano
ancora effi onorevoli , poichè mi fono imbar-
cato in quefta Cappella ; e mi contento che
vi fi fpendano fino a 100. Scudi , e che fi
faccino quanto prima , perchè al mio ritorno
la trovi finita di tutto ; perchè della pittu-
ra fon certo che 'l Salviati (a) vi fervirà
prefto . Sollecitate che fi fpedifca quanto più
tofto fi può la Crocetta, che fi fa per Monfignor d' Aras , della quale prefe cura Aleffandro Greco , fe 'l Cardinal Maffeo non ha
fatto altro bifogno. E, altro non occorrendo,
fon voftro.

Di Gradoli, alli iv. di Luglio MDL.

221   *Al Vefcovo di Perugia .*

SON ricerco da chi può molto con me ,
ed ama affai Meffer Ercole Fantuzzi , gentiluomo

(a) Francefco Salviati , Fiorentino . Di lui fcrive il Vafari Tom. III. pag. 120. dell'edizione di Roma 1760. *Gli fu dal detto Cardinale (Farnefe) per
mezzo di M. Annibal Caro . . . . data a dipingere la
Cappella del palazzo di San Giorgio , nella quale fecè
belliffimi partimenti di Stucchi , ed una graziofa volta a frefco con molte figure , e ftorie di San Lorenzo :
e in una tavola di pietra a olio la Natività di Cri-
fto , accomodando in quell' opera , che fu belliffima ,
il ritratto di detto Cardinale .*

luomo Bolognese, che interceda appresso di Vostra Signoria che ella si contenti che le sia servitore domestico, come l' è ora d'affezione: intendendo esserle persona assai nota, e di qualità, che se ne terrà servita ed onorata. E di più che non si cura di gravarla presentemente di questo, ma solamente quando, per miglior fortuna, potrà con più suo comodo trattenerlo. Io prego Vostra Signoria che per amor mio sia contenta d'accettarlo da ora per quel tempo, ed assecurarlo che in questo caso non sia per mancarli; che, oltrechè farà acquisto, per quanto intendo, d'un buon servitore, ne farà piacer singolare ancora a me, che desidero di satisfare a chi me ne ricercano. E a Vostra Signoria m' offero, e raccomando.

Di Gradoli, addì detto.

222 *Al Cardinal di Monte.*

MESSER Ascanio Celso ha una sua differenza in Camera nostra contra Messer Alfonso Maria Accolti sopra lo spoglio del Reverendissimo di Ravenna. E, per esser antico, ed uno de' cari servitori ch' io abbia, non posso fare chè non lo raccomandi, siccome fo, grandemente a Vostra Signoria Reverendissima che si degni prestarli il suo favore per il giusto in Camera, e dovunque per tal causa li farà necessario: che a me ne farà piacere singolare, e le ne resterò con

Q 4 obbli-

obbligo grandiſſimo. Ed a Voſtra Signorja Illuſtriſſima, e Reverendiſſima mi raccomando.

223 *Al Vicelegato di Viterbo.*

MAESTRO Jacomo Scarpellini è molto
mio ſervitore, e per qualche riſpetto io non
li poſſo mancare. Lo raccomando a Voſtra
Signoria con poche parole, ma con tutto il
core. Intendo che per colpa d' un Gio. Batiſta, ſuo nipote, li ſono moleſtate alcune
robe, le quali ſono ſue proprie, e non di
detto Gio. Batiſta; come dice che vi farà
coſtare. Vi prego che, per il dovere e per
amor mio, ſiate contento di liberarlo da queſta moleſtia; che certo me ne farete piacer
ſingolare: ed a rincontro m' offero prontiſſimo ad ogni voſtro comodo. Il dì detto.

224 *All' Auditore del Duca Orazio* (a).

VOI dovete ſapere in che grado di ſervitù ſia appreſſo di noi Meſſer Agolante, e
quanto tempo ci abbia ſervito; ed avete a
ſapere che, per parte del merito ſuo, li fu
conceduta da noſtro Padre l' eredità di Giovan Seneſe, abitante in Valentano. Io penſo

____

(a) Orazio Farneſe, Duca di Caſtro, altro fratello del Cardinale.

fo che arete confiderazione alla concefficne del Duca, buona memoria, il quale gli la diede, perchè gli la poteva dare; e noi ce l'avemo a mantenere. Tuttavolta io vi dico che mi farete piacere ad informare il Duca così della giuftizia di Meffer Agolante, come del debito noftro in quefto cafo: e liberarlo dalla moleftia, che li vien data da una Donna, la quale, intendo, li dà faftidio con titolo d'effer fua nipote. E ftate fano. Alli iv. d'Agofto MDL.

225   *A Noftro Signore.*

Mi fi fcrive che Voftra Santità difegna di mutare il Governator di Fano. Se le pareffe che Meffer Bernardo Cappello (*a*) foffe a propofito, come pare a me, lo raccomando alla Santità Voftra; sì perchè tengo che fia buona elezione per quel loco, come perchè quefto povero Gentiluomo ha bifogno d' ajuto; e per la bontà, e vertù fua lo merita,

rita,

(*a*) Bernardo Cappello, Gentiluomo Viniziano, e Poeta chiariffimo di quei tempi, che, bandito della patria, preffo i Farnefi in Roma fi riparò; e colla protezione del Cardinale Aleffandro, che molto lo amava, ottenne da Paolo III. diverfi governi di Città nello Stato Ecclefiaftico. Vedi la vita di lui fcritta dall' Abate *Pierantonio Seraffi*, ch' è premeffa al Tomo II. delle fue *Rime* ftampate in Bergamo nell' anno 1753.

rita, e per mia intercessione lo spera da Vostra Beatitudine. Alla quale umilissimamente bacio il Santissimo piede.

A' cinque detto.

226 *A Messer Paolo Mario.*

Ho mandato di nuovo sollecitando il Reverendissimo Camerlingo per la conclusione del negozio di Montemarciano, e propostoli i modi, che mi scrivete, di riscindere la convenzion fatta; i quali non so come saranno presi per legittimi da ognuno. Ma io ne l' astringo quanto posso, e sto aspettando la sua risposta, la quale vi manderò subito. Intanto sarà con questa la lettera, che mi domandate a Nostro Signore, per impetrare il Governo di Fano in persona del Cappello; e mi sarà caro che l' ottenga. Vi ringrazio degli avvisi, e vi prego a continuare. Date ricapito all' inclusa, e state sano.

Di Gradoli, alli v. di Agosto MDL.

227 *Al Doanero di Viterbo.*

INTENDERETE per molti, che se ne querelano, i modi che tengono i vostri Agenti di Toscanella co' nostri Vassalli: che nelle terre, che hanno prese a lavorare, quello che era quattro stara di semente l' hanno intavolato per quattro some. E offerendo che si misurino di nuovo, e ricercandoli, non ci
si pos-

fi poſſono condurre ; uſando alcune inſolenze che non ſono da comportare. Io vi prego che rimediate , che co' noſtri Vaſſalli non ſi tenghino di queſti termini ; che , oltrechè il dover lo comporta, io lo riceverò da voi per piacere grandiſſimo : e m'offero prontiſſimo a ogni voſtro comodo. Il dì detto .

228   *Al Duca Orazio.*

MAESTRO Elia Barcaruolo da Capodimonte con alcuni altri deſidera una eſenzione del dazio ordinario , con obbligo d' eſſer tenuti a ſervire a tutti della Caſa ſenza pagamento , ſecondochè da Noſtro Signore , quando era Cardinale , fu conceſſa a molt' altri ; della quale conceſſione ho viſto l' originale, e potrà vedere ancora Voſtra Eccellenza. Mi pare che, con l'eſempio di Sua Santità, ella poſſa far queſto bene a loro , è queſta comodità continua alla Caſa ; il che deſidero per eſſerne pregato da loro . E le raccomando ſpecialmente Maeſtro Elia . Voſtra Eccellenza attenda a ſtar ſana.

Il dì detto.

229   *Al medeſimo Signore.*

LA Comunità di Canapina m'ha mandato queſti ſuoi per conto della controverſia de' confini , che è tra loro , e Valentano . E' bene che Voſtra Eccellenza vi metta la ma-

no

no a ogni modo, e quanto prima, perchè
mi par cofa di mala digeftione, e dubito che
non ne fegua difordine. Per ora non mi foc-
corre altro modo, che quello che intendo effer propofto dall' Auditore : di ponere i termini nei lochi, che ciafcuna parte ha per
rifolutamente fuoi, e quello che è dubbio a
giudicare a Voftra Eccellenza, farlo comune
con quella avvertenza di più che le parrà.
Che per adeffo, in quefto, o in altro modo
che fi rifolva, bafta affai ; pur che fi toglia
via l' occafione degli fcandali. Di grazia Voftra Eccellenza non trafcuri quefto negozio,
e attenda a confervarfi.

Di Gradoli, il dì fopraddetto.

230   *Al Poteftà di Bolfena.*

La caufa di Brancazio defidero che fia
confiderata da voi maturamente, e determi-
nata fommariamente. Non mancherete di far
l' una cofa, e l' altra, perchè mi pare, che
così fi provveda al dovere, e alla comodità
delle parti. E ftate fano.

Di Gradoli, alli vi. di Agofto MDL.

231   *A . . . .*

La Comunità di Bolfena non mancherà
di pagare le fue porzioni del fuffidio trien-
nale, ed io ho dato ordine che rifponderan-
no fenza manco ; ma bifogna che per amor

mio

mio le diate fpazio di poterlo fare , e che
intanto non fieno magnati dagli efecutori .
Imperò vi prego fiate contento di farmi quefto piacere d' afpettarli da qui innanzi due
mefi del principio che devono le paghe ; ch'
io prometto per loro che non mancheranno .
E , fenza far pregiudizio alla voftra efazione,
farete a me molto piacere , e molto comodo
a quella Comunità . E a rincontro m' offero
prontiffimo ad ogni voftro piacere.

Di Gradoli, addì detto .

232 *All' Auditor del Duca Orazio .*

SARETE informato dall' appòrtatrice ,
della caufa che verte tra lei , e la moglie di
un fuo compare ; che , fecondochè mi viene
efpofto , mi par ch' abbi ragione : domandando d' effer rifatta delle fpefe , che indebitamente le ha fatto pagare per l' infermità , e
morte del marito ; le quali furon fatte delle
robe del marito proprio , e non di quel del
fuo compare , còme ne moftra fede autentica . Vorrei che , oltre alla fua ragione , le
giovaffe ancora la mia raccomandazione , e
che fommariamente foffe fpedita . E voftro
fono. Di Gradoli, addì detto.

233 *Al Duca Orazio.*

HO bifogno di fervirmi del Poteftà di Gradoli per Bolfena , parendomi atto agli umori
di

di quel loco . E , avendoſi a provveder qui d' un altro , ho dato intenzione a Ser Franceſco Siperozio da San Lorenzo , che Voſtra Eccellenza ſi contenterà d'elegger lui per Gradoli . E , perchè deſidero di compiacerlo , mi farà piacere a contentarſene , e dare ordine che vi ſia meſſo . E attenda a conſervarſi.

Di Gradoli , addì detto .

234   *Al Cardinal Durante.*

PER parte degli eredi di Marco da Viſſe mi vien di nuovo replicato che , non oſtante la ragione ch' eſſi hanno nella roba del padre , la quale è per indiviſa con gli altri eredi de' lor zii , e la poſſeſſione , la quale Voſtra Signoria Reverendiſſima ne dette loro , non ne poſſono venire a capo ; perchè fuggono di venire alla partizione , e tengono poco conto del precetto di Voſtra Signoria Reverendiſſima . Io la prego che , così per la giuſtizia , come per compaſſione di queſti poveretti che ſono diſtraziati da loro , ſi degni provvedere , che la partizione abbia eſfetto , e la poſſeſſion della parte loro ſia eſfettualmente eſeguita : che , oltrechè farà coſa ragionevole , e pietoſa , a me farà coſa gratiſſima per eſſer de' noſtri vaſſalli . E umilmente le bacio le mani . Il dì ſopraddetto .

 Al Cardinal Sermoneta (a).

TUTTI i contenti di Voſtra Signoria Reverendiſſima, ed Illuſtriſſima ſaranno ſempre comuni con me, perchè io l' amo a par di me medeſimo; e ſpezialmente mi rallegro ſeco dell' accoglienze, che ſono ſtate fatte in Francia al ſuo Mandato, e della ſperanza, che Voſtra Signoria Reverendiſſima n' ha conceputa, e più degli effetti, che fino a ora n' ha ritratti; i quali ſon tali che le poſſono eſſere un' arra certiſſima di progreſſi maggiori, coſì per i meriti ſuoi, come per la liberalità di Sua Maeſtà Criſtianiſſima. L' eſorto a non mancare, come veggo eſſer diſpoſta, di preſentarſi alla Maeſtà Sua; che ſe di lontano, e non l' avendo mai veduta, è coſì ben inclinata verſo di lei; quanto maggior acquiſto deve penſar di fare con la preſenzia? E quanto più preſto lo farà, più lo giudico a propoſito, ed io lo deſidero ancora per mio contento: preſupponendo di rinnovar col ſuo mezzo la memoria della ſervitù,

ch'io

(a) Niccola Gaetano, de' Duchi di Sermoneta, fatto Card. da Paolo III. in età di 10. anni in circa nel 1535. Sermoneta è un groſſo Borgo nella Campagna di Roma, ſituato ſopra una Collina, con titolo di Ducato, che apparteneva alla nobiliſſima famiglia Gaetano.

ch' io prefi già tant' anni con Sua Maeſtà
Criſtianiſſima ; alla quale io la ſupplico che
ſi degni di preſentare ancor me per quel ſervitore che le ſono . E pregando Iddio , che
a Voſtra Signoria Reverendiſſima conceda con
la Maeſtà Sua quella buona fortuna , che
ella medeſima deſidera ; a lei quanto poſſo
mi raccomando . E umilmente le bacio le
mani .

Di Gradoli , addì ſopraddetto .

236   *A Monſignor Nicolas .*

L' ESSERE andato queſti giorni in volta , e non avere appreſſo il Segretario , m'ha
fatto indugiare in fino a ora a riſpondere alle lettere di Voſtra Signoria ; benchè poco
altro ho da dirvi , ſe non che l' ho ricevute , e che mi ſon cariſſime ; e le leggo con
quel guſto che meritano le notizie , che contengono , ed i prudenti diſcorſi che vi ſono ,
e ſpeſſe volte le profezie che ſe ne cavano .
Se non vi fo menzione di tutti i capi che
ſcrivete , è che non parmi neceſſario ; ed anco mi perdonerete ſe talvolta ſon negligente
a non riſponder coſa alcuna ; perchè queſta
ſorte di ſcrivere non laſſa appicco alcuno , e
finiſce con gli avviſi , de' quali non ſi può
dir altro , ſe non che ſon grati , come ho
detto , e che ne la ringrazio come fo . E la
prego a continuare con la medeſima diligenza ; accertandola che trovandomi , ſi può

dire ,

dire, in folitudine, non intendo altro delle cofe del mondo che quanto mi viene fcritto da voi. E mi v' offero, e raccomando fempre. Il dì detto.

237   *Al Teforiero Poggio* (a).

RINGRAZIO molto Voftra Signoria che fi ricordi di me, e conofco l' affezion che mi porta : prego Dio che mi conceda grazia di poterla ancor riconofcere ; e n' ho tanto defiderio, e m' ingegnerò tanto di farlo, che fpero pur che mi verrà fatto. La ringrazio ancora della diligenza ufata in rimettere la pàga al Duca Ottavio, e fto tutto contento che abbia a ordine l'altra ; perchè Voftra Signoria fa quanto fia il bifogno di quella Città, e con quanta gelofia vi fi viva. E, poichè Noftro Signore con tanto fuo difpendio fi degna di provvederla, io la prego che non ci voglia mancar della fua fomminiftrazione ; effendo le cofe in termine tale che ogni dilazione potrebbe partorire uno errore incorreggibile. Voftra Signoria è prudentiffima, e fo che ci ama ; del refto mi rimetto a lei. Quanto al ritorno a Roma, io fpero di veder piuttofto Voftra Signoria da quefte

Vol. I.   R   ban-

(a) Giovanni Poggio, Bolognefe, poi fatto Card, da Giulio III. nel 1551.

bande; poichè intendo che Nostro Signore è
pur rifoluto d'uscir alla campagna. E spero
che la Santità Sua mi farà così favore di
farsi mio ofpite di villa, come ha fatto della Città. E spezialmente si serba una capan-
netta per Vostra Signoria, alla quale intanto
m'offero, e raccomando.

Di Gradoli, il dì sopraddetto.

238   *Al Duca Ottavio.*

ALLA giunta del Bonello, che fù alli
vi. mandai subito la notte seguente a Roma
ANNIBAL CARO con lettera di Vostra
Eccellenza, ed una mia femplice di credenza a Nostro Signore. Sua Santità intese AN-
NIBALE, e lesse la lettera attentissimamen-
te: e con tanta affezione, e diligenza si diede a penfare, e ordinare quanto le parve neceffario alla nostra domanda, e disse cose,
secóndochè da esso ANNIBALE mi fon riferite, che ne dovemo star tutti consolati;
fino a dire che non è mai per fopportare che
Parma si perda per difetto fuo, quando ben
ci mettesse la degnità, e la vita stessa; e
questo quanto alle parole (a). Gli effetti,

che

---

che ha voluto fare per ora, fon quefti. Non
è parfo a Sua Santità di fcriver cofa alcuna
all' Imperatore di quefte innovazioni fin a
tanto, che non intenda da D. Ferrante donde vengono. E fubito fece chiamare il Capilupo, uomo di D. Ferrante, e con lungo
ed efficace ragionamento li diffe quanto occorreva, e gli aperfe qual' era l' animo fuo
di non mancar mai al bifogno di Parma, così per l' affezione che porta alla Cafa noftra,
come per l' intereffe che la Sede Appoftolica
ha in quella Città; e li commife, che li
fcriveffe in quefta forma: che li diceffe da
Cavaliero fe l' animo fuo era d' offervare le
capitolazioni, che Voftra Eccellenza ha feco, sì, o nò: e fe l' innovazioni vengono
da lui, o da Sua Maeftà; che, fecondo la
fua rifpofta, fi vuole rifolvere di penfare al
rimedio di quella Città, e fcriverne all' Imperatore, o nò, fecondochè le parrà neceffario. E di più che li diceffe liberamente fe 'l
grano, che Sua Santità difegna di mandare
a Parma, fi contenta che paffi per Guaftalla fenza impedimento, che, facendolo, gliene farà piacere; quando nò, che lo mande-

R 2 rà

---

millo Orfini; il quale, concioffiachè per comando di
Paolo III. la guardaffe a nome della Chiefa, non la
volle confegnare fenza quella condizione. Oltracciò,
come s' è detto, fomminiftrava denari al Duca per la
guernigione della Città.

rà a ogni modo per terra , e non arà feco obbligo alcuno . Quefti due capi in foftanza contiene la lettera del Capilupo con molte altre circoftanze poi ; e tutto ha voluto vedere la Santità Sua avanti fi chiudeffe ; fcrivendoli oltre di quefto un Breve di credenza di quanto dal detto Capilupo li farà fcritto . Quefto fpaccio fi fece Domenica paffata , e fi mandò per corriero in diligenza , e Sua Santità procederà fecondo la rifpofta , come ho detto , di D. Ferrante . E in quefto , avanti che mi dimentichi , Voftra Eccellenza ha da avvertire che , quando quel corrier torna indietro , vegga la rifpofta che porterà ; perchè Sua Santità m' ha dato ordine che vi fi faccia intendere : e , perchè fia a tempo di farlo , ho fpedito il Bonello in diligenza . Sopra tutto , di parola di Sua Beatitudine , arete a fare ogni eftrema cura di guardarvi dall' infidie , così contra la perfona voftra , come contra la Città . E quefto ci protefta con molte efficaci parole , moftrando di tenere per certo che fiate infidiato . E , facendo quefto , vi eforta a ftar di buon animo , perchè fpera in Dio che non fi verrà a forza aperta : e , venendofi , non è per mancare , come s' è detto di fopra .

Voftra Eccellenza darà ordine, che fi mandi una copia delle Capitolazioni , perchè , avendo a fcrivere alla Corte, qui non fi trovano .

Di Gradoli, alli xiii. d' Agofto MDL.

239 A

239 *A Noſtro Signore.*

PATER Sanɛte . Intendendo che Monſignor Bloſio (*a*) ſta gravemente malato, deſidero prima la vita ſua, come di perſona degniſſima di vivere, benemerita della Sede Appoſtolica, e mio cariſſimo amico. Di poi, quando a Dio piaceſſe di tirarlo a ſe, propongo alla Santità Voſtra in ſuo luoco Meſſer Romolo Amaſeo (*b*); sì perchè ſon tenuto a farlo, per avermi, ſi può dire, allevato e diſciplinato, come perchè l'ho per uomo rariſſimo, e meritevole d'un tale offizio, per le molte buone qualità, che ve lo rendono attiſſimo, e ſpezialmente per l'eccellenzia dello ſcrivere latinamente. Nella qual parte penſo che pochi li ſiano pari, e che appreſſo a tutte le nazioni, i Brevi, e le Lettere della Santità Voſtra ſaranno per ſempre celebratiſſime. Onde così per i ſuoi meriti, come per l'affezion che li porto, ſupplico umilmente alla Santità Voſtra ſi degni

R 3

gni

(*a*) Bloſio Palladio, Veſcovo di Fuligno, chiariſſimo letterato de' ſuoi tempi, e molto lodato ne' verſi latini di Marcantonio Flaminio.

(*b*) Romolo Amaſeo, nato in Udine di famiglia originaria Bologneſe, inſegnò con molta fama umane lettere in Padova, ed in Bologna; e in queſta città fu maeſtro del Card. Farneſe.

gni farmi grazia di servirsene ; che , oltrechè
farà una elezion degna di sè , io ne terrò obbligo eterno con Vostra Beatitudine , alla quale umilissimamente bacio il santissimo piede .
Il dì xv. d'Agosto già detto.

240   *Al Cardinal Maffeo.*

RITORNANDO ANNIBALE m' ha
detto aver lasciato Monsignor Blosio in pericolo di morire ; il che piaccia a Dio che non
sia . Ma , quando pur li piaccia che abbia finito i suoi giorni , ricordo a Vostra Signoria
Reverendissima l' elezion ch' era già destinata
di Messer Romolo Amaseo dalla felice memoria di Paolo ; l' obbligo che tengo con lui ,
e la sua sofficienza ed esperienza per eserci-
tar questo offizio . N' ho scritto a Nostro Signore in quel modo che m' è parso ; e , stando le rare qualità dell' Amaseo , penso che
Nostro Signore sarà benissimo inclinato a riconoscerlo . Tuttavolta vorrei che Vostra Signoria Reverendissima fusse contenta ancor per
amor mio far quell' offizio sopra ciò con Sua
Santità , che le pare opportuno , perchè l' ottenga ; potendo quella , più che alcun' altra
persona , farle testimonio del suo merito , e
delle fatiche ch' egli ha durate ancora nella
Segretaria , contuttochè non fusse nell' offizio . E per questo non occorrendo altro , a
Vostra Signoria Reverendissima umilmente mi
raccomando. Addì detto.

241   *A Monsignor d' Imola.*

D A due vostre lettere, e dalla relazione,
che m' è stata fatta dal C A R O , resto pienamente ragguagliato di quanto è seguito con
Nostro Signore , così di quello che ha commesso che si scriva a D. Ferrante , come di
quel che disegna che si negozj poi con Sua
Maestà Cesarea . E di più sono informatissi-
mo della cura , e dell' affezione vostra a benefizio delle nostre cose : e ve ne ringrazio ,
e ve ne tengo quell' obbligo , che si conviene ; pregandovi a darci quanto prima avviso
della risposta d' esso Signor D. Ferrante, e di
quel che s' arà dalla Corte dal Nunzio Pighino. Supplicando a Sua Beatitudine da mia
parte che , secondo la sua prima e santa deliberazione , commetta che si negozj il contenuto dell' Instruzion data al prefato Monsignor Pighino: facendole fede che non ho punto di speranza nella vanità degli amici di là ,
e che io aspetto tutto quel di buono , o almeno di risoluzione , ne può venire in questo negozio , dal favore della Santità Sua .
Alla quale vi piaccia baciare umilmente i
piedi da mia parte . E , senz' altro dire , mi
v' offero , e raccomando .

. Di Gradoli, addì detto.

242 *Al Duca Ottavio.*

IER mattina, che fummo alli xiv., comparfe Meffer Marc'Antonio Venturi con l'Inftruzione di Voftra Eccellenza ; e la fera avanti le avea fpedito il Bonello con quanto avea riportato ANNIBAL CARO da Roma da Noftro Signore . Sto afpettando quel che D. Ferrante rifponde alle domande di Sua Santità , fenza la qual rifpofta non parmi che fi debbia deliberar cofa alcuna . E per quefto non m' è parfo che Meffer Marc' Antonio vadia a Roma di lungo ; perchè, come ho già fcritto , l' ultima rifoluzione di Sua Beatitudine è ftata che , fecondo la rifpofta di D. Ferrante , negozierà con l'Imperatore, e fecondo la rifpofta dell' Imperatore provvederà ai bifogni di Parma ; intendendo però del bifogno ultimo , fopra del quale difcorre Voftra Eccellenza nella Inftruzion data al Venturi : che di quefto prefente , cioè di munire la Città di grani, e di provvedere all' infidie dentro, e fuori, Sua Santità non vuole mancar d' ogni fua diligenza ; ed eforta l' Eccellenza Voftra, e noi altri a non mancar dal canto noftro ; intendendo che per il fopplimento di quelli fanti di più , che penfate di fare , fi fpenda del voftro per non avere Sua Santità più poffibilità che tanto . Imperò non lodo che li fi domandi più provvifione, come dice l' Inftruzione del Venturi ;

ri ; ma mi contento bene che per queſto biſogno ſi ſpenda del Depoſito , e che in tutti
i modi v' aſſeouriate ; che , ſe per noſtra negligenza non naſce diſordine , Sua Santità
ſpera d' aver tempo e modo o d' aſſettar le
noſtre coſe con Sua Maeſtà , o di far qualche altra coſa a benefizio noſtro ; moſtrandoſi
prontiſſimo a correre una fortuna con eſſo
noi , quanto alle coſe di Parma . Onde che
avendo queſto tempo m' è parſo di mandar
Meſſer Marc' Antonio al Cardinal Santa Croce , il quale ſi trova di preſente ad Agubbio ,
col quale ſi conſulterà la ſua Inſtruzione . E ,
intanto che egli ſia tornato , ſarà tornato ancora il corriero di D. Ferrante , e andrà Meſſer Marc' Antonio a Roma , e forſe che dalla Corte ci ſarà qualche avviſo da ſcoprir
più paeſe . In queſto mezzo m' è parſo che
Voſtra Eccellenza ſappia quanto paſſa , e ſerbandomi al ritornò di Meſſer Marc' Antonio
a dirle il ritratto di quel che ſi farà da Sua
Santità , ed anco il mio giudizio , con queſto fo fine .

Di Gradoli , alli xv. del detto (*a*) .

Nel termine che vi trovate , mi pare il più
pericoloſo , che vi poſſa avvenire ; però non
mancate a voi medeſimo , nè perdonate a ſpe-
ſa , finchè vi aſſecurate e dentro , e fuori . E

ſopra

(*a*) Di mano del Cardinale .

sopra tutto mettete più grano che potete, mentre le cose si trattano. Del resto Marc' Antonio verrà poi instrutto del tutto.

Guardatevi dalle insidie.

243　　　*Al Signor Paolo Vitelli.*

DAL Bonello, il quale a quest' ora sarà giunto, arete inteso la provvision che si è fatta con Nostro Signore. E, venendo a tempo avanti alla tornata del corrier di Milano, arete forse a quest' ora vista la risposta di D. Ferrante; che per ordine di Sua Santità s' è scritto al Duca, che l' apra, e secondochè risponderà, si spedirà, o non ispedirà alla Corte. Intanto avemo a far diligenza di due cose: l' una finire (*a*) la Città di grano, e a questa in ogni caso avemo il Papa disposto ad ajutarci, e farlo condurre ancora per terra, bisognando; tanto che per questo non ci avemo a perdere. L' altra è che vi guardiate dall' insidie dentro e fuori; ed in questo non perdonate al Deposito, nè a spesa alcuna; perchè questo è quasi maggior pericolo, che abbiate, e bisogna sostenersi qualche giorno, perchè spero che 'l tempo poi parturirà qualche cosa a beneficio nostro. Fate le vostre

---

(*a*) Così nel MS. per isbaglio del Copista: e dee leggersi *fornire*.

ſtre diligenze voi , e non vi perdete d' animo , che aremo ancor noi de' Santi in Paradiſo . E voſtro ſono.

Di Gradoli, alli xv. d' Agoſto MDL.

244 *Al Locotenente del Vicario del Papa.*

NE coſta che Pietro di Caccia , e Menico di Ciuccia, e Ser Batiſta Peregrino da Santo Reſto., miei Vaſſalli , ſono innocenti di quanto vengono imputati , e di più che ſono veſſati ingiuſtamente; tuttavolta, ſe ſcrupolo neſſuno ne reſtaſſe , al mio ritorno a Roma ſi vedrà tutto diligentemente . Intanto , poichè i proceſſi ſon fatti, e che la verità non può più perire , vi ſoſpendo la cognizion di queſta cauſa ; e vi dico che li liberiate per ora da ogni moleſtia , per modo che poſſino andare a fare i fatti loro. E bene valete. Di Gradoli, alli xv. di Agoſto MDL.

245 *Al Maratino Auditore dello Stato.*

OGNI dì m'è rotta la teſta della cauſa di Brancazio contra Lombardozzo , e di Jeronimo di Pier Franceſco contra Meſſer Placido ; nell' una, e nell' altra della quale ſono informato che la ragione ſi moſtra evidentemente. Non mancate di terminar quanto prima, e di modo che non ne ſenta più faſtidio . E bene valete.

Di Gradoli, addì detto.

246 *Alla Signora Giulia Sfondrata.*

AL dolor, ch' io aveva della già udita morte del Reverendiſs. Monſignor noſtro (*a*), è ſopraggiunta la lettera di Voſtra Signoria, che rinfreſcandomi il mio, e rappreſentandomi il voſtro, m' ha fuor di modo ripieno d' afflizione, e di compaſſione. E, perchè per molte giuſte cagioni ella può facilmente conſiderare, ch' io ho fatto queſta perdita comune con lei, e che a par di lei me ne debbo dolere, non ne deve attender da me altro conforto. E quanto al continuar d' amare la Signoria Voſtra, e li figliuoli di Sua Signoria Reverendiſſima, e gli altri ſuoi tutti; poſſono ſecuramente ſperar da me tutto quel che poſſono le facultà, l' autorità, e l' amor d' uno che foſſe quel ſervitore, ed amico, e fratello di Sua Signoria Reverendiſſima che 'l mondo ſa ch' io ſon ſtato. E, pregando Iddio che la conſoli, me l' offero, e raccomando ſempre.

Di Gradoli, alſi xv. di Agoſto MDL.

247 *Al*

(*a*) Il Cardinale Franceſco Sfondrato morì d' anni 56. nel dì 31. Luglio 1550. Prima di abbracciare lo ſtato eccleſiaſtico ebbe moglie, e di lei due figliuoli, Paolo, e Niccolò; e queſti ſalì di grado in grado nella Corte di Roma fino ad eſſer Papa col nome di Gregorio XIV.

247   *Al Signor Baldaffar Rangone.*

Con molto difpiacere ho intefo la morte
dell'Illuftre Signora Madre di V. Signoria; sì
per effere mancata una Signora degna di vita, e da me molto offervata, sì per l'afflizione, e per il danno, che arà Voftra Signoria d'una tal perdita. Pure tutti avemo
a morire; e alla prudenza, e coftanza d'un
Signor voftro pari s'appartiene di recarfelo in
pazienza; ed io condolendomene feco, l'e-
forto a confolarfene, e fopplir con la propria diligenza ai fuoi bifogni; e la prego,
che confidi in me di tutto ch'io poffo a fatisfazione, e benefizio fuo. E, fenz' altro
dirle, me l'offero, e raccomando.

Di Gradoli, alli xv. d'Agofto MDL.

248   *A Meffer Curzio Frangipane.*

Non ho molto che dirvi, fe non che
refto fatisfattiffimo della diligenza ufata nel
ricevere di Noftro Signore, della quale fono
ftato appieno informato, fpezialmente dal
Caro. E perchè mi dice da parte voftra
con quanta prontezza s'è moftro il Reverendiffimo di Ferrara in accomodarne di tutti i
fuoi arnefi; io defidero, finchè io medefimo
ne lo ringrazj, che voi da mia parte li facciate fede del molto obbligo, ch'io ne tengo con Sua Signoria Reverendiffima, ed Il-
luftrif-

luftriffima ; e la facciate certa, che le dimoftrazioni , e gli effetti , ch' ella mi fa , mi
fono noti , ed accetti fopra modo , e che io
refto defiderofo di rendernele il cambio.

Per la morte di Monfignor Blofio è vaca-
to a Monteruofolo l' emolumento delle pofte,
e certo terreno , ch' io li conceffi . Vorrei ,
che quanto prima ordinafte che s' intraffe in
poffeffione dell' uno , e dell' altro , fenza afpettare che i fuoi vi facciano altra novità ;
perchè difegno difporne da qui innanzi a mio
beneplacito . Mandatemi per la prima occafione tre , o quattro guanti groffi d' aftori .
E, per quefto non occorrendo altro, ftate fano . Di Gradoli, il dì fopraddetto.

249　*Al Sala.*

V i fi manda inclufa la prefente fupplicazione di certe Moniche , ed afpetto quando
mi diciate quel che fi può fàre della remif-
fion , che domandano : che , non fi pregiudicando molto , defidero di compiacerle . E
bene valete . Il dì detto.

250　*Al Cardinal Sermoneta.*

C o n molto piacere ho intefo l' acquifto
fatto da Voftra Signoria Reverendiffima del
nipotino ; del quale mi rallegro con lei, col
Signor fuo fratello , e con la Signora Caterina , quant' io poffo , per l' allegrezza che
n' han-

n' hanno effi , e me ne congratulo per quella che ne fento io : che ne fò il medefimo conto , che fe Madama aveffe partorito un figliuolo del D. Ottavio ; e prego Dio , che ne dia a Voftra Signoria Reverendiffima quella contentezza , ch' ella medefima defidera . Mi rallegro ancora del profpero fucceffo delle fue cofe in Francia ; ed efortandola a non perdere l' occafione di valerfi dei favori , che fe le dimoftrano di là , le replico quel , che per altra l' ho detto , che folleciti di prefentarfi , quanto più prefto può , a Sua Maeftà Criftianiffima . E , fenz' altro dirle , umilmente le bacio le mani .

Di Gradoli, il dì fopraddetto .

151   *Al Vefcovo dell' Aquila .*

PER rifpofta di quanto Voftra Signoria mi domanda del giudice da furrogarfi in loco del Reverendiffimo Sfondrato , buona memoria , dico che mi confermo con l' oppenion fua . E Monfignor Reverendiffimo de' Medici , così per l' integrità fua , come per la confidenza che avemo in lui , mi pare molto a propofito . Imperò Voftra Signora farà ogn' opera di farla cadere in Sua Signoria Reverendiffima. Ed alla voftra (*a*) m'offero , e raccomando. Di Gradoli, a' xvi. detto.

(*a*) Cioè *Signoria* .

252 *Al Capitolo, e Canonici di San Pietro.*

AVANTI ch' io partiſſi di Roma, laſſai ordine al Reverendiſſimo Maffeo che pigliaſſe cura in mia vece delle coſe voſtre; e di poi ho ſcritto a Sua Signoria Reverendiſſima il medeſimo di qua, ſicchè penſavo aver già provviſto a queſta parte. E mi meraviglio che nelle occorrenze della Chieſa non ſi ſia ricorſo al detto Reverendiſſimo, il quale eſſendo pratico, ed amorevole degli affari del voſtro Capitolo, non può eſſer più a propoſito che ſi ſia; e, per amor mio, ſon certo che non mancherà di durarvi ogni fatica. Imperò, ſenza penſare ad altra provviſione, fate capo con Sua Signoria Reverendiſſima di tutto che vi biſogna. Il dì detto.

253 *Al Cardinal Savello* (a).

DEL negozio della penſione di Voſtra Signoria Reverendiſſima io non dubito che alla Corte di Sua Maeſtà non ſia ſtato fatto dai miei quell' offizio, e con quella caldezza ch' io ho commeſſo. Con tutto ciò fino a ora

non

(*a*) Jacopo Savello, Romano, di nobiliſſima famiglia, creato Cardinale da Paolo III. il dì 12. Decembre 1539.

non n' ho avviso alcuno ; che molto me ne meraviglio, e non resterò di replicarne . A Roma ho scritto al Reverendissimo Maffeo che sia contento d' esserne con Crescenzio , poichè già Nostro Signore s' era contentato del regresso di S. Angelo : e che fra l' uno , e l' altro si solleciti la spedizion del restante. E Vostra Signoria Reverendissima sia certa, che da me non si mancherà di fare ogni opera che sia servita.

Desidero aver notizia particolare del suo ben' essere ; e l' avviso del mio , perchè so che le farà caro. Intendo da Roma che Nostro Signore si risolve d' uscire alla campagna alla volta di Viterbo , e di Bagnaja . Vedrò potendo di tirar Sua Santità fino al nostro Stato per onorar le nostre capanne di fuora della sua presenzia , come s' è degnato d' onorare le nostre case di Roma . Però fra pochi giorni m' invierò verso quella parte . Intanto Vostra Signoria Reverendissima mi comandi quel ch' io posso a suo servigio , e umilmente le bacio le mani.

Di Gradoli, a' xvi. d' Agosto M D L.

254   *Al Cardinal Maffeo.*

RESTANDO ragguagliato dal CARO di quanto è parso a Vostra Signoria Reverendissima di farmi intendere , non accade altro . Della cosa di Morreale procurato da Messer Mario , Vostra Signoria Reverendissima farà la fpedizione affoluto, perchè mi contento , che fi concluda . Il Reverendiffimo Savello mi manda ricordando, che raccomandi a Voftra Signoria Reverendiffima , e a Monfignor Crefcenzi la fpedizione della fua penfione . Ella fa che , quanto al regreffo procurato in perfona del Reverendiffimo S. Angelo , Sua Santità fe n' è contentata ; refta che fi fpedifca il reftante per la conftituzion di detta penfione . Io lo raccomando ad uno , e all' altro delle Signorie Voftre Reverendiffime , e le prego che ne piglino imprefa , non fi potendo mancare al Cardinal Savello di tutto , che noi poffiamo. E non occorrendo altro per quefta , le bacio umilmente le mani.

Addì fopraddetto.

255 *Al Vicelegato della Marca.*

D a Meffer Niccolò Spinelli , Commiffario per i grani da condurfi a Parma , fono avvifato , quanto prontamente Voftra Signoria s' è moftra a benefizio di quefto negozio ; e non ho voluto mancare di ringraziarnela , e di confeffar l' obbligo che ne le tengo : perchè febbene la commeffion viene da Noftro Signore per intereffe , che ha la Sede Appoftolica in quella città , torna però a particolar benefizio di noi altri . E però di qui innanzi è ben che fappia , che , oltre al debito dell' offizio , fa cofa gratiffima ancora a noi . E la prego fia contenta a continuare

di

di facilitar quest' impresa, così per la compera , come per ogni altro accidente , che vi
potesse avvenire ; ed a rincontro si vaglia di
me, e di tutto quel che posso in servizio suo.
Di Gradoli, alli xvi. di Agosto MDL.

256   *A Messer Paolo da Tarano.*

PENSO che Vostra Signoria arà visto la
commessione che Nostro Signore ha data a
Messer Niccolò Spinelli di condur grani a
Parma. E con tutto che l'impresa sia di Sua
Santità , per l'interesse che la Sede Appostolica ha in quella Città , e che sia certissi-
mo che Vostra Signoria per suo offizio ordinario non sia per mancare di favorire , e facilitare la compera, e la tratta de'-detti grani , secondo l'ordine di Sua Beatitudine ;
tuttavolta m' è parso ricordarle che ci corre
particolarmente l'interesse di Casa nostra , e
pregarla che, ancora per amor mio, sia contenta di mostrarsi in ciò favorevole , ed accura-
ta secondo il bisogno , e la richiesta che le
farà fatta dal detto Messer Niccolò; che, oltre al servizio che ne farà a Nostro Signore , ed alla Sede Appostolica , ne farà benefizio a noi, del quale le faremo sempre obbligati . E con questo me l'offero di continuo.
Addì sopraddetto.

257 *Al Datario.*

Ho più volte raccomandata a Voſtra Signoria l'eſpedizione Aſcolana di Gio. Batiſta Arrivabene, mio ſervitore, e ora di nuovo la prego a volerla pigliare in protezione, preponendola a quella di qualunque ſuo Avverſario; come mi par ragionevole, ed egli ſpezialmente ſpera dalla ſervitù, che tiene con Voſtra Signoria: e tanto più quanto ch'io ſo, che lo può fare ſenza ſuo carico per la commeſſione, che Meſſer Lodovico Cameriero di Noſtro Signore mi ſcrive, che ne le farà dare per parte di Sua Santità. Di grazia Voſtra Signoria ſia contenta di tor queſta briga una volta a ſe, ed a me; perchè, finchè non ſi termina, io non poſſo mancare d'ogni ſorte d'offizio per l'Arrivabene. E deſidero d'averne ſpezialmente obbligo con Voſtra Signoria, alla quale m'offero, e raccomando.

Di Gradoli, alli xvi, d'Agoſto MDL.

258 *Al Signore Vincenzo.*

Il vino mandato da Voſtra Signoria mi diede tal ſaggio di ſè a Santa Fiora, che non è biſognato queſt'altro per chiarirmi, che ſia un uom dabbene. Faremo buona ciera con eſſo, e, ſecondochè poi occorrerà, piglierò ſicurtà di valermene così liberamente,

co-

come me l'offerifce; e come io defidero, che Voftra Signoria faccia delle cofe mie , le quali le fono offerte un' altra volta per fempre . Defidero ch' ella mi faccia dare qualche nuova dello ftare , o dell' andar fuo , e del fuo ben'effere per l'affezion, che le porto , e d'ogni fuo difegno, dove penfi ch'io poffa far qualche opera per lei . Intendo che Noftro Signore verrà , fubito che rinfrefca, alla volta di Viterbo, e di Bagnaja; e però fra pochi giorni m' apprefferò verfo quella parte , e con tutta la forza della mia ambizione cercherò condurre Sua Santità alle noftre capanne di fuori per nobilitarle della fua prefenzia , come s' è degnata di nobilitarne le noftre cafe di Roma . Intanto Voftra Signoria mi comandi, e tengami per fuo, come fono.

Addì detto.

259 *Al Cardinal Armignacco* (a).

Mi rallegro con Voftra Signoria Reverendiffima del fine della lunghezza , e de' difagi del fuo cammino, e del principio del fuo onorato ripofo ; poichè dalla Maeftà del Re, e da tutta la Corte è ftata ben vifta, e che,

S 3

fecon-

(a) Giorgio d'Armignac , Francefe , fatto Cardinale da Paolo III. nel 1544. Fu Ambafciatore del Re Francefco I. alla Repubblica di Venezia , e poi a Paolo III. Proteffe molto le lettere , e i letterati.

fecondo il merito delle vertù, e dell' azioni fue, fi può con piena fua fatisfazione ritirare a quel tanto defiderato ozio con degnitade, e a goder, come difegna, la dolcezza de' luochi fuoi; ancorachè fia certiffimo, che a perfonaggio di tanta fperienza, e di tanto affare, di quanto è Voftra Signoria Reverendiffima, non farà lungo tempo conceffo di ripofarfi. La ringrazio poi quanto più poffo, che tralle grandezze, e giocondità fue non folamente fi fia ricordato di me, ma che m' abbi ancora ridotto a memoria del Re Criftianiffimo, e di quelli altri Principi, e Principeffe ch' ella dice. Cofa che m' è ftata di fommo contento, e m' ha grandemente rinfrefcato il defiderio di veder quella Corte, come alla fua partita le diffi, che era mio animo; e lo metterei di corto in efecuzione, fe non che fono tanto obbligato a i molti favori, che a Noftro Signore è piaciuto di farmi, che non ardifeo, e non debbo allontanarmi dalla Santità Sua, fe non con intera fua fatisfazione. pure fe la mia venuta fi differifce, non fi toglie però via. In quefto mezzo defidero che mi fi prefenti occafione di far qualche fervizio a Sua Maeftà, per il quale venendo in confpetto fuo meriti d' effer riconofciuto da lei per quel vero fervitor, che le fono; e fpero in Dio che mi verrà fatto. E in tanto ch' io ftudio di meritarlo, prego Voftra Signoria Reverendiffima, che fi degni di tenerla ben difpofta

ver-

verſo di me , e della mia Caſa , ſua devo-
tiſſima ; e di baciarle di nuovo umilmente
le mani in mio nome , e coſì medeſimamente alla Regina Criſtianiſſima , ed all' Eccel-
lentiſſima Madama Margherita , ed agli altri
Signori della Corte : tenendomi ſpezialmente
per ſervitor perpetuo di Voſtra Signoria Reverendiſſima ; e ſupplicarla che ſi degni comandarmi , e valerſi di me , e di tutte le
mie coſe , come ſi conviene all' affezionata
mia ſervitù verſo lei . Alla quale umilmente
bacio le mani .

Di Gradoli, alli xviii. d'Agoſto M D L.

260 *A Meſſer Giovanni Bianchetti.*

Io non ho riſpoſto prima al Reverendiſſimo Armignac , nè a voi che m' inviaſte la
ſua lettera , come quello che con gli amici
da vero mi piglio un poco più di ſecurtà ,
che con gli altri. Ora per non paſſare i termini , la riſpoſta ch' io faccio a Sua Signoria
Reverendiſſima farà qui incluſa , e vi priego
le diate ricapito . A voi non dico altro , ſe
non che ſcuſiate me di queſta tardanza ; che
io ſcuſo voi , anzi vi lodo , e vi ringrazio
delle cerimonie intermeſſe nella mia partita ,
Io conoſco e tengo voi per uomo ſincero , e
per amico affezionato ; ed io ſon perſona di
poche cerimonie , ma deſideroſo di farvi ogni
ſorte di comodo , e di piacere . Imperò , occorrendo che v' abbiate a valer di me , fate-

lo confidentemente ; e da voi non defidero altro offizio per ora , fe. non che per ogni occafione mi tegnate ricordato , e raccomandato a Monfignor Reverendiffimo ; e li facciate fede della fervitù , ed affezion , ch' io li porto , e del defiderio ch' io tengo di farli fervigio . E fenz' altro dire , me vi offero per fempre . State fano. Addì detto.

261 *Al Cardinal Maffeo.*

MESSER Marc'Antonio. Venturi mandato dal Duca Ottavio dirà a Voftra Signoria Reverendiffima quanto porta da Parma , e quanto ha paffato col Reverendiffimo S. Croce , al quale m' è parfo di mandarlo fino a tanto , che ritornava il corriero fpacciato da Noftro Signore a Don Ferrante ; e di più le moftrerà la Inftruzion del Duca fopra i capi della quale s' ha da confultar maturamente. E , perchè non mi par di muoverne per ancora pratica notabile , Voftra Signoria Reverendiffima mi dirà il parer fuo fopra quanto il Duca difcorre . E intanto come da sè, mi pare che , proponendo a Noftro Signore lo ftato in che Parma fi truova , e gli andamenti , che fi tengono per averla , a ogni modo poffa deftramente domandar Sua Santità che fine hanno ad aver quefte cofe, e che rimedio può procurarfi il Duca Ottavio ; attefo che , ftando così , fi vede manifeftamente che fi viene alla perdita d'effa. Intanto è

necef-

neceffario , che Sua Santità fpedifca un corriero a Sua Maeftà per rifentirfi di quefte
innovazioni di D. Ferrante , e per rinnovare
la commeffione al Pighino di negoziare la Inftruzion prima , a che intendo che già Sua
Santità era difpofta. E tutto bifogna fare con
molta celerità . Del refto mi rimetto alla
prudenza di Voftra Signoria Reverendiffima ,
e umilmente le bacio le mani . Da Farnefe (a), alli xix. d'Agofto MDL.

262   *A Monfignor d' Imola.*

PER la rifpofta di D. Ferrante , la quale
mi pare affai ben chiara , vedrete a che cammino fi va di non fervare le capitolazioni ;
perchè l'allegare la careftia non è eccezione,
che per effa fi debba torre ai Parmigiani le
ricolte lor proprie , e del proprio territorio :
per modo, che dovemo effer chiari , che l'a-
nimo loro è di ftringerci con la fame, e con
ogni forte d'affedio , fe verrà lor fatto . E
perchè il tempo fa a beneficio loro , farete
contento ricordare a Noftro Signore , che fi
degni fpedir fubito a Sua Maeftà , con farne
quel rifentimento , che a Sua Santità parrà
ragionevole , ed infiftere dall' un canto per
                                        l' of-

____

(a) Caftel Farnefe è un borgo con un caftèllo nel
Ducato di Caftro.

l' offervazione di detta capitolazione, alla quale non fi può replicare fenza manifefta violenza. E dall' altro a follecitare il Pighino al negozio dell' Inftruzione, e venirne alle ftrette, pregando umilmente Sua Santità di parte mia, che fi degni innovargliene la commeffione per il medefimo corriero: e di più fcrivergliene una lettera in credenza di quefto particolarmente per maggior riputazione del negozio, e con quella celerità, che fi ricerca; rimettendomi del reftante alla prudenza di Sua Beatitudine, e alla voftra amorevolezza. Senz' altro dirvi mi v' offero, e raccomando.

Di Farnefe, alli xix. d' Agofto MDL.

263 *Al Cardinal di Trani.*

VENENDO finalmente il Cardinal Sant' Angelo a Gradoli, io feci quell' offizio feco, che mi parve conveniente per metterlo d' accordo con l' Illuftriffimo Signor Francefco Orfino; il che io defidero a par di Voftra Signoria Reverendiffima per i medefimi rifpetti ch' ella dice, e per alcuni altri che muovono me particolarmente. In fomma non n' ho potuto ritrar per ancora cofa ch' io voglia, parendoli di far fpezialmente contro l' onor del Papa, felice memoria. Pur l' ho battuto affai, e non mi difpero affatto di perfuadergliene in miglior difpofizione. Intanto mi par neceffario, poichè la lite è moffa,

laffar-

laffarli un poco travagliare; perchè il tempo, e gli accidenti che vi poffon nafcere, e 'l faftidio della lite riduranno forfe le cofe a termine, che più facilmente fi comporranno. Di quefto Voftra Signoria Reverendiffima può ftar ficura che io, con tutto che fia ftato citato, non m'intrometterò nella lite altramente, fe non facendo di quelli offizj, che mi parranno opportuni a quella concordia, e quella unione che defideriamo l'uno, e l'altro di noi. E poichè Voftra Signoria Reverendiffima viene a un medefimo cammino con me, fpero che, procedendo, con buona occafione ci verrà fatto quel che non s'è potuto fino a ora; non effendo la cofa tanto acerba, che a qualche tempo non fi poffa maturare. Degnifi dal fuo canto d'andar facendo di quelle preparazioni, che le parranno neceffarie a ciò; ed io non mancherò di fare il medefimo dal mio. Ed umilmente le bacio le mani. Il dì detto.

264   *Al Vefcovo di Perugia.*

La grazia, che fu fatta al fratello del Capitan Marino, del Canonicato della Chiefa di Voftra Signoria fu per mia interceffione, effendo effo de' noftri familiari, come può fapere; e mi fi riferifce che fu ammeffo folennemente dai Canonici alla fpettativa del primo vacante. Ora che la vacanza è venuta, mi par che Voftra Signoria l'abbi conferita

ad

ad un altro; e con tutto ciò con molta modeſtia ricorrendo da me per raccomandazione, mi ricerca che interceda appreſſo Voſtra Signoria, o ch' ella ſi contenti che la grazia già ottenuta abbia loco, ovvero che non gli manchi del ſuo favore all' altra prima vacanza. Coſa che mi par tanto ragionevole, ch' io non poſſo mancare di pregar Voſtra Signoria, che ſia contenta di fare o l'una, o l'altra di queſte coſe, che di ciaſcuna ſentirò molto piacere. E a lei m'offero ſempre.

Di Farneſe, alli xx. d'Agoſto M D L.

265   *Al Duca Orazio.*

AURELIA, donna già di Meſſer Gio. Batiſta Biaſivoli da Caſtro, è venuta ad eſpormi una lunga ſua coſa, concludendo, che ingiuſtamente l'è ſtato tolto, e venduto il ſuo dagli Auditori paſſati; e, ſecondochè ella dice, mi par che debba eſſer aſcoltata, e ſpedita ſommariamente, eſſendo donna, e vecchia. So che Voſtra Eccellenza per l'ordinario non manca di giuſtizia a perſona; tuttavolta in certi caſi, come queſto; che ſcandalezzano il mondo, ricordo a Voſtra Eccellenza che ſia contenta d'intendere attentamente, e commettere efficacemente, che ſi facci il dovere per quella via che ella giudicherà, che ſia più ſpediente. E attenda a conſervarſi.

Di Gradoli, alli xx. d'Agoſto M D L.

266   *Al Signor Pietro di Siviedo.*

ILLUSTRE Signore. Tornando alla Corte il prefente latore, il quale farà Pedro di Mondragon di Galizia, ofpite del Duca Ottavio, e, come intendo, antico, e valente foldato di S. M. Catt.; e ricercandomi di lettera di raccomandazione a Voftra Signoria, non mi è parfo di doverli mancare per li rifpetti fopraddetti, e perchè m'è ftato raccomandato ancora dal Duca medefimo. Egli ha ottenuto da Sua Maeftà, e dal Principe di Spagna la prima lancia, che vaca nel Regno: e perchè non è mai vacata in tanto tempo, e non fi trova modo d'afpettarla, vorrebbe che Voftra Signoria foffe contenta di fupplicare al Signor Principe, che foffe fervito di donarli qualche altra ricompenfa che s'aveffe ad afpettar manco, e goder più che una lancia immaginaria. Conofco che fi truova molto bifognofo; e parendomi, che non fi debba mancare ad un uomo dabbene, ho prefo quefto affunto di raccomandarlo a Voftra Signoria, come ho detto; e lo fo con tutta quella efficacia, ch'io poffo. E a lei con tutto'l core m'offero, e raccomando. Il dì detto.

267   *Al Vefcovo d'Imola.*

CON l'ultima voftra de' xx, ho la copia della lettera di D. Ferrante a Noftro Signore, e re , e per prima avea vista quella della lettera che scrive al Capilupo . E quanto alli due capi che li sono domandati , veggo che non risolve se non l' ultimo , di lassar passare il grano a Guastalla . Il quale sebben da prima avevamo pensato, che fosse qualche cosa, intendo poi da Parma che non è niente; perchè ancora che non volesse, par che ci sia modo, che si condurrebbe ancora per Po senza sua licenzia . Pure, poichè da principio l' avemo proposta per cosa di momento, concedendola , abbiamola per tale . E della gabella importa poco, se già Nostro Signore non ne volesse esenzione , per mostrare che la condotta s' è fatta da Sua Santità . Quanto all' altro capo dell' innovazioni di là dal Taro , dissimulando D. Ferrante la convenzione , ed allegando , per iscusa della ritenzion de' grani, il bisogno dei lochi di là , si vede che fugge l' incontro ; ed è segno , che non vuole che la capitolazione sia osservata ; perchè de' grani che sono proprj de' Parmigiani non n' hanno a fare nè ritenzione , nè descrizione per le terre loro ; e , facendolo , si fa contra la giustizia , e contra la capitolazione. E poichè in questa parte, che è quella che importa , il tutto non risolve ; non è dubbio, che questa suspensione vuol che sia a danno nostro ; e ogni occasione , che se li presenterà , innoverà secondochè li pare : imperò dissi per l' altra che giudicava a proposito , che Nostro Signore ne facesse

quel

quel rifentimento alla Corte, che pareva alla Santità Sua. E' ben vero che, effendofi poi condotti i grani di Fontanella fenza refiftenza loro, piglio qualche fperanza che negli altri non fia per valerfi della violenza a proibirli. Tuttavolta non credo che poffa nuocere, a querelarfi del fatto alla Corte, per ovviare a quel che poffono fare per l'avvenire. E parendo a Sua Santità che fi debba fare, ricordo la diligenza di efeguirlo quanto prima; e di fupplicar Sua Santità, che fi commetta al Pighino la negoziazion dell' Inftruzione, tanto più quanto fi vede, che da loro fi va differendo, che fe ne ragioni; perchè per l'ultime lettere s'intende, che già Monfignor Pighino avea parlato a Sua Maeftà; e, non li parendo per la prima audienza di toccar quefto capo di confenfo della Maeftà Sua, era reftato di negoziarne intanto con Granuela; il quale l'ha di nuovo rimeffo a Sua Maeftà, e non ha voluto, che ne parli prima a lui. Non fo quello che Monfignor Pighino fe n'arà fcritto, ma io fo coniettura che fiamo allungati, e però ricordo che fi venga alle ftrette. E, di tutto rimettendomene al prudentiffimo giudizio di Sua Beatitudine, non ne dico altro, fe non che me v'offero fempre.

Di Gradoli, alli xxi. d'Agofto MDL.

268 *Al Vescovo di Pola.*

Con tutti gli officj che io abbi fatto a benefizio del Signor Onorio, io non ho inteso mai di domandar cosa ingiusta, nè di necessitar Nostro Signore a farmene grazia, non parendo alla Santità Sua. E alla giustizia, e alla pietà sua me ne son rimesso sempre, con animo così in questo, come in ogni altra cosa, ch'io raccomanderò alla Santità Sua, di rimaner satisfattissimo di tutto quello che a lei parrà conveniente di fare ; o ch'io ottenga la grazia, o che non l'ottenga. Nè credo in questa aver usata tanta immodestia, che Sua Beatitudine se n'abbia avuto ad alterare ; parendomi che sia solito a ciascuno di qualunque condizione di raccomandare, ed ajutare le cose sue. E io massimamente l'ho fatto, parendomi di non poter lassare di mostrarmi ne'bisogni del Signor Onorio senza nota d'ingratitudine : poichè nelle mie cose s'è mostro così vivamente, e senz'alcuno risparmio, come voi sapete.

A Fiorenza egli ha un suo nipote, e il Signor Gio. Batista Savello; e può essere che da loro il Duca sia stato riscaldato, come voi dite in favor suo. Ma quando bene gli avessi scritto io a richiesta del Signor Onorio, non si fa questo ordinariamente per ognuno, non che a richiesta de' parenti ? Io non ho mai diffidato, e non diffiderò mai di

Sua

Sua Santità, quando le grazie, che le domando, fiano giufte; dell' ingiufte non mi curo che mi compiaccia, ed arò piacere che mi corregga. Ma fino a ora non veggo in che m' abbia errato; e l' animo mio non fu mai di ftringere Sua Santità a far cofa contra fua voglia, ed ogni fuo minimo cenno mi bafta a farmi ritirare da qualunque mio defiderio. E però, poiché a Sua Santità è parfo ch' io mi fia fpinto troppo innanzi in quefta cofa, mi refterò qui; ed arò per bene tutto quello, che dalla Santità Sua ne farà deliberato.

De' Mantachi chi poteva antivedere, o proibire, che aveffero a paffar di qua, non ne fapendo neffun di noi cofa alcuna? Bafta bene, che non hanno trovato quel rifcontro, che arebbon voluto, e che qui s' è fatta fubito diligenza, che marcino: non fenza dolerfi de' fatti loro, che abbino avuto ardir di venirvi, e protefto, che non vi capitino mai più. Nè anco in quefto mi par d' aver fatto errore, e lafferò ch'ognun dica quanto li pare.

Ho fentito grandiffimo difpiacere del peggioramento di Meffer Lodovico; ma fin a tanto che non intendo, che fia fpedito, mi giova di fperar bene. Intanto non li mancate di tutti quelli ajuti, e rimedj che penfate di poterli fare.

Da Meffer Marc' Antonio (*a*) arete inte-

______

(*a*) Marc'Antonio Venturi, Inviato del Duca Ottavio al Papa.

fo il refto di quanto defiderate delle cofe di Parma. Afpetta al fuo ritorno quel che arete poi fatto della fua commeffione. Io non fo come vi penfiate di governare la cofa de' grani della Marca, i quali fi faranno a queft' ora forfe comprati tutti ; ed effi moftrano di poter far meglio di là. Non fo perchè ci faccino pigliar di quefti marroni ; come ancora ci fan domandare con tanta inftanza dal Papa il paffo di Guaftalla : e poi dicono, che fi poffono far paffare ancora contra voglia di D. Ferrante. Onde, concedendocelo, li pare che quefto nonniente fia qualche gran cofa. Scriveteli che, avanti che ci faccino far le cofe, le ruminino bene ; e rifolvete di coftà quel che s'abbia a fare de' grani della Marca ; avvertendovi che non ne deliberiate altro fino a tanto che 'l Duca non fia certo di poter aver quelli della Mirandola, e de' circonvicini, come fpera ; e mi pare ancora, che in quefto articolo non fiano ben rifoluti.

Con quefte feranno lettere della Corte, per le quali vedrete, che le cofe vanno pure in lungo. Rimandate fubito il deciferato di quefte, e dell' altre, che vi fi mandarono da Farnefe ; e follecitate, che fi dia commeffione al Pighino di negoziar l'Inftruzione ; e, fe pare a Sua Santità, di rifentirfi ancora di quefte innovazioni, che intanto fi fanno da D. Ferrante : poichè quanto al grano di là dal Tarò, rifponde così fofpefo a

No-

Noſtro Signore , come avete veduto , che mi par ſegno di non volere oſſervare la capitolazione. Di Gradoli, il dì ſopraddetto.

Al ſerrar di queſta è comparſa la lettera voſtra de' xxi. alla quale riſponderò per altra , volendo più tempo a conſiderarla , ed anco a ſcriverſe . Ho inteſa poi la morte di Meſſer Lodovico, che mi diſpiace per ſe medeſima , ma molto più per il diſpiacere , che ſi piglia Noſtro Signore . Vi ſi manda ancora lo ſpaccio d' Avignone , del quale conſulterete con Monſignor Maffeo quel che ſi ha da fare . Ed altro non occorrendo , ſon voſtro . Il dì ſopraddetto.

269   *Al Veſcovo d' Aquino* (a).

La lettera (b) , che Voſtra Signoria mi ſcriſſe alli giorni paſſati , richiedea piuttoſto

T 2   ch'

(a) Galeazzo Florimonte , da Seſſa , eletto Veſcovo di Aquino da Paolo III. nel 1543. Fu Segretario de' Brevi di Giulio III. Paolo IV. lo adoperò inſieme con Paolo Sadoleto , Veſcovo di Carpentràs , per la riforma della Chieſa . Fu perſona d' inſigne probità , ſaviezza , e dottrina , amiciſſimo del Caſa , il quale , ſotto il nome di *Galateo* lo introduce a parlare nel ſuo Trattato de' coſtumi , intitolato il *Galateo* .

(b) Nel 4. libro della *Nuova Scelta di Lettere* , fatta da Bernardino Pino ve n' ha molte di Monſignor Florimonte : e fra quelle una data in Roma nel 1550. cui manca il titolo ; e che per le coſe contenute par quella di cui parla il Card. Farneſe .

ch' io la ftudiaffi, e procuraffi metterla in
efecuzione, che io le faceffi altra rifpofta.
E però fupplii con un capitolo al Reverendiffimo Maffeo (a), il quale doverà effer en-
trato mallevador per me, ch' io metterei in
atto i precetti di Voftra Signoria, il più che
dalla umana fragilità mi fuffe conceffo; e
così le affermo con quefta, paffando circa
quefto capo di farle altra rifpofta. Ma poichè è fopraggiunta l'elezion fua al Secretariato di Noftro Signore, piglierò argomento
di fcriverle da quefto; e celebrando prima il
giudizio di Sua Santità nella provvifione di
quefto offizio, poichè, avendovi pofto Voftra Signoria, e Meffer Romolo, egregiamente ha provvifto al loco; mi rallegro da me
medefimo ch' abbi efaltati due miei cariffimi
amici; e mi congratulo particolarmente con
Voftra Signoria così per l'onore, e per l'u-
tile, che le ne rifulta, come per quello ch'
ella n' ha a fperare per l'avvenire. E defiderando che fia con intera fua fatisfazione,
come fo che farà con molta laude di Sua
Santità, fenza più dirle di nuovo me ne rallegro, e me l'offero fempre.

Di Gradoli, il dì fopraddetto.

- 270 A

____

(a) Vedi la lett. 181. di quefto Volume.

270 *A Meſſer Romolo Amaſeo.*

M'è ſtato infinitamente grato, che Noſtro Signore ſi ſia da ſè medeſimo ricordato dell' offizio ch' avea già fatto per voi, ſenza aſpettar ch' io faceſſi queſto che ho fatto, poichè è venuta l'occaſione della vacanza del loco; il quale mi è ſtato tanto più caro che non ſia ſtato a tempo, quanto più mi fa certo che Sua Santità abbi avuto per ſe ſteſſa in queſto caſo conſiderazione coſì a i meriti voſtri, come al deſiderio mio. E quanto alla parte che tocca a me, vi piaccia che da voi medeſimo ne ſia baciato il piede di Sua Beatitudine da mia parte; ed io me ne congratulo con voi con tutto il core, ſperando, che queſto ſia grado da poter conſeguire de' maggiori facilmente. Quanto all'animo voſtro verſo di me, non voglio entrare in altro: baſta che io ne ſon chiariſſimo per corriſpondenza del mio verſo di voi; e n' attendo con grandiſſimo deſiderio quel favore, che dai voſtri ſtudj mi ſi promette a perpetuità del nome del Papa, ſanta memoria, e della Caſa mia. E deſiderando che queſto onor vi ſia d'eterna laude, come ſpero, reſto, come farò ſempre voſtro, e mi vi raccomando. Il dì detto.

271 *Al Cardinal S. Fiora.*

BISOGNANDO danari per feguir l'opera della fepoltura di Paolo, fanta memoria, il Reverendiffimo Maffeo ricerca la fottofcrizione dell'inclufo mandato. Voftra Signoria Reverendiffima fia contenta mèttervi la fua mano, e mandarlo quanto prima per poterlo far medefimamente fottofcrivere al Cardinal Sant'Angelo. E umilmente le bacio le mani.

Di Gradoli, addì fopraddetto.

272 *Al Sala.*

HO la voftra de' xviii. E quanto alla commeffione che avete mandata, poichè la voftra venuta farà di corto, s'intratterrà di fegnarla. Per quefta vi fi dice, poichè è rinfrefcato, che follecitiate la voftra partita prima che n'avete difegnato, perchè mi troviate ancora di quà dove avete a venire a dilungo fenza fermarvi a Vetralla; perchè, avanti che mi parta, è neceffario che fi terminino alcune cofe neceffarie da quefta parte; ed è di bifogno, che voi vi fiate. Imperò venite quanto prima, e ftate fano.

Di Gradoli, alli xxi. detto.

273 *Al Cardinal Santa Croce.*

I Medici fi rifolvono che l'aria d' Agobbio fia troppo cruda per Voftra Signoria Reverendiffima ; e però mi muovo a dirle che, avendo Noftro Signore deliberato ch'ella fi riduca a Roma, come arà intefo, mi pare che quanto prima fi debba levar di là, e venire a Ronciglione, o a Caprarola (*a*) dove meglio le tornerà ; che s'avvicinerà più a Roma, ed arà l'aria più proporzionata alla fua indifpofizione ; nè per quefto mancherà di quelle comodità, che le faranno bifogno ; potendofi eleggere quella ftanza, e quel fervizio ch'ella medefima vorrà. Io fra pochi giorni mi ridurrò di là intorno, o a Vetralla, ò in qualcun altro loco di quelli, che non ferviranno a Voftra Signoria ; e mi farà caro di poter conferir feco alcuna volta delle noftre occorrenze. Sicchè per ogni conto mi par bene ch'ella fi rifolva di farlo. E, bifognando che perciò facci provvifione alcuna, fi degni di farmelo intendere. E umilmente le bacio le mani.

Di Gradoli, alli xxi. d'Agofto MDL.

(*a*) Cafa di piacere nella Contea di Ronciglione, fatta fabbricare dal Cardinale Farnefe con molta magnificenza.

273 *Al Duca Orazio.*

IL Signor Braccio Baglione defidera di poter comprare nello Stato fino a cento fome di grano, e cinquanta d' orzo, ed aver licenza di cavarlo per ufo fuo. Voftra Eccellenza fa che non li potiamo mancare, ed io per me defidero grandemente che fia compiaciuto. Però mi farà fommo piacere a farlo, e mandarmene qui la patente fpedita, che gliene manderò fecondo che gli ho promeffo. E a Voftra Signoria mi raccomando.

Il dì detto.

274 *Al Duca Ottavio.*

MENTRE fto afpettando il ritorno di Meffer M. Antonio da Roma, per il quale ella faprà tutto quello che fi farà paffato con Sua Santità, e quel che fia giudizio di noi altri circa i capi della fua Inftruzione; mi pare di dire a Voftra Eccellenza che 'l punto più importante di tutti è, che intanto fia fecura della fua perfona, e della Città, perchè fenza dubbio fi porta gran pericolo. Imperò fon d'oppenione, che non fi guardi fpefa alcuna per quefto effetto, e fon d'oppenione che fino a cc. Fanti fi doveffero fare a ogni modo per afficurarfi di dentro, e fuori, e per ogni accidente che poteffe nafcere; ed in quefto non s'ha da rifparmiare il De-

poſi-

poſito , perchè per queſte occorrenze s' è fatto . E in queſto ſtato non s' ha da ſtar lungamente , perchè in qualche modo ci avemo a riſolvere coſì della ſpeſa , come del pericolo in che ſtiamo . Intanto è bene a giuocar ſecuro .

Per l' ultime dalla Corte non ſi ritrae altro , ſe non che 'l Pighino avea parlato a Sua Maeſtà , ma non del noſtro particolare ; e , per quanto ſi può conjetturare , ſaremo tirati pur in lungo . Tuttavolta Noſtro Signore promette dar di nuovo commeſſione al Pighino , che venga alle ſtrette . Del reſto mi rimetto alla venuta di M. Antonio , ed altro non accade .

Per diverſi , che ſcrivono , ſi riſcontra che Sua Maeſtà è molto male affetta , e Giuliano ne ſcrive queſte parole . *Sua Maeſtà , per quel che ſi vede , va di continuo perdendo di ſanità , e ſi conoſce , che ſi conſuma à poco a poco ; e da parecchi giorni in qua il fluſſo del ſangue per le moroide le dà grandiſſima moleſtia , ed ora s' è intrattenuto a Monaco due giorni ſolo per queſto . Onde ci ſono molti che dicono , che la vita ſua ſarà breviſſima . Monſignor di Granuela ancora lui cammina per la medeſima ſtrada ; e ragionevolmente ci ſarà poca differenza dall' uno all' altro .*

Di Gradoli , alli xxii. di Agoſto MDL.

275 *A Messer Jacomo Ermolao.*

INTENDO che sete per disporre d'alcuni vostri beneficj in altre persone. Quando questo sia, mi farete piacere di quell' uno, del quale v' ha parlato Messer Tommaso del Giglio, accomodar l' amico proposto da lui. Mi si dice, che ne sarete bene assecurato, e n' arete miglior condizione che con gli altri. E poichè questa mia satisfazione torna a vostro vantaggio, ve ne ricerco più confidentemente. E con tutto ciò ve n' arò obbligo. State sane.

Di Gradoli, a' xxii. del sopraddetto.

276 *Alli Priori, e Comunità di Caprarola.*

INTESO da Vespasiano il vostro desiderio, avemo risposto a lui quanto n' occorre. Basta che siamo desiderosi di fare ogni comodo alla Comunità vostra. E quando sarà tempo, che aremo messo in chiaro le cose, ci sforzeremo che siate consolati. E bene valete. Il dì detto.

277 *Al Duca Orazio.*

E' GIA' un anno, che Martino di Paolo, abitante a Valentano, mi donò una cagna, la quale gli lassai che tenesse a mia istanza. Intendo che Batista di Messer Ricardo glie

n' ha

n' ha fatto torre , ed è in man fua . Voftra Eccellenza mi farà cofa grata a ordinarli che la renda a effo Martino , perchè difegno di valermene . Ed attenda a confervarfi.

Il dì detto.

278 *A Batifta di Meffer Ricardo.*

Nostro cariffimo ec. La cagna , che avete di Martino di Paolo è molti mefi, che è ftata deftinata a me , e che la tiene ad iftanza mia . Imperò rendetegliene , perchè gli ho ordinato che me la conduca . Non mancate , e ftate fano. Addì detto.

279 *Al Vicario di Monte Fiafcone* (a).

Un P. . . Pietro da San Lorenzo non li baftando d'ufufruttuarfi la moglie di Marchion Guadagnino da Marta, fi tiene ancora la proprietà , e non la reftituifce al marito. Quanto fia ben fatto , e di buono efempio nella voftra diocefi , me ne rimetto a voi . E vi prego che , così per onore di quefto pover'uomo , come per voftro officio , fiate contento di provvederci , e far o che veramente

ritor-

(a) Il Cardinal Farnefe è ftato Amminiftratore del Vefcovato di Montefiafcone , e Corneto , fecondo l' ufo di que' tempi.

ritorni col fuo marito, o almeno fia meſſa in un monaſterio, o in qualche altro loco onorevole per liberarlo dall'opprobrio, e dall' affanno che ne ſente. E mi v' offero ſempre. Di Gradoli, addì detto.

280 *Al Cavalier Ugolino.*

IL voſtro Trebbiano fu boniſſimo, e fra queſto, e le palle, e le racchette che ne avete mandate, queſti buon compagni ſi lodano molto de' fatti voſtri, e ſi fa ſpeſſo commemorazion di voi. Io mi tengo ſatisfattiſſimo di quanto avete paſſato con Sua Eccellenza, e circa queſto non accade altra riſpoſta. Non mancate per ogni occaſione tenermi raccomandato all' Eccellenza Sua, e della Signora Ducheſſa. E voi ſtate ſano, e attendete alla ſpedizione delle coſe voſtre; perchè ormai eſſendo rinfreſcato, s' avvicina il tempo che vi laſſate rivedere.

Di Gradoli, il dì detto.

281 *Al Signor Antonio da Matelica* (a)

MI piace, che abbiate ricuperata la ſanità, e che, per riavervi, vi ritiriate ai lochi

chi

(a) Antonio Otone, familiare del Card. Farneſe. Il Caro gl' indirizza la lett. 47. del Vol. II.

chi voſtri , ed anco che, per dare affetto alle voſtre cose , vi ci fermiate quanto vi torna bene . Ma non mi piace già che vi alienate in tutto da me, amandovi come io ſo , e non mi parendo avervi data occaſione di mala ſatisfazione . Imperò quanto alla licenza che domandate , io deſidero che ci penſiate ſu meglio . E quando pur ſiate pur riſoluto , non volendo credere , che vi ſiate moſſo a caſo , crederò che 'l facciate, perchè vi metta più conto a laſſarmi. E quando ciò ſia, non mi poſſo ſe non contentare del ben voſtro , quando ben ve ne riſulti ; quando no , mi dorrò che vi ſiate ingannato , come mi dolgo ora di reſtar ſenza voi, perchè con effetto vi porto affezione. Pure ognuno è libero di ſè . E ſe coſì ſete deliberato , deſidero che abbiate fatto buona elezione , o almeno incontriate in buona fortuna. Ma qualunque ella ſi ſia, la mia, coſì baſſa com'è , non vi mancherà mai. State ſano.

Di Gradoli, addì detto .

282 *A Meſſer Curzio Frangipane.*

L a Signora Marcheſa di Maſſa inſiſte per il pagamento delle penſioni , che pretende che le abbia a pagare : e , perchè voi ſete informato di queſto negozio , ho rimeſſo Sua Signoria a voi . Andrete a trovarla , e penſate come ſi poſſa ſatisfare alla domanda ſua, ed all'indennità noſtra, e reſcrivete quel che
ſegue.

fegue . Hò più voftre alle quali non accade molta rifpofta, contenendo, la più parte, avvifi. Mi duol grandemente la morte di Meffer Lodovico , perchè mi pareva amorevol perfona, e cortefe , ma più perchè era sì grato a Noftro Signore . Di Ridolfo Dotti , effendo un trifto , ed un vano com' è , non avemo a tener conto. Di Meffer Franco non fo che mi dire . Per far la noftra provvifion di Cafa mandai Meffer Tizio a Montalto : il quale mi riportò ch' era impoffibile ch' io fuffi accomodato della fomma , che bifogna per l' ufo di cafa , ftando che i grani fuffero venduti agli altri . imperò che era neceffario o che fi fofpendeffero l' altre vendite , o che non poteffi comprar io . E a me par ragionevole che fiamo prima accomodati noi altri, che i foreftieri . Provvifto . che fia per noi , non ho da far altro che laffar le cofe in quel termine che fono ; e faccia il Duca , e la Comunità quel che fon tenuti di fare. E per quefta non accade altro. State fano.

Di Gradoli, il xxiii. dì del detto mefe .

283   *Al Legato di Perugia.*

EVANGELISTA di Ser Felice da Scefi ha fervitù antica con la Cafa noftra, cominciata infin da fuo padre ; e per quefto non li poffo mancare di raccomandazione appreffo Voftra Signoria Reverendiffima , dalla quale defidera un qualche officio nella fua provincia

da

da poterſi trattenere , e ſpezialmente il Bargellato di Caſcia , o quello di Città di Caſtello : e quando di neſſuno di queſti ſi poteſſe accomodare , almeno di qualcun altro ,
che foſſe di qualche momento , e più preſto
che può . Io prego Voſtra Signoria Reveren-
rendiſſima che ſi degni per amor mio farli
grazia di qualche coſa ; che certo mi ſarà
gratiſſimo . E umilmente le bacio le mani.

Di Gradoli, addì detto.

284   *Al Signor Balduino.*

VOSTRA Signoria Illuſtriſs. può ſapere la
lunga, ed onorata ſervitù che tiene il Signor
Giovann' Alfonſo con tutta la Caſa noſtra ,
ed anco quali ſieno i meriti ſuoi . Queſto
voglio che mi baſti a moſtrarle , quanto io
deſidero d'impetrarli il ſuo favore in quel che
ſarà ricerco da lui . Del reſto ſapendo quanto è gran ſervitore ancora di Voſtra Signoria Illuſtriſſima , e rimettendomi del ſuo biſogno a quel che li ſarà eſpoſto da lui , a
Voſtra Signoria Illuſtriſſima lo raccomando .
E a lei m' offero ſempre.

Di Gradoli , addì detto.

285 *A Monsignor Sauli* (a).

MONSIGNOR Prospero mi presentò la lettera di Vostra Signoria , la quale infieme con la fua venuta mi fu gratiffima , e con molta mia fatisfazione avemo paffati i gran difcorfi. Quanto alla parte che Voftra Signoria dice , che tocca la promeffa ch' io le ho fatta, per ogni rifpetto può ftar fecura ch'io non fon per mancare ; e Dio mi dia grazia che l' autorità mia poffa tanto , quanto farò fervente a far l' officio che afpetta da me . I fuoi ricordi mi fono a mente , e ne fo quella ftima che debbo . Ho gran voglia di trovarmi con lei , e dubito di non potermela cavare di prefente , come avea difegnato di fare . Bifogna aver pazienza , ed accomodarfi alle cofe che corrono : a qualche tempo ci vedremo , e ci goderemo con più fatisfazione , e , fpero , con miglior fortuna . In tanto Voftra Signoria attenda a confolar Meffer Luigi noftro della perdita fatta, e non manchi di provvederlo di gente frefca, poichè non fi può trovare condottiero più degno di lui . Quefto paefe non mette fe non cerve ,

per

(a) Girolamo Sauli, Genovefe, nel 1540. promoffo all'Arcivefcovado di Bari; di dove poi fu trasferito a quello di Genova.

per quanto io veggo finó a ora ; e la madre Doralice fu moſtro , e non coſa ordinaria di queſto clima ; pure ſe mi ſi preſenterà coſa al propoſito , mi ricorderò di lui . E a Voſtra Signoria mi raccomando ſempre.

Di Gradoli, il dì ſopraddetto.

286 · *Al Duca di Savoja* (a).

A L L A buona inclinazion mia verſo il Signor Conte di Maſino , e 'l Signor Jeronimo ſuo Fratello , aggiungendoviſi la raccomandazione di Voſtra Eccellenza , la quale ha loco in me di precetto , mi ſon contentato che 'l titolo dell' Abbazia dell' Abbondanza venghi nel detto Signor Jeronimo , con aſſai manco di penſione che non mi ſi offeriſce da altri . Imperò , quando ſi contenti d' eſſer preferito a tutti gli altri , e di più del vantaggio che ſe li fa , l' Abbazia ſarà ſua . E deſidero che conoſchi , che vien gratificato per riſpetto di Voſtra Eccellenza , la quale mi può comandare di maggior coſa . E offerendomele in tutto , ch' io poſſa a ſuo ſervigio , le bacio le mani.

Di Gradoli, alli xxiii. Agoſto ſopraddetto.

(*a*) Carlo III. nominato il Buono.

287 *Al Cardinal Maffeo.*

Ho detto a quefti, che fon venuti a negoziar per l' Abbazia dell' Abbondanza , che
io mi contento che 'l titolo fia del Signor
Abate di Mafino , e che fia preferito a tutti gli altri ancora col difvantaggio della penfione, trovandone più da altri , come Voftra
Signoria Reverendiffima fa . Ma per conve-
vir della penfione , che vi s' ha da imporre,
l' ho rimeffo a Voftra Signoria ; e a lei dico che mi pare che non fi debba fare per
manco di 400. Scudi : e così defidero che fi
concluda per li difegni che ci ho io fatti fu,
che con manco non fr poffono adempire. Voftra Signoria Reverendiffima la governi ora
con quella deftrezza , che le pare ; perchè fe
ne deveno tenere con tutto ciò beneficati .
Nè per quefto occorrendo altro , le bacio le
mani .

Di Gradoli , alli xxiii. detto .

288 *Al Cardinal de' Medici* (a).

Per ogni rifpetto , e particolarmente per
raccomandazione di Voftra Signoria Reverendiffima

(a) Gio. Angelo de' Medici , Milanefe , creatura
di Paolo III. , poi Papa col nome di Pio IV.

diffima io mi contento, che Monfignor di Mafino fia accomodato del titolo dell' Abbazia dell' Abbondanza, preferendolo ad ogn' altro, e vantaggiandolo nella penfione ancora di quel che mi viene offerto da altri. E quanto alla convenzione, avendone fcritto al Reverendiffimo Maffeo, a Sua Signoria Reverendiffima me ne rapporto. Ed a lei umilmente bacio le mani.

Di Gradoli, il dì detto.

289   *Al Conte di Mafino.*

Io mi contento, che Voftra Signoria Illuftriffima fia compiaciuta del titolo dell' Abbazia dell' Abbondanza in perfona di Monfignor fuo fratello; e che fia preferito a tutti gli altri, e di più che ne paghi manco penfione, che non ne viene offerta da quelli, che la domandano. Ma la prego bene, che fe ne tenghi ben fervita da me, e che fi contenti della penfione, che è ragionevole, e che fon certo che può fopportare. E con quefta condizione ho fcritto a Roma, che le fia conceffo; di che penfo pure che Voftra Signoria fi debba tener fatisfatta, poichè fa con effetto, che in quefto le fo fervigio. E così farò in tutto che m' occorre. E me l' offero, e raccomando fempre.

Il dì detto.

290 *A Messer Carlo Malopera Agente del Duca di Savoja.*

DAL gentiluomo, che è venuto per il negozio dell' Abbazia dell' Abbondanza, intenderete che io mi fon contentato che 'l titolo di detta Abbazia venghi in chi Sua Eccellenza defidera, con pofpor gli altri che me ne ricercano; con manco penfione che da loro non mi fi offerifce, purchè fe ne contentino. E tutto fo volentieri, fpezialmente per far fervigio all' Eccellentiffimo Signor Duca. Al quale farete contento, mandando l'inclufa rifpofta, raccomandarmi in fua buona grazia. E fon tutto voftro. Il dì detto.

291 *Alla Comunità di Bolfiena.*

PER parte di Berardino di Brancazio da Bolfeno mi fi efpone nel modo che vedrete per la fupplicazione inclufa. Quando il cafo fia così, mi par degno di compaffione, e della rimeffion che domanda. E mi contento, che glie ne facciate grazia. E bene valete. Di Gradoli, addì detto.

292 *Al Signor Antonio Simoncello.*

DALL' un canto io defidero fopra modo di far cofa grata a Voftra Signoria, e dall' altro, effendo il ferito da quel Silveftro,

fratel-

fratello di Meffer Sebaftiano Gualtiero mio familiare , e fervitor di Noftro Signore , non
vorrei far difpiacere a lui . Imperò mi rifolvo , che fia bene di ftar di mezzo , e prego
Voftra Signoria che fia contenta averlo per
bene; che per qualche rifpetto, che mi muove, non devo far altramente . E reftando nondimeno prontiffimo in ogni altra cofa a farle
ogni fervigio , me l'offero fempre .

Il dì detto.

293 *Al Signor Sforza della Cervara .*

Io arei volentieri fcritto al Signor Niccola per la liberazion di quel Silveftro , che
mi raccomandate, fe'l ferito non fuffe fratello di Meffer Sebaftian Gualtieri mio familiare , e fervitor del Papa ; col quale per qualche rifpetto mi bifogna procedere con quefto
riguardo , come vi dirò a bocca . Imperò vi
prego che non vi curiate ch'io facci quefto
officio , il quale a ogni modo potrete far fare da altri fenza intricarmi me . Ed in ogni
altra cofa fon voftro , come fapete.

Di Gradoli, addì detto.

294 *Al Duca Orazio .*

La Comunità di Farnefe vorrèbbe fino a
250. fome di grano di tratta da Canino ,
o da Montalto per bifogno loro . E dal Signor P. Bertoldo , al quale non fi può mancare,

care , fono aftretto a pregar Voftra Eccellenza che fe ne contenti . Imperò , fatta che
farà la defcrizione di quel che fopravanza ,
mi par che fi debba prima accomodare i noftri che gli ftrani . E , benchè per il Signor
predetto io penfi che non bifogni mia interceffione , pure per defiderio , ch' io ho che
fia compiaciuto, fo quefto officio . Attenda a
confervarfi .

Di Gradoli, alli xxv. di Agofto MDL.

295   *Al Signor Balduino .*

LA pofta di Monte Rofolo , come Meffer
Curzio , mio Maftro di Cafa , efporrà a Voftra Signoria Illuftriffima , è della giurifdizione di quel loco , ed appartiene a me di dar-
la , come l' hanno data tutti gli altri innanzi a me : il che le cofterà facilmente . Con
tutto ciò io farei molto volentieri tutto quello , che Voftra Signoria Illuftriffima mi ricerca , perchè ella può difporre di quanto io
tengo al Mondo ; ed arei caro d' aver quefta
occafione di compiacerne al Coppiero di Sua
Santità ; ma in quefto cafo mi par che fi
faccia molto pregiudizio alla mia collazione ,
e alle ragioni della Chiefa, le quali non poffo laffar andar fenza mio carico . Oltrechè ,
avendo già fatta la collazione in perfona di
Afcanio Celfo , non poffo ritirarmene indietro . Imperò la fupplico fia contenta di ri-
guardare alla qualità del cafo; e di poi fenz'

altro

altro dirle, alla modeſtia ſua propria me ne rimetto; e a lei m'offero, e raccomando ſempre. Di Gradoli, addì detto.

296   *Al Cardinal di Monte.*

Eſſendo vacata la poſta di Monte Roſolo, giuriſdizione della mia Chieſa delle Fontane, e conferita ſempre dagli altri innanzi a me, e da me medeſimo fino a ora; intendo che Noſtro Signore l'ha data a . . . . ſuo Coppiero; e dall'Illuſtriſſimo Signor Balduino ſon ricerco di farneli dar la poſſeſſione. Il che arei fatto molto volentieri ſe non foſſe con troppo pregiudizio della collazion mia; e ſe già non l'aveſſi data a Meſſer Aſcanio Celſo, mio cameriero, il quale viene a poſta per queſto. Voſtra Signoria Reverendiſſima, conſiderata la qualità del caſo, ſia ſupplicata d'entrare in loco mio, e far quell'officio con Sua Santità, e con l'Illuſtriſſimo Signor Balduino, che le par neceſſario per iſcuſarmi; perchè non paſſerebbe ſenza mio carico, che in queſto caſo abbandonaſſi le ragioni della Chieſa. Del reſto rimettendomi a quanto da Meſſer Curzio, mio Maſtro di Caſa, ne le farà detto, le bacio umilmente le mani. Di Gradoli, addì detto.

297　　*A Meſſer Curzio Frangipane.*

PERCHE' nella poſta di Monte Roſolo , eſſendo aſſolutamente della giuriſdizione di quel loco , non poſſo ſenza mio carico non mantener le ragioni della Chieſa ; non mancherete d' informarne diligentemente Noſtro Signore , biſognando , e l' Illuſtriſſimo Signor Balduino ; il quale mi ſcrive che Sua Santità n' ha fatta grazia al ſuo Coppiero , e mi ricerca ch' io li facci favore a metterlo in poſſeſſo. Edificatelo bene della qualità del caſo ; che tutti gli altri innanzi a me l' hanno conferita , id io medeſimo la conferii a Monſignor Bloſio , e che ora l' ho data a Meſſer Aſcanio ; il quale venendo per queſto , ne farà con voi , e col Sala , e ve ne dirà quelle ragioni di più , che n' arà cavate da Nepi , e dal Poſtiero medeſimo di Monte Roſolo ; e ſe egli vorrà dimenarſi in queſto caſo , fate che 'l facci in nome ſuo . E voi ſpendete il mio con quel riſpetto , e quella riverenza che ſaprete fare, con Sua Santità , e col Signor Balduino ; il quale avete a pregar da mia parte che non voglia laſſarmi fare un pregiudicio coſì evidente in queſto caſo . E, parendovi a propoſito , fate che 'l Cardinal Maffeo ne dica una parola con Sua Santità . E fate ogni diligenza che non ci ſia fatto queſto ſmacco. State ſano.

Di Gradoli, alli xxv. d' Agoſto MDL.

298 *Al*

298   *Al Vicerè di Napoli* (a).

DESIDERO per mia particolar satisfazione che Voſtra Eccellenza ſi degni di farmi un favore, del quale io l' arò tant' obbligo quanto di tutti gli altri, che mi trovo aver ricevuto da lei, che ſono pure aſſai. E queſto ſarà che ſi contenti d' ordinare che Meſſer Paolo Cantelli, gentiluomo Romano, il quale ſi truova preſentemente a Napoli, ſia meſſo nella piazza delli Continovi di Voſtra Eccellenza. E, quando al preſente non vi foſſe loco, farli grazia del primo che vacaſſe; ed intanto per ſuo trattenimento donarli alcun officio di Capitania nel Regno, di quelli che a queſti dì Voſtra Eccellenza ſuol provvedere. Queſto gentiluomo è talmente onorato, e di tal qualità che può ſtar ſecuriſſima d' averne quella fedeltà, e quel buon ſervigio, che ſi deve ſperare da perſona ſua pari. Sicchè quanto all' officio le propongo ſoggetto digniſſimo; e nondimeno io la ſupplico che ſia contento farmene quel ſegnalato favore che le ho detto, ancorachè non ne ſia ricerco da lui; il quale non ſa che di qua ſi facci queſt' officio in ſua raccomandazione. A rincontro, ſapendo Voſtra Eccellenza quanto mi poſſa comandare, ſenz' altro

dirle

____

(a) D. Pietro di Toledo, Marcheſe di Villafranca.

dirle me l' offero sempre, e mi raccomando in sua buona grazia.

Di Gradoli, alli xxv. d'Agosto MDL.

299   *All' Auditor dello Stato (a).*

VACANDO questa Potesteria di Gradoli, per mandar questo che è qui a Bolseno, ho data intenzione al presente, che sarà Messer Francesco Piperozio da San Lorenzo, e n'ho poi presa risoluzione dal Duca. Imperò li farete la sua spedizione. E vostro sono.

Il dì sopraddetto.

300   *A Messer Antonio della Mirandola.*

UN Fra Bernardo, ora nostro Vassallo in San Lorenzo, uomo molto dabbene, mi ricerca, che vogli esser mezzo con voi, che vogliate compiacere un Merlino suo fratello, apportator di questa, d' un vostro beneficio a fitto, o in altro modo, come da esso intenderete. E senza vostro danno mi pare la domanda onesta, e questo buon Padre merita che li sia fatto questo piacere. Imperò, quando sia vero che lo vogliate dare, senza vostro pregiudizio mi farete piacere a contentarlo. E a voi mi raccomando.

Il dì sopraddetto.

301   *Al*

____

(*a*) Cioè del Ducato di Castro.

301 *Al Gabelliero di Toscanella.*

ESSENDO che l' errore d' Antonio di Brizio da Valentano è stato di poco momento, e piuttosto per inavvertenza che per frande, siate contento per amor mio non riconoscerlo, e farli restituire la roba, e la bestia; che lo riceverò per piacere da voi. E vostro sono. Il dì detto.

302 *Al Duca di Castro.*

PRETE Domenico di Luci, maestro di scuola in Valentano, mi espone esser condotto dalla Comunità, ed aver già servito quattro mesi. E' soppraggiunta lettera dell' Auditore, che ordina che vi si metta un altro, presupponendo che quel loco manchi di maestro. Ma essendovi lui, e per questo non ne mancando, e dovendo finire almeno l' anno, per il quale è stato condotto, desidera di non esser rimosso. E ricorrendo da me, ne prego Vostra Eccellenza che per questo tempo sia contenta di lassarlo stare. E attenda a conservarsi.

Di Gradoli, il dì detto.

303 *Al Duca medesimo.*

LA Comunità di Lugnano mi fa dire, che nella tenuta di Serciano, la quale è per ancora
cora

cora in lite con quelli d' Alviano , fono ftate prefe dalli Alvianefi alcune beftie , e fattone lor pagare la pena. Il che par loro fuor d' ogni ragione , effendo il dominio di quella tenuta ancor non decifo di chi fia . E perchè ne potrebbe nafcere qualche difordine , Voftra Eccellenza farà contenta , intanto che la cofa fta così fofpefa , fofpendere ancora quefta efecuzione ; e ordinare , che la pena pagata fia reftituita ; attefo che , come dicono , il pafcolo di detto loco è ftato fino a ora comune . E mi parrebbe che fuffe bene a levar via in tutto quefte differenze . Il che parendole , fra pochi dì farà qui l' Auditor mio ; ed infieme con quello di Voftra Eccellenza fi potria mandare in fu 'l loco , e terminarla . Ed altro non occorrendo , fo fine. Di Gradoli, il dì già detto.

304 *Al Duca Ottavio .*

OGGI ho l' ultime di Voftra Eccellenza de' xxii. e Meffer M. Antonio non è tornato ancora da Roma , con tutto che abbia già parlato con Sua Santità , che me ne meraviglio . Attendo di faper da lui minutamente il ritratto ch' arà fatto; ma quanto a quel capo di domandarli ajuto per il fopplimento della guardia , che s' abbia a crefcere , per quanto mi fcrive Monfignor di Pola , non s' è ottenuta cofa alcuna . E io che n' ero rifoluto, per quanto n' avea riportato il C A R O,

non

non fui mai d'animo che se li domandasse, come per una de' xv. n' ho scritto a Vostra Eccellenza; ed anco n' avvertii Messer M. Antonio, il quale mi par che abbi pur tocco questa parte, non so se per principale, o pur per un modo di dire il bisogno di Vostra Eccellenza. Basta che Sua Santità s' è molto distesa a scusarsi di non poter più che tanto, ed a confortarci che facciamo quella spesa, che vi corre di più, da noi medesimi: raccontando l' impossibilità sua, e l' entrate che avemo noi tutti da poterlo fare, con qualche altro particolare, che accenna stracchezza di quel che fa di presente. Ma di ciò mi rimetto particolarmente alla relazione di Messer M. Antonio. Intanto l' importanza sta nel guardarsi dall' insidie, e munirsi di vettovaglie, come tante volte le ho scritto. E per questo fare, le replico che non si risparmi nè il Deposito, nè cosa che abbiamo; che facendosi questo, sebbene il tempo in una parte ci è contrario, in un' altra ci può favorire, o almeno possiamo aver tanto spazio, che se ne cavi qualche mediocre partito. Della Corte s' ha quel che vedrà per l' inclusa copia d' una di Giuliano, con la quale mando ancora a Vostra Eccellenza un capitolo, che venne molti giorni sono; che ne dette sospetto che Nostro Signore fosse stato persuaso dagli Imperiali a non travagliarsi più che tanto nelle cose nostre. Tuttavolta non mi risolvei allora di

cre-

crederlo . Ho di poi qualche altro rifcontro ,
che mi ritorna nella medefima oppenione ;
tanto che mi fa rifolvere che fia neceffario ,
che penfiamo a i fatti noftri da noi ; pure è
bene di ftar a vedere ancora quel che fcrive
il Nunzio Pighino, e la commeffione che Sua
Santità dice di volerli innovare , che venga
alla ftretta della pratica fecondo la Inftruzione , della quale le ho mandata copia . E di
poi qualche cofa farà . Intanto le replico mille volte , che fi guardi , e fi munifca.

Quanto ai grani della Marca, dal Pola arà
già intefo Voftra Eccellenza , che bifognava
fapere affolutamente fe la provvifione fi poteva fare di coftà, o no , de' grani della Mirandola , e de' contorni ; perchè le lettere
voftre moftrano d' averne fperanza , ma non
certezza ; perchè , quando ne fiate certi , fi
darà ordine che fi faccia fine di quelli della
Marca , li quali erano già quafi tutti in effere .

Delli danari del Cardinal Sant' Angelo ,
fino a tanto che non ritorna Meffer M. Antonio, non fo che mi dire . Io li fcriffi per
lui caldamente , ed anco il Duca Orazio ; e
penfo che non mancherà : tuttavolta non ho
che dirle di certo.

Con quefta farà copia d' una lettera del
Signor Afcanio della Cornia , e d' un' altra
del Cardinal Cornaro , per le quali vedrà
quanto effo Signor Afcanio fi dolga della dichiarazione di Voftra Eccellenza contra quel

fuo

fuo nipote ; la quale non fo con che fondamento fia fatta , ancorachè non poffo penfare che fia fatta a cafo . Tuttavolta il Signor
Afcanio pretende , che fia ingiufta . Mi duol
grandemente , che non fi fia avvertito d' a-
verci qualche temperamento ; pur la cofa è
qua . E credo che bifogni fare una delle due
cofe , o ritrattarla , potendofi fare con voftro onore , o giuftificarla ; e quanto prima
fcriverne una lettera ò a Sua Signoria , o a
me , e per avventura farà meglio a me ,
moftrando ch' io n' abbia fatto gagliardo ri-
chiamo . E perchè , come Voftra Eccellenza
vedrà , fi fcaglia molto forte contro al Signor Paolo , è bene che non fi moftrino le
copie a lui , per non metter più legne a fo-
co. E altro per quefta non accadendo, a Voftra Eccellenza mi raccomando.

Di Gradoli , alli xxvii. d'Agofto MDL.

Scritta quefta , è giunto Meffer M. Antonio , e , venendo effo , Voftra Eccellenza intenderà da lui diftefamente quanto occorre .
Io avea fcritta una lettera al Signor Afcanio , alla quale rifpondendomi oggi moftra
d' effere affai addolcito . Tuttavolta è bene
che , potendo accomodar quefta fua cofa , lo
faccia ; ed in ogni cafo mi dia per una fua
conto di tutto il fatto , e della ragione ,
che l' ha moffo .

305 *Al Signor Paolo Vitello.*

FINCHE' si sta aspettando Messer Marco Antonio da Roma , non v' ho da dire altro che quanto ho scritto al Duca . Intanto bisogna guardarsi diligentemente , e munirsi il più presto che si può ; di poi qualche Santo ci ajuterà . Abbiate l' occhio per tutto, perchè senza dubbio qualche cosa bolle in pignatta . E di già il Duca di Ferrara fa intendere al Papa , che siete mal guardati , e che dubita di disordine : sicchè assicuratevi in ogni modo . De' grani , avvisate se risolutamente vi potete valer di quelli della Mirandola , e de' contorni , o no ; acciocchè sappiamo che s' ha da fare di quelli della Marca . Del resto mi rimetto al ritorno del Signor M. Antonio , e mi vi raccomando.

Il dì detto.

306 *Al Cardinal di Monte.*

DELLA Lettura di Messer Romolo Amaseo, per quanto appartiene a me, Vostra Signoria Reverendissima , ed Illustrissima può disporre a suo volere , come può di tutte le mie cose . E della persona , a chi le piace che si conferisca , e della dottrina d' esso , e degli emolumenti , che vorrà che li si diano , assolutamente me ne rimetto a lei . E accettando per favore tutte le volte , che si

degne-

degnerà di comandarmi ; fenza più dirle le bacio umilmente le mani .

Il dì già detto .

307   *Al Reggente di Cancelleria.*

NASCENDO controverfia fopra un beneficio conferito da me della Diocefi d' Avila , occorrerà di far correggere alcune Bolle in Cancelleria ; per la qual correzione fi rinvalida la mia collazione, e fi ftabilifce una penfione affegnata fopra detto beneficio al CARO, mio Segretario . Imperò prego Voftra Signoria che , fecondo dal Montalvo , prefentator di quefta , farà ricercata , fia contenta di fare ogni opera , che detta correzion fegua ; tanto più quanto fino a ora fono ftato chiarito , che ragionevolmente *veniunt corrigenda.* Ma la terribilità dell' Avverfario , per quanto intendo , fa pratica , e sforzo grande in contrario . Imperò ne l' avvertifco, e la prego , come ho detto , che mi ci facci ogni favore. E, perchè fo che non mi mancherà , non le dico altro, offerendomele. fempre.

Di Gradoli, addì detto .

308   *Al Vefcovo di Perugia.*

INTENDO che Voftra Signoria ha tra li fuoi fervitori defignati , e non ancora accettati , un Meffer Paolo Emilio della Marca , del quale m' è fatto una tal relazione , e da

perſona che lo conoſce tanto intrinſecamen-
te , che m' è venuto in concetto d' un giovine molto raro , da valerſene coſì nell'azioni , come negli ſtudj ; e ſopra tutto ſo che
è deſideroſiſſimo di ſervire a Voſtra Signoria :
ma non eſſendo meſſo ancora tra li ſuoi della
famiglia , ſta per modo ſoſpeſo dell' animo ,
e travagliato dall' impotenza dello ſpendere ,
che non ſa più che ſi fare , nè come ſoſten-
tarſi . E dall' altro canto non vorrebbe ab-
bandonar la ſperanza conceputa nel ſervizio
di Voſtra Signoria , e l' affezione che ha di
già poſta nel ſervirla . Ed eſſendomi eſpoſto
il ſuo biſogno , e parendomi degno d' eſſere
accolto da lei , ho preſo aſſunto di raccomandarlo a Voſtra Signoria, e pregarla che ,
oltre alli ſuoi meriti , anco per amor mio ,
lo voglia avere in particolar conſiderazione ,
perchè ne doverà preſto aver biſogno : e ſo
quanto difficilmente ſi truovano perſone che
ſieno delle qualità , che mi ſi riferiſce che
ſono in lui . Sia dunque contenta d' accettarlo coſì per domeſtico , come l' è ſervitore : che , oltrechè farà acquiſto d' una perſona dabbene , io n' arò obbligo con Voſtra
Signoria ; alla quale m' offero , e raccomando ſempre .

Di Gradoli, alli xxvii. d'Agoſto MDL.

309 *Alla Signora Ducheffa d' Urbino.*

L' APPORTATORE farà Prete Giovan Batifta de' Giorgi da Ferrara , Canonico di Caftro , uomo dabbene , e fofficiente per la relazione , che io ne tengo . Defidera molto di fervire a Voftra Eccellenza , e fpera che per mia interceffione li poffa riufcire ; e quando pure appreffo di lei non poteffe aver loco , fi contenta d' averlo appreffo al Reverendiffimo d' Urbino : ed a quefto defidera , che Voftra Eccellenza li faccia favore . E io non potendo mancare di far quefto officio , la prego che lo voglia contentare o dell' una cofa , o dell' altra . E me le raccomando.

Di Gradoli , addì detto.

310 *A Meffer Sebaftiamo Gualtieri.*

I o non intendo quefta gita del Reverendiffimo di Monte in Tofcana , nè quando abbia a effere , perchè paffando di qui vorrei pur fare il debito mio . Imperò fatemene intendere qualche cofa effendo (*a*) ... a faperlo. Quanto alla foftituzione della Cancelleria, defidero che Sua Signoria Reverendiffima fia

X 2   quel-

(*a*) Forfe ci manca la parola *neceffario* , non bene intefa dal copifta .

quella , che foftituifca; e 'l foftituto , parendo a lei , mi farà caro che fia Monfignor
Reverendiffimo Crefcenzio . Avvifatemi qualche cofa di quefta andata del Cardinale , e
dell' Illuftriffimo Signor Balduino , acciocchè
io poffa far quanto ho detto . E ftate fano.

Di Gradoli, addì detto.

311   *Al Vefcovo di Bitonto* (a).

RINGRAZIO Voftra Signoria delli falu-
ti , che mi manda , e della vifita che mi fa
con la fua de' x. , e tutte l' altre volte , che
mi fcriverà , mi farà gratiffimo, e le ne arò
obbligo , non tanto ch' io non n' abbi faftidio , com' ella moftra di dubitare. Quanto al
Conciftoro , che a Noftro Signore è parfo di
farmi in cafa , io l' accetto per quel fegnala-
to favore , che Sua Santità fi è degnata di
farmene , e non per annunzio di maggior
fortuna ; perchè mi vivo affai contento di
quefta , purchè mi fi ftabilifca , e fia nella
protezione di Sua Santità per l'avvenire, come conofco ch' è di prefente . E in qualunque ftato mi fia , mi confermerò con la
volontà di Dio , e farò fempre, come fono
di Voftra Signoria , alla quale m' offero , e
raccomando. Il dì detto.

312 Al

(*a*) Il celebre Predicatore de'fuoi tempi F. Cornelio Muffo , Piacentino , Min. Convent: trafportato alla Chiefa di Bitonto da quella di Forlimpopoli.

312 *Al Duca Orazio.*

PIETRO Borgognone m'efpone che Voftra Eccellenza n'ha data intenzione di darli la Canara di Marta, pagando il medefimo prezzo che paga Ambrofio. E, perohè è fervitore antico di Cafa noftra, mi pare che la meriti. Pregola dunque che gli ne voglia concedere; che mi farà piacer fingolare. E attenda a confervarfi.

Di Gradoli, il dì detto.

313 *Al Vicelegato della Marca.*

MESSER Antonio Allegretti (a), in raccomandazion del quale fcrivo quefta, è ftato, molti anni fono, familiare di Cafa noftra, e fpezialmente della buona memoria del Duca noftro padre; dal quale fu molto operato per conto delle monizioni, cosi della Camera, come fue proprie, e meffo nell'Appalto de' falnitri di cotefta provincia. Ha di poi continuato la fua familiarità con noi altri per modo, che l'avemo per noftro; e per fe medefimo è tale che merita ogni forte

X 3

te

____

(a) Gentiluomo Fiorentino, grande amico del Caro. Vedi la lettera 189. del Volume I. delle Familiari.

te di favore. Ha bisogno per alcune sue occorrenze della protezione di Vostra Signoria, e circa questo me ne rimetto all' informazione, che n' arà da lui medesimo : solo le dico, che l' ho per gentiluomo sì ragionevole, e così dabbene, che non doverà richieder Vostra Signoria se non di cose oneste. Essendo così, desidero ch' ella non solamente non li manchi di buona e spedita giustizia, che ciò farà Vostra Signoria ordinariamente con ognuno ; ma che si contenti di riconoscerlo per persona della Casa, e farli tutti quei favori, che per lei si possono maggiori senza carico dell' onor suo. E, perchè questa raccomandazione non è dell' ordinarie, la prego che la tenga per tale ; e mi farà gratissimo intendere che l' abbi giovato ec.

314 *Al Fattor dello Stato.*

JACOMO Gavino da Gradoli mi dice restar debitore della Corte di tre Scudi per non so che condennazione; e perchè intendo esser poverissimo; essendomisi molto raccomandato; non posso mancare di far quest' officio di dirvi, che non lo molestiate altramente. Facendo intendere a Sua Eccellenza, bisognando, che io desidero che glie ne facci grazia. E state sano.

Di Gradoli, alli xxiv. d' Agosto MDL.

315 *Alli Officiali d' Ischia.*

Non mancate di confegnare i danari, che vi trovate nelle mani per conto dell' acconciamento delle ftrade, in mano del depofitario conftituito a quefto effetto dal Duca, buona memoria; e fecondo quell' ordine non mancherete ancora d' operare, che s' affetti la ftrada davanti alla cafa della Balía, e tutto il reftante: non effendo bene, che reftino le cofe così imperfette. E ftate fani.

Di Gradoli, addì detto.

316 *A Meffer Cherubino.*

Vi ringrazio del voftro buon animo verfo di me, ed accetto l' offerte per valermene; e per fegno di ciò comincio ora a richiedervi, che fiate contento farmi un orologio da camera: il quale fia giufto, diligente, e bello, come fapete far voi; e quanto più prefto mi fervirete mi farà grato. E io fono al voftro piacer fempre.

Il dì detto.

317 *All' Imbafciatore di Francia.*

Avendo intefo che 'l Re Criftianiffimo ha fatto elezione della perfona di Voftra Signoria Illuftriffima al governo di Monfignor Delfino; per la molta reputazione che le

X 4 vie-

viene da un officio tanto onorato , e tanto defiderato dai perfonaggi di Francia , e per la molta allegrezza, ch' io n'ho fentita, non ho voluto pretermettere di congratularmene con lei ; e tanto più , quanto confido che fia grado da fperarne maggior efaltazione appreffo di Sua Maeftà . Intanto defidero che quefto fia con intera fua fatisfazione , e con perpetua fua laude . E , pregandola che mi tenghi per fuo , e mi comandi , a ogni fuo fervigio m' offero prontiffimo .

Il dì detto .

318   *A Monfignor Giovio* (a) .

IN fomma quefta voftra affenzia dalla Corte non fi può più fofferire , e quefto voftro ftare a Como non fo come vi torni : A me Gradoli , e Capodimonte non mi finifcono di contentare . E' forza finalmente che ce ne torniamo a quel Padre Tevere , e che facciamo infieme una vita da galantuomini . Io

mi

(a) Paolo Giovio da Como , Vefcovo di Nocera , Storico riputatiffimo de' fuoi tempi , morì in Firenze nel 1552. In quefto tempo foggiornava a Como , abbandonata la Corte di Roma ; perchè , effendo venuta a vacare la Chiefa Vefcovile della fua patria , Paolo III. , rigettatone il Giovio , che vi afpirava , l' avea conferita a Monfignor Bernardino dalla Croce, Milanefe , Vefcovo di Afti , e fuo intimo Cameriere.

mi fono in quefte ville dimenticato in gran
parte dell' ambizione , perchè m' è parfo una
dolce cofa non avere altri penfieri , che i
miei proprj ; i quali per molefti che mi fiano , mi vien fatto talvolta di potermene fca-
ricare ; il che non m'avveniva di quelli d'altri . Voglio dire, che credo pure che farà in
mio arbitrio di poter un poco attendere alle
mie confolazioni , e pigliare alcuna volta le
voftre iftorie in mano , e trovarmi ancor io
nella voftra camera a difcorrere con quelli
voftri contemplativi degli accidenti del mondo : che mi farà ora tanto più caro , quanto
lo farò con manco paffione ; e farà lecito
ancora a me di fare i miei cafelletti . Faremo quando in un loco , e quando in un altro certe noftre cenine , ordinate da voi medefimo , e con quelli che vorrete voi ; e vi
imaginerete che 'l giardino di Traftevere fia
il voftro Mufeo , e che 'l fiume fia 'l laco .
Degli altri voftri defiderj , dove l' imaginazione non ferve , ci ajuteremo con gli effetti . Dio ci ha fatto grazia d' un Principe ,
che ci vedrà volentieri , e non ci mancherà
di qualche onefto favore ; ed è tanto muni-
fico , che li farete familiariffimo ; e volendo-
ne qualche grazia , non arete ad efpugnare
la parfimonia del noftro Vecchio . E , febbene avete avuta qualche burrafca nella penfione , non è però tale che con la voftra pre-
fenza non fi poffa condurre a porto . Da me
dovete fperare a beneficio , e fatisfazione vo-

ftra

ſtra tutto quello , che può un privato Cardinale , che vi ſia coſì affezionato , com'io vi
ſono . Sicchè Monſignore venite via , che la
farete aſſai bene , e ſarete almanco ben viſto , e ſarete a Roma , dove voi regnate , e
dove il Palello non ha più che fare . State
ſano , ed affrettate il venire avanti che i
tempi ſi turbino.

Di Gradoli , alli xxx. d'Agoſto MDL. (*a*).

319   *Al Cardinal Tornone* (b).

Io ho fatti di molti errori a'miei dì, ma
di niuno mi ſon tanto pentito, nè tanto ver-
gognato , quanto d'uno , il quale è quello
che mi tiene in diſgrazia di Voſtra Signoria
Reverendiſſima . E non è però tale che ,
giuſtificandomene ſeco da principio , non a-
veſſi meritato o ſcuſa, o perdono appreſſo di
lei . Ma io l'ho ſtimato più grave che non
è veramente ; tanto me ne ſon ſentito offe-
ſo

(*a*) Queſta lettera è ſtampata tra le lettere vol-
gari del Giovio , pubblicate in Venezia nel 1560. dai
fratelli Seſſa .

(*b*) Franceſco di Turnon , creato Cardinale da
Clemente VII. nel 1530. Fu adoperato in graviſſimi
affari dai Re di Francia, Franceſco I. Enrico II. Franceſco II. e Carlo IX. Morì nel 1562. compianto da
ogni maniera di perſone per la ſua probità , e dottrina , e principalmente da' letterati che ha ſempre fa-
voriti , e protetti.

fo io medefimo . E come fuole avvenire ,
che d' un difordine ne feguono molti ; così
dalla vergogna di quefto è proceduto ch' io
non ho avuto ardire nè di fcufarmene , nè
di vifitar Voftra Signoria Reverendiffima, come io dovea e come io defiderava . E peggio, che mi fon più volte deliberato , ed anco ho data intenzion di farlo , e di poi ,
mancando , fono incorfo in maggior contumacia . Ma fe Voftra Signoria Reverendiffima fapeffe il difpiacere , che n' ho portato
con me , fon certo che non ne vorrebbe altra fatisfazione . E perchè non voglio più
ftare in quefta agonia , non m' effendo bafta-
to l' animo d' incontrarla a vifo aperto ; farò prima un poco di fronte con quefta . E
laffando ftar per ora le giuftificazioni , voglio
folamente confeffare ingenuamente , prima d'
aver errato, di poi fatto villanamente a non
emendarlo . Ma nell' una cofa , e nell' altra
ho piuttofto mancato al debito mio , che fatto ingiuria a lei ; perchè quel che ho fatto ,
non è proceduto da difpregio ; e quel che ho
pretermeffo di fare , è avvenuto da molta riverenza che le porto , la quale ha fatto ,
che me ne vergogni più che non merita il
cafo . Ma fia che vuole , io la fupplico che
mi perdoni ; e con quefta fidanza io m' afficu-
rerò di vifitarla , e le dirò tal cofa , che allora conófcerà che merito fcufa , e remiffio-
ne . E per ammenda del fallo non è cofa ,
che non fia per fare , per la molta voglia
che

che ho d' effer fuo : ammirando la fua vertù , e ricordandomi delle molte cortefie , che
io ricevetti in Francia da lei ; e defiderando
oltre modo di renderlene gratitudine : e quando mi dia fperanza di poter meritare l' amor
fuo , io me le darò da qui innanzi per figliuolo , e la fervirò , e l' ubbidirò fempre
da padrone , e da padre . E afpettando, che
per una fua mi affidi della riconciliazione ,
ch' io defidero con lei , quanto poffo umilmente le bacio le mani . Il dì detto.

320 *Al Vefcovo di Vercelli.*

Mi duole per rifpetto di Voftra Signoria
di non effere a Roma per poter fare l' officio , che defidera da me . Ma poi che ella
ha prefo per partito d' indugiar tanto che io
ritorni , non paffando il tempo , alla mia
tornata fi farà con tutto quello affetto , che
io ho di fervirla ; e Dio mi dia tanta autorità di poterlo fare , quanto n' ho defiderio .
Intanto Voftra Signoria attenda a confervarfi : ed a lei m' offero , e raccomando.

. Di Gradoli, all' ultimo d'Agofto MDL.

321 *Al Poteftà di Gradoli.*

Essendo quelle povere donne di Bar-
barefco , Marinuccio , e Meno condennati ,
così bifognofe come fono , fopraffederete l' e-
fecuzion che s' ha fare contra i fopraddetti ;
ed

ed anco ordinerete , alla voſtra partita , a quel che ſuccederà dopo voi , che non ſieno moleſtate, atteſo che intendemo far opera con Sua Eccellenza , che per la povertà delle lor famiglie ſia loro avuta qualche remiſſione . Bene valete .

Di Capodimonte (*a*) , all' ultimo d' Agoſto MDL.

322   *Al Reverendiſſimo di Trani.*

NELLA cauſa dell' avvocazione tra Meſſer Sebaſtian Buffali , e Meſſer Antonio Velli , intendo che Sua Santità ha ſegnato un *motu proprio* ; il quale , pregiudicando in tutto a Meſſer Sebaſtiano , ed eſſendo contrario alla buona intenzione, che ne dette Sua Beatitudine di non voler far altro intorno a ciò, dubito che non ſia paſſato ſenza che ſia ſtata avvertita . Imperò prego Voſtra Signoria Reverendiſſima ſia contenta di farne motto con la Santità Sua , e ſupplicarla almeno , che ſi degni far ſopraſſedere in detta cauſa fino al mio ritorno : che allora inſieme con Voſtra Signoria Reverendiſſima vedremo di farla capace della ragione di detto Meſſer Sebaſtiano . E in caſo che non ottenga , ſia contenta

---

(*a*) Dell' amenità di queſto luogo è da vederſi il Caro nella lett. 106. del Vol. I. delle Familiari.

ta Voſtra Signoria Reverendiſſima di ſupplire ancora per me in tutto che biſognaſſe , che le ſue buone ragioni non ſieno oppreſſe dall' avverſario, per non eſſer Sua Beatitudine bene informata del caſo . E con queſta le bacio umilmente le mani .

Di Capodimonte , il dì detto .

323   *Al Cardinal San Giorgio* (a).

P E R riſpoſta di quanto Voſtra Signoria Reverendiſſima mi ſcrive per la ſua de' xvi. non m' accade dir altro , ſe non che accetto il buon animo ſuo , ancora che non ſi poſſa mettere in eſecuzione, conoſcendo le difficoltà , che le ſi preſentano a poterne ſatisfare : le quali quando non ſi vincano , già Voſtra Signoria Reverendiſſima ne deve eſſere ſcuſata, e noi altri reſtiamo ſatisfattiſſimi del deſiderio , che moſtra di compiacerne : di che la ringrazio molto : e quanto al biſogno di quella Città, penſiamo per altra via di provvedervi . E a Voſtra Signoria Reverendiſſima bacio le mani .

Il dì ſopraddetto .

324 *A*

(*a*) Girolamo Capodiferro, Romano , creato Card. da Paolo III. nell'anno 1544. , e detto volgarmente il Card. Sangiorgio. Fu Legato di Romagna ſotto tre Pontefici, Paolo III. Giulio III. e Marcello II.

324 *A Meſſer Uberto Foglietta* (a).

RICEVEI molti giorni ſono le voſtre annotazioni , e non riſpoſi allora alla voſtra lettera per conſiderare prima l' ordine , e la forza loro ; il che ho fatto . E ſenza dubbio è coſì, come voi dite, perchè avete preſi i capi di quelle coſe , che ſono più frequenti nell' uſo del parlare , e con molto giudicio avete raccolto i varj modi , che ſi tengono all' eſpreſſione d' un concetto medeſimo . Ma perchè conſidero che in queſto andare ſi poſſono fare aſſai più capi , che quelli che m' avete mandati , il che ſarebbe un ricchiſſimo apparato della lingua ; quando n' abbiate fatti , o ſiate per farne più di queſti , io vi prego , che me ne facciate parte. E di queſti vi ringrazio , e ve n' ho obbligo pure aſſai.

Di Capodimonte , il dì detto.

325 *Al*

(*a*) Uberto Foglietta , Genoveſe , uno de' più eruditi Scrittori del Secolo XVI. Morì in Roma in caſa del Card. Ippolito d' Eſte nel 1585. come afferma Appoſtolo Zeno nel T. II. delle Annotazioni al Fontanini . Scriſſe molte opere , la più parte Storiche , fra le quali ſono due libri in lingua Italiana *della Repub. di Genova* ; e a cagione di eſſi fu mandato in eſilio.

325 *Al Vescovo dell' Aquila.*

RINGRAZIO Vostra Signoria della diligenza fatta circa la commessione della causa, e giudico il Commissario opportunissimo. per la prima ne ringrazierò ancora Monsignor d' Imola, come per la vostra m' avvertite. E quanto alla lettera della Corte, basta che mostriate quel capitolo, che tratta del nostro negozio, a Monsignor di Pola. E a Vostra Signoria m' offero, e raccomando.

Il dì detto.

326 *A Messer Ottavio Ferro.*

I PORTAMENTI vostri in Parma sono stati tali, che quella Città tutta vi desidera, e 'l Duca mi fa molta instanza, che vi disponga a tornare. E, perchè penso che Sua Eccellenza ve n' abbia scritto, a me non accade dir altro; se non che quando ve ne contentiate, oltre alla satisfazion che darete universalmente a quel popolo, ne farete al Duca, ed a me cosa grata, che in tutto che potremo l' uno, e l' altro saremo tenuti a riconoscervene. Addì detto.

327 *A Monsignor ......*

GIOVANNI di Niccolò Fiorentino, apportatore di questa, è servitore di Casa, ed
aven-

avendo già fatto una permutazion col Vicario , e fattore del voftro Vefcovato di certo terreno con le ftime , e folennità che fi ricercano , vorrebbe ora da Voftra Signoria lo ftabilimento di detta permutazione; e a quefto effetto ha fatto fpedire il *Si in evidentem*, che non v' era prima . Io prego Voftra Signoria, poichè la cofa è proceduta per i fuoi termini , e facendofi , fe non è fatto , quel che appartiene all' utile della Chiefa, fi contenti di dar l' ultima fine a quefta faccenda, e preftarvi il fuo confenfo ; che me ne farà cofa grata . E me le raccomando.

Di Capodimonte , il primo di Settembre MDL.

328 *Al Capitan Jeronimo da Pifa.*

CON quella confidenza ch' io ho di valermi di voi in ogni mia occorrenza , vi fo intendere , che ho bifogno che diate una corfa fino a Parma ; perchè ftando il Duca Ottavio in qualche gelofia di quella Città , per mia particolar diligenza mi contento , che andiate un poco fin là , e che , bifognando , vi ftiate fino a due mefi . E perchè il Duca ha bifogno di qualche uomo dabbene appreffo , vi menerete con voi fei , o otto uomini a voftra fcelta . Io ho fcritto al Signor Afcanio , che per amor mio vi voglia dar licenzia per quefto tempo , e penfo che non mancherà . Di voi non dico altro se non che me ne prometto ogni cosa . Vi prego vi sbrighiate quanto prima , e venendo di qua , ragioneremo più a lungo . Intanto son vostro .

Di Capodimonte , il dì detto .

329 *Al Signor Ascanio della Cornia.*

STANDO le cose di Parma con qualche gelosia , per satisfare a me medesimo , ho designato mandarvi qualcuno in chi confidi per qualche giorno ; ed ho risoluto , che 'l Capitan Jeronimo da Pisa sia a proposito . Vostra Signoria Illustrissima mi farà somma grazia d' accomodarmelo per un par di mesi , e disporre ancor lui a farlo volentieri ; e ne la prego quanto posso , perchè non posso far di manco .

Di Capodimonte , al primo di Settembre sopraddetto.

330 *Al Duca Orazio.*

LEVANDOSI il Potestà di Gradoli per servirmene a Bolseno , ho destinata quella Podesteria , piacendo a Vostra Eccellenza , a Ser Francesco Piperozio da S. Lorenzo . E contentandosene , mi farà piacere mandarmi quanto prima la sua patente , acciocchè possa mandar via quel che v' è di presente . E a Vostra Eccellenza mi raccomando.

Di Capodimonte, il dì detto .

331 *Al*

331   .*Al Capitan Bombaglino.*

P E R parte della voftra provvifione vi mando per ora Scudi 40., e non fi mancherà di dar ordine che per l'avvenire ve ne poffiate valere a tempo. Per quefta vi dico che fenza alcuno indugio ve n'andiate a Parma a trovare il Duca Ottavio ; e con quella fede , e con quella diligenza , che fiete folito di far per lo paffato , lo ferviate , e l' avvertiate di tutto che farà neceffario . E perchè defidero che abbia appreffo degli uomini dabbene , vi potrete menar con voi fino a fei , o otto foldati valenti , e fedeli ; che ordinerò che gli trattenga , caffando degli ordinarj, fe bifogna . Ma non mancate di fpedirvene quanto prima . E ftate fano.

- Di Capodimonte, addì fopraddetto .

332   *Al Capitano Andrea da Todi .*

A L L A ricevuta di quefta non mancherete di trasferirvi fubito a Parma ; perchè avendo il Duca Ottavio a tener buona cuftodia di quella Città ; ho caro che li fiate appreffo tutti voi altri , che li potete far fervizio: e fpezialmente avendo fede nell' affezion voftra, vi defidero voi , ed è bifogno , che lo facciate quanto prima . State fano.

Di Capodimonte, addì detto .

333 *Alla Comunità di Gradoli.*

VITTORIO oste si tien gravato, che li facciate pagare il fitto dell'osteria di quel tempo, che non n'ha cavato utile, contra l'intenzione che li deste, che s'arebbe considerazione al mancamento del concorso nella Sede vacante. Imperò mi pare che, stando la cosa come la porge, non l'abbiate a molestare di quel che non n'ha cavato. E facendoli grazia di quella parte, me ne farete piacere. E bene valete.

Di Capodimonte, a'ii. di Settembre MDL.

335 *Al Signor D. Cesare Borgia.*

MESSER Antonio Minozzo, in raccomandazion del quale si scrive questa, avendo bisogno dell'autorità di V. Signoria appresso al Signor Conte di Condeianni, Vicerè di Calabria, per ottenere il Giudicato di Regno; ha voluto ch'io sia intercessore per impetrare da lei, che lo raccomandi a esso Signor Conte. E perchè m'è riferito esser uomo dabbene, e meritevole d'ogni loco, e perchè m'è molto raccomandato da persona a chi desidero assai di far cosa grata; io raccomando a Vostra Signoria quanto più posso questo suo desiderio: e la prego, che sia contenta per amor mio di fare ogni opera, che ne sia consolafolato : che , oltra che me ne farà piacere fingolare , il loco ancora farà ben provvifto. E a Voftra Signoria m' offero , e raccomando fempre .

Di Capodimonte , alli iii. di Settembre MDL.

335   *Al Cardinal d' Urbino* (a)

MESSER Niccolò de' Roffi da Montefiafcone defidera da Voftra Signoria Reverendiffima ottenere la Potefteria di Trievi : e per la fperanza che tiene in me , mi richiede d' interceffione appreffo di lei . Io per ogni rifpetto non poffo mancare di raccomandarlo a Voftra Signoria Reverendiffima , e maffimamente perchè l' ho per perfona meritevole di quefto , e di maggiore offizio . Imperò s' ella fi degnerà di compiacerlo , oltrechè a me ne farà piacer fingolare , fpero che 'l loco farà ben provvifto. E fenz' altro dirle , umilmente le bacio le mani .

Di Capodimonte, il dì fopraddetto.

(a) Giulio della Rovere , fratello di Guidubaldo Duca di Urbino , fatto Cardinale da Paolo III. nel 1547.

336 . *Al Cardinal S. Angelo.*

SAPENDO Voſtra Signoria Reverendiſſima di quanta importanza ſia la provviſione
per li grani di Parma , non le dirò altro ,
ſe non che è neceſſario che ſi ſcomodi per
accomodare il Duca di quella ſomma di 3000.
Scudi , che ſi deſidera da lei ; poichè ognuno
avemo a concorrere a queſto peſo : benchè
non ſe n' ha da ſentir danno , avendo il ritratto de' grani a tornare in màn noſtra per
rata della quantità che ciaſcuno di noi arà
sborſata . Meſſer. M. Antonio mì diſſe aver
laſſato che Voſtra Signoria Reverendiſſima ſi
obbligherebbe del debito , che avea con l' altre ſecurtà , e le ricercherebbe poi la promiſ-
ſion di queſta ſomma . Di poi ho lettere dal
Duca , e dal Signor Paolo Vitelli , per le quali ſi ſollecitano queſti danari . E ſemo in
punto che biſognerebbe, che a queſt' ora fuſſero (*a*) . . . . . . Imperò di grazia Voſtra
Signoria Reverendiſſima faccia ogni sforzo ,
che quanto prima ſi poſſino mandare : che ,
fatta queſta provviſione , ho ſperanza che ſaremo liberi dal pericolo , che ſi porta : perchè l' oppenion loro è che D. Ferrante , ve-
den-

____

(*a*) Nel MS. v' ha una lacuna : ma chi legge ,
può facilmente ſupplirla.

dendo che fi patifca dentro di vettovaglie, fia per venire alle ftrette con quella Città. Voftra Signoria Reverendiffima vede a che termine fiamo, e per onor noftro a che fiamo tenuti. E fenz' altro dirle umilmente le bacio le mani.

Di Capodimonte, alli v. di Settembre MDL.

337 *Al Signor Afcanio della Cornia.*

QUEL poco di rimunerazione, che Marcello Alfaño ha tutto il tempo della fua fervitù avuto da me, è venuto ora con tutto 'l Chiufi nelle mani di Voftra Signòria Illuftriffima, e a lei fta fe vuol che ne refti privo, o no. Io fon tenuto a raccomandargline con tutto 'l core, e pregarla, come fo con quefta, che fia contenta per amor mio, o laffarli godere quella parte, che per interceffion mia li fu data; che a lei è minima cofa, e a lui importa la fuftentazion della vita; ovyero che voglia impetrarli da Noftro Signore qualche ricompenfa; che a Voftra Signoria Illuftriffima farà faciliffima cofa, e a me ne farà un piacere il maggiore che mi poffa fare. Oltrechè farà con quefto poveruomo di Marcello un atto generofo, e degno di fè; fperando dalla grandezza della Signoria Voftra Illuftriffima, e della fua Cafa, non folamente la prefervazione dell' acquifto fatto in tanti anni di fervitù con me, ma dell' altre cofe da vantaggio, per effer così fervitor

 fuo,

fuo , come mio . E torno a ripregarla con
quanto affetto poffo , che non voglia mancare o di prefervarlo in quel che have, o d'a-
jutarlo a ottener la ricompenfa . E penfando , che conofca ch' io lo defidero , non le
dico altro ; fe non che me le offero , e raccomando fempre .

Di Capodimonte , alli v. detto .

338   *Al Vefcovo di Perugia.*

U N' altra volta ho fcritto a Voftra Signoria in raccomandazion di Marcello Alfani , ed
ora ne fcrivo a lei , ed al Signor Afcanio ;
e prego l' uno , e l' altro con quella efficacia , che poffo maggiore , che faccino quefto
favore a me d' accomodar per modo la cofa
fua , che non perda quel poco che in tanti
anni ha fatto d' acquifto . Quefta porzione ,
ch' egli ha del Chiufi , è tanto picciola cofa , che al Signore non è confiderabile , e a
lui importa tutto lo ftato fuo . Imperò ho
prefo ardire a ricercarlo , che per amor mio
o lo laffi godere , o veramente che fe li dia
ricompenfa . Che alle Signorie Voftre è come nonnulla a farlo , e fi prefervano un fervitor perpetuo alla Cafa loro , e a me ne
faranno un piacere , che me ne ricorderò fempre . E confidando nell' uno , e nell' altro ,
che non fieno per mancare di farmi quefta
grazia, fenza più dire a Voftra Signoria m'offero , e raccomando fempre. Il dì detto.

 Al Cardinal Crescenzio.

PER resignazione, e per morte di Carillo Spagnuolo sono venuti in persona di Vostra Signoria Reverendissima due beneficj della Diocesi di Siviglia, i quali sono in Casa di Lodovico Raglioni mio caro, ed antico servitore. E perchè a nessuno stanno meglio che a lui, io prego Vostra Signoria Reverendissima che per mio amore sia contenta di compiacernelo, e di preferirlo a tutti, che li domandassero; che, oltre all' onesta ricompensa, e le solite cautele che ne darà a chi, e come ella vorrà, a me ne farà piacer singolare per molto desiderio che tengo, che Raglione abbia questo acconcio in patria sua: che per questo rispetto solo par, che non se li possino negare; oltrechè per molti altri lo merita. E quando i meriti suoi non ci fossero, io prego Vostra Signoria Reverendissima, che ne facci grazia a me; che a me medesimo riputerò che li conferisca. E umilmente le bacio le mani.

Di Capodimonte, il dì già detto.

 A Monsignor Nicolas.

DEGLI avvisi, e de' ricordi, che Vostra Signoria mi dà per la sua de' ii., non dico se non quello ch' ho detto tante volte degli altri, che mi son tutti carissimi,

e mase maſſimamente nello ſtato in che mi truovo , per eſſermi di molto profitto alle mie deliberazioni . E da queſto può conſiderare quanto ne la ringrazj , e quanto deſidero , che continui meco in queſto amorevole offizio ; il quale ſon riſoluto , che non può eſſer fatto da niſſun altro con quella diligenza , e con quel giudicio , che ſi fa da Voſtra Signoria . É quanto allo ſtratagemma , che ci ſi ordiſce con la carità di dar diſciplina a D. Aleſſandro (*a*) ; così come conoſco a che fine ſi va , così ſiate ſecuro , che provvederò , che non ci ſaremo colti . All' altre coſe non accade altra riſpoſta , che quanto ho detto . Sto aſpettando il ritratto , che arete fatto dal Reverendiſſimo Tornone . E m' offero , e raccomando ſempre .

Di Capodimonte , alli vi. di Settembre MDL.

341   *All' Abate Martinengo* (b).

SAPENDO io qual ſia la bontà , e corteſia di Voſtra Signoria , e miſurando l'amor

ſuo

(*a*) Aleſſandro Farneſe , figlio del Duca Ottavio ; che riuſcì il più ſaggio , e più valoroſo Generale de' tempi ſuoi.

(*b*) Non ſi ſaprebbe decidere chi ſia queſto illuſtre ſoggetto della chiariſſima Famiglia de' Conti Martinengo di Breſcia ; quando non foſſe per avventura

l' Aba-

fuo verfo di me da quello ch'io porto a lei,
non mi debbo meravigliare de' buoni officj ;
che ella fa a beneficio mio, e della mia Cafa ; come quello, che fon defiderofo e difpofto di fare altrettanto per lei in tutte le fue
occorrenze ; e defidero occafione di poterle
moftrare quefta mia buona volontà. Intanto
la ringrazio ; quanto poffo, degli effetti ch'
ella fa, i quali come fo che fon fatti da lei
amorevolmente, e con efficacia, così fpero
che mi faranno di profitto : e la prego a
continuarli con tutti quelli che giudicherà
che fieno a propofito, e fpezialmente col Se-
reniffimo Re de' Romani. Alla bontà del quale fon tanto devoto per l'ordinario, che poco li poffo effer più per nuovi officj che fi
degni di fare in favor delle cofe noftre. Pur
non potendo altro, ringrazio Dio che la noftra fortuna gli fia in confiderazione, e, molto più, che con tanta umanità s'offerifca di
pigliarne protezione. E prego Voftra Signoria che per mia parte ne baci umilmente le
mani di Sua Maeftà. E altro non occorrendo, a lei m'offero, e raccomando fempre.

Di Capodimonte, il dì detto.

342 *A*

---

l' Abate Girolamo, fratello del celebre Conte Fortu-
nato, di cui fi hanno lettere a Principi, Re, ed
Imperadori ; o il P. Tito Profpero, Caffinefe, gran
letterato de' tempi fuoi, il quale non fo di certo che
fia ftato Abate della fua Religione, comechè qualche
fcrittore lo dica.

342 *A Monsignor d' Imola.*

QUANTO m' è di contento , e di favore , che Noftro Signore fi moftri con tanta benignità, e con tanta follecitudine alla prefervazion di Cafa noftra ; tanto m' è di dolore , che Sua Santità abbia pur un minimo penfiero , che io , o 'l Duca non fiamo, non che interamente fatisfatti , ma contentiffimi fopra modo della paterna affezion fua, e della liberalità che ci ufa , e de' configli che ci dà , e di tutti i fuoi modi con che ci ajuta , e ci difende. E non fo donde fia nata quefta voce in Roma , che s' abbia fatto entrar Sua Beatitudine in quefta dubitazione, ed anco in più timore delle cofe di Parma , che non bifogna . Perchè febbene fe ne ftà con qualche gelofia, è per abbondare in cautela piuttofto , che per mala fperanza che fe n' abbia . Imperò rimando il Capitan Jeronimo , e 'l Buoncambi , perchè certifichi Sua Santità così della noftra fatisfazione , come della buona difpofizione delle cofe di Parma; delle quali fperiamo ogni buon fucceffo ancora , per averne Sua Santità prefa quella protezione che fi vede. Voftra Signoria fia contenta far fopra ciò quell'officio, che le pare con Sua Beatitudine , e rimettendomene alla deftrezza , ed alla prudenza fua , fenz' altro dire, me l'offero , e raccomando.

Di Capodimonte, alli vii. di Settembre MDL.

343 *Al Papa.*

S' io aveſſi da adeſſo , o da queſta dimoſtrazione verſo di noi fatta , per il Capitan
Jeronimo da ringraziare Voſtra Beatitudine ſo
che , per ſoddisfarmi , farei neceſſitato con
molte parole faſtidirla . Ma ſono tanti , e
tali li obblighi, che Caſa mia le deve e per
il paſſato , e di preſente ; che non ſo quando mai baſteranno effetti a rendergliene grazie . Di queſto l' aſſicurerò bene che per noi
tutti non ſi mancherà mai di quella fede, a-
more , ed oſſervanza , che ſi deve ad un ſuo
Signore ; e per quanto conoſceremo l' occaſione , non mancheremo e con la vita , e
con le facultà ſervire la Beatitudine Voſtra .
Rimando Meſſer Vincenzo Boncambi, e 'l Capitan Jeronimo con li danari , che è piaciuto a Voſtra Beatitudine dargli ; e non ve
n' eſſendo per ora più biſogno che tanto ,
come ne le daranno conto , e ſapendo che
alla Santità Voſtra non ne avanzano, ho preſo queſto eſpediente . E tanto più che nel
punto medeſimo che vennero eſſi due , giun-
ſe un Secretario del Duca, mio fratello, venuto per altri affari , e mi certifica che le
coſe di là mai ſtettero più quiete che ora ,
e che in quelli contorni ci era pochiſſima
gente . Di queſto Voſtra Santità ne ſtia ſicu-
riſſima . Un ſolo rimedio è , di che ho da
ſupplicar Voſtra Beatitudine , che ſi degni
inſie-

infieme col Signor Afcanio reftituirmi il Capitan Jeronimo ; il quale , per aver io conofciuto lungamente di quella fede , e fofficienzia che è , e per effermi certificato che mio fratello defidera d'averlo appreffo , e penfo che fe ne fervirà o nella Cittadella, o in qualche onorevol grado ; la fupplico quanto prima a darli grata , e libera licenza ; che così facendo , per ora mi farà parfo aver affai rimediato a quelle cofe ; ed a noi farà fegnalatiffima grazia e favore . Quel di più che m' occorrerà , Voftra Santità lo intenderà dagli apportatori di quella; ed io per non faftidirla con più lunga lettera , refterò baciando i Santiffimi piedi di Voftra Beatitudine ; pregando Iddio che la confervi fana , e felice .

Di Capodimonte , addì detto.

344 *Al Cardinal Sant' Angelo.*

PERCHE' è neceffario che la buona difpofizione di Voftra Signoria Reverendiffima circa la provvifione de' danari per Parma fi metta in atto, le ricordo che fi vaglia della promeffa di quelli fuoi che poffono, come del Milefio , di M. Carlo, di quel fuo de' Crefcenzi , che ciafcuno d' effi doverà promettere almeno per 500. Scudi, e così qualcun altro . E fopra tutto bifogna far prefto ; altramente e la buona difpofizione , e la diligenza poi farebbe vana . Danno , come ho detto,

to , non glie ne può venire , e fi fa beneficio della qualità ch' ella fa . Se io più poteffi , più farei ; ma poichè ho fatta la parte mia , Voftra Signoria Reverendiffima fupplifca ancor effa . E le replico che fia con
celerità . Ed , altro non occorrendo , le bacio le mani.

Di Capodimonte , il dì detto.

345   *Al Cardinal San Jacomo* (a).

DAL Cavalier Franciotto , apportator di
quefta, Voftra Signoria Reverendiffima intenderà le giufte cagioni , che lo muovono a
non fervir perfonalmente alla Religione , come è chiamato , e 'l defiderio , che tiene di
non efferne aftretto , e di venirne fcufato
fpezialmente da Voftra Signoria Reverendiffima . E perchè è già buon tempo amico di
Cafa noftra , io la prego che fi degni per a-
mor mio pigliarlo in protezione , ed in quefta , e in ogni altra fua occorrenza preftarli
tutto quel giufto favore , che ella potrà .
Che , oltrechè egli per le fue qualità lo merita , io n' arò particolarmente obbligo con
                                        Vo-

(*a*) Fra Giovanni Alvarez di Toledo , Spagnuolo , dell' Ordine de' Predicatori , fatto Card. da Paolo III. nel 1538. Fu figlio di Federigo Duca d' Alba ,
e dal fuo Arcivefcovato fu detto il Cardinal di Bur-
gos , di Compoftella , di San Giacomo.

Voſtra Signoria Reverendiſſima , alla quale umilmente bacio le mani .

Di Capodimonte , alli viii. di Settembre MDL.

346 *Al Cardinal Sant' Angelo.*

VOSTRA Signoria Reverendiſſima ſarà informata dal Cavalier Franciotto , portator di queſta , del giuſto impedimento , che allega di non poter comparire perſonalmente a ſervire alla Religione Jeroſolimitana , ſiccome ora viene aſtretto di fare ; e quel che deſidera da lei per iſcuſarſi di queſto ſervizio . Io prego Voſtra Signoria Reverendiſſima che ſia contenta di preſtarli tutto quel favore che ella può : che , oltre a eſſere amico della Caſa , è gentiluomo che lo merita per ſè ; ed io lo riceverò per un grandiſſimo piacere da Voſtra Signoria Reverendiſſima , alla quale umilmente bacio le mani .

Addì ſopraddetto .

347 *A Monſignor d' Imola.*

L'APPORTATOR di queſta , che ſarà il Cavalier Franciotto , è molto amico di Caſa noſtra , e per ogni riſpetto merita aſſai . Da lui intenderete il ſuo giuſto deſiderio , e l' impoſſibilità di ſervir perſonalmente alla Religione. Io vi prego che per amor mio ſpezialmente ſiate contento di favorirlo a farli

otte-

ottenere il Breve della familiarità di Noſtro Signore , e tutto quel che deſidera per iſcuſarſi da queſto ſervizio ; che , oltrechè farete acquiſto d' un buon gentiluomo , ne farete a me piacer ſingolare. E mi farà caro intendere , che la mia raccomandazione li ſia giovata. Nè altro occorrendo per queſto , mi vi offero , e raccomando ſempre .

Il dì detto .

348 *Al Podeſtà, Sindico, ed Officiali di Gradoli .*

ESSENDO informato dai voſtri Abbondanzieri del biſogno della voſtra Comunità , che gli uomini ſuoi medeſimi hanno grano da ſupplire ſenza mandar fuori ; vi diciamo che non manchiate d'aſtringere quelli Gradoleſi, che hanno i grani in Canino, che mettano in Abbondanza, ciaſcuno per rata di quel che hanno ripoſto, fino a 100. ſome, da pagarſi loro al prezzo , che farà dichiarato dal Signor Duca , o ſuoi Miniſtri ſopra di ciò ; che noi opereremo con Sua Eccellenza che ſi contenti per ora di queſta ſomma . E del reſto per l' avvenire diſporrà l' Eccellenza Sua quel che meglio le parrà . Intanto non mancate d'eſeguir quanto vi diciamo. E ſtate ſani. Di Capodimonte, alli viii. di Settembre. MDL.

349 *Al Signor Giulian Cesarino (a)*.

Dal Capitan Cencio Voſtra Signoria Illuſtriſſima ſarà informata del caſo di Giuſeppino ſuo parente . E , perchè può ſapere quanto detto Capitano ſia noſtra coſa , e per queſto conſiderare quanto io deſideri d' impetrarli favore , e grazia da lei , ſenz' altro dirle io gliene raccomando quanto poſſo . E la prego ſia contenta per amor mio averlo in protezione , e farli tutte quelle abilità che può con onor ſuo : che certo me ne farà coſa gratiſſima . E del reſto riferendomene a quanto le ſarà porto da lui , ſenza più dire me l' offero , e raccomando ſempre.

Di Capodimonte , alli viiii. di Settembre. MDL.

350 *Al Signor Balduino*.

Vostra Signoria Illuſtriſſima intenderà dal Capitan Cencio d' Orvieto il deſiderio , ch' egli ha d' ottenere un ſalvocondotto d' omicidio per un ſuo , e anco d' eſſere ajutato appreſſo al Signor Giulian Ceſarini . E ricercan-

---

(a) Di nobiliſſima famiglia , caro a Carlo V. e Filippo II. Giulio Papa III. lo fece Generale dell' Infanteria dello Stato , e gli diede in feudo Civitanova , e Monte Coſſero nella Marca.

candomi di raccomandazione appreſſo di lei,
non li poſſo mancare per eſſere degli antichi,
e degli amorevoli familiari di Caſa noſtra.
Io la prego , quanto poſſo, che ſi degni per
mio amore di preſtarli il ſuo favore, che tutto riceverò in perſona mia propria. E a Voſtra Signoria Illuſtriſſima m'offero , e raccomando ſempre. Addì detto.

351   *Al Cardinal Camerlengo.*

IL Capitan Cencio d'Orvieto deſidera una
lettera da Voſtra Signoria Illuſtriſſima, e Reverendiſſima al Signor Giulian Ceſarini in
raccomandazione d'un ſuo parente, come intenderà da lui . La prego ſi degni per amor
mio di farla per modo , che ſia compiaciuto. E, perchè ella ſa quanto il Capitan Cencio ſia affezionato di Caſa noſtra , può anco
ſapere quanto deſidero, che ottenga l'intento
ſuo. Del reſto confidandomi , che non li
mancherà di favorirlo in tutti i modi , ſenza
più dirle le bacio le mani . Addì detto.

352   *Alla Comunità di Lugnano.*

ESSENDO ſtato qui bene informato della
la differenza de' confini tra voi , e Lovianeſi
ed avendo ſperanza fra pochi giorni di trovare alcune Scritture, che daranno lume di
tutto'l fatto, ſecondochè mi ſi promette; vi
diciamo che, in queſto mezzo che ſarà di

poco tempo , non innoviate cosa alcuna: lassando li Lovianesi nella lor pacifica possessione come è giusto. Perchè io farò vedere tutte le Scritture al mio Auditore ; e se arete ragione, piglio sopra di me che 'l Duca ve la faccia buona ; quando no , voi non dovete voler se non il dovere . State sani.

Di Viterbo, alli x. di Settembre. MDL.

353 *Al Signor Ascanio della Cornia.*

CON quella confidenza , che io ho con Vostra Signoria Illustrissima , la richieggo liberamente d'un mio desiderio per un amico della Casa a chi non posso mancare . E questo è Marc'Antonio Gatto da Viterbo, il quale vorrebbe esser Castellano della Rocca di Civita castellana. Se possibile è , la prego che me ne faccia grazia , ricompensando , come può facilmente , quel che v'è di presente con qualche altra cosa, se fosse persona , che , rimovendosi , meritasse d'esser provvisto . E sia certa , che me ne fa un piacer singolare : a rincontro del quale m'offero prontissimo ad ogni suo servigio . E me le raccomando .

Di Viterbo , alli xi. di Settembre . MDL.

354 *Al Signor Paolo Vitelli* (a).

Si sono avute le voſtre de' iii. e de' iv. ; e quanto alla prima reſto molto ſatisfatto del modo di guardarvi, e m'è ſtato caro che me n' avviſiate particolarmente. De' grani, già quelli della Marca ſon fatti, e a queſt'ora doveranno eſſere in via, o poco meno. Io non ſo ſe nel conto, che fate del grano che vi manca, computate queſti della Marca, o no; ma ſia come vuole, io riſolvo che vi debbiate provveder da vantaggio, e che per comprare i grani circonvicini vi vagliate ancora del Depoſito, per non metter tempo in mezzo; perchè i danari di Sant' Angelo ſi provvederanno di corto, e ſi potranno rimettere per la ſomma che ſi farà levata. E di già, come arete inteſo dal Monterchi, ho ſcritto a Madama che sborſi li 5000. Scudi che dite che biſognano. Sicchè quanto a queſta parte ſi è ſatisfatto: e di quà non ſi mancherà tener ſollecitato Sant' Angelo allo sborſo degli altri. Quanto all' altra lettera, io approverei il voſtro conſiglio per rimediare al ſoſpetto, del quale mi parlò il Venturi. Tuttavolta non mi riſolvo che ſi debba far

Z 3

altro

(a) Queſto eccellente Capitano ſtava preſſo il Duca alla cuſtodia di Parma.

altro fino a tanto , che non intendo la rifoluzione che fi piglia della condotta . de' grani
della Marca , della quale mi deve rifpondere
il Monterchi dopo l'arrivo fuo coftà ; e mi
meraviglio , che non me n' abbiate fcritto
voi ancora qualche cofa : perchè defidero pure che ne facciate deliberazione di comun confenfo . E fecondochè vi deliberate di quella,
così giudico che debbiate col Duca pigliarne
partito, come vi parrà meglio. Il Duca Orazio fi prepara per il fuo viaggio di Francia ,
e partirà li xv. o xvi. di quefto con animo
di paffar da voi ; e con quell' avvertimento
che fi richiede agli avvifi che tien di coftà .
Io mi preparo al ritorno di Roma , il che
farà fubito , che arò dato una corfa fino a
Urbino per veder la Ducheffa ; che farà fra
pochi giorni . Intanto afpetto la rifoluzione
di quanto ho detto , e vi ricordo la diligenza , e la celerità . Nè altro occorrendo, mi
vi raccomando .

· Di Vetralla (*a*) , alli xii. di Settembre,
MDL.

355   *Al Duca Ottavio .*

Dopo la partita del Monterchi di quà ,
è venuta la rifpofta mandata da Don Ferrante

(*a*) Vetralla è picciola Città nel Patrimonio di
San Pietro a due leghe da Viterbo .

te a Noſtro Signore all'ultima inſtanza fat-
tali da Sua Santità ; e la ſuſtanza d' eſſa è,
come vedrà per la copia incluſa d' una del
Dandino . Da che potrete facilmente conſiderare l'animo che tiene: e però dovete tanto più ſtare all' erta , e penſare ai caſi voſtri . Il medeſimo a mio giudicio s' ha da
ſperare dalla Corte , per un corriero che partì di Roma al primo di queſto , e doverà
eſſer di ritorno fra pochi giorni ; ſe il Nunzio Pighino averà avuta ancora udienza da
Sua Maeſtà , caſo che per la ſua indiſpoſi-
zione , o pur , perchè voglia menarci in lungo al ſolito , non lo facci ritardare . Tuttavolta è neceſſario che 'l Nunzio ne ſcriva pur
qualche coſa . E aſpettando queſto , com'io
diſſi al Monterchi , mi vado intrattenendo
d' andare a Roma ; anzi in queſto mezzo mi
delibero di dare una volta fino a Urbino per
veder la Ducheſſa , noſtra ſorella , che me
ne fa molta inſtanzia . Intanto vi certifico
che non ſi manca di ſollecitare la provviſione de' danari che vi biſognano per l' Abbondanza . Della qual coſa , perchè io mi piglio molto penſiero , deſidero che 'l Monterchi m' avviſi particolarmente del giorno , che
arriverà quel grano della Marca , ſiccome li
commiſi al ſuo ritorno . Il Duca Orazio è
ſtato queſti giorni con me , ed è già in ordine per il viaggio di Francia , e riſoluto di
partire alli xv. , o xvi. di queſto , con animo di venirvi a vedere . Il Capitan Jeroni-

mo , alla ricevuta di questa , farà comparso:
Avvertite che in questa sua assenza egli per-
de la provvisione di 30. Scudi al mese , come locotenente del Signor Ascanio . Dicolo ,
perchè conviene che lo rittoriate .

Di Vetralla, alli xii. del detto.

356 *A Monsignor d'Aras.*

L a morte della buona memoria di Monsignor di Granuela (*a*) , padre di Vostra Signoria , m'è stata prima di quel dolore , che
deve esser comunemente ad ognuno : essendo
mancato un Signore di tanto valore , e di
tanta autorità appresso a tutti i Prencipi Cri-
stiani , e per questo di tanto giovamento , e
di tanta speranza al mondo . M'è di poi di
dolore , e di perdita gravissima per interesse
mio proprio , e della Casa mia ; perchè , a-
vendolo avuto sempre in loco di padre, e di
signore , attendevamo dalla bontà , e dalla
protezion sua il rimedio , e la fine della nostra mala fortuna. Oltrechè me n'affliggo ancora più per l'afflizion di Vostra Signoria ,
e degli altri suoi fratelli , del contento , e
del dispiacer de'quali participo ancor io. Tut-
tavol-

(*a*) Niccolò Perrenotto , Signor di Granuela , Segretario favorito di Carlo V. morì in Augusta alla metà di Agosto di quest'anno , mentre l'Imperadore vi
teneva la Dieta.

tavolta , poichè ci dovemo in ciò conformar con la volontà di Dio , e con la neceſſità della natura , dovemo anco ſopportarlo con pazienzia . E dal canto ſuo ſe ne può conſolar ſpezialmente , che quanto agli anni ſi può dir che ſia viſſo aſſai , e quanto alla grandezza , e alla ſincerità dell' azioni , e alla fama che laſcia di ſè , ſi deve credere , che non ſia mai per morire . il che mi pare gran parte del noſtro fine in quanto al mondo . Oltrechè avendo laſciato ſè medeſimo nella perſona di Voſtra Signoria ; e con la medeſima vertù , e con la medeſima riputazione appreſſo Ceſare , par che còntinui ancor la vita , e l'animo ſuo medeſimo in lei . E io dal canto mio me ne conſolo ancora con queſto , che in ſuo luoco m' è reſtata la Signoria Voſtra con li ſteſſi beni dell'animo , e della fortuna , e con quelli della natura da vantaggio per eſſer più giovine ; onde che ripongo in eſſa la medeſima ſperanza , che avevo in lui : e tanto più quanto da lei medeſima mi ſi offeriſce . E di ciò ringraziandola , quanto poſſo , prego Dio che abbi dato a quell'anima ripoſo , e a lei conceda ſofferenza , e conſolazione . Ed eſſendole buon fratello , come era buon figliuolo di ſuo padre , con tutto 'l core me le raccomando.

Di Vetralla, alli xiii. di Settembre. MDL.

357 *A Don Diego* (a).

AVENDO inteſo per lettere di Monſignor d' Aras la morte di Monſignor Granuela ſuo padre, buona memoria, per averne fatta con Voſtra Eccellenza, che l' era tanto amica, e con Sua Signoria che l' era figliuolo, una perdita medeſima; ſiccome me ne dolgo a par di tutti due, così mi pare di dovermene condoler con ciaſcuno. E avendo fatto queſto officio con Monſignor predetto, lo fo medeſimamente con lei; perchè eſſendo quel dabben Signore ſtato cagione d' acquiſtarmi l' amicizia di Voſtra Eccellenza; per queſto ſpezialmente ſon tenuto a moſtrarle il diſpiacer ch'' io ſento d' averlo perduto: il che mi è di molta afflizione, e di molto danno. Ma poichè non ſi può far altro, è neceſſario ſofferirlo con pazienza. E non entro a conſolarnela; perchè, oltrechè ho biſgno d'eſſerne conſolato a par di lei, mi parria di far coſa indegna della prudenza, e della coſtanza ſua, e della ſperienza, che tiene delle coſe del mondo, e della condizione della vita umana. Dio abbia dato a quell' anima quella requie, e quella gloria,

che

(a) Don Diego di Mendoza, di cui s' è parlato pag. 63. e 183.

che merita la bontà , e la virtù sua ; ed a Vostra Eccellenza insieme con noi altri ne dia pazienza , e consolazione . Nè altro occorrendo per questa , in tutto ch'io posso me l' offero , e raccomando . Addì detto,

358　　*A Monsignor d' Imola.*

LE vostre de' ix. , e degli xi. mi sono state grate oltra modo per essere distesamente scritte , e piene d' affezione , e d' avvertimenti . E ho piacer grandissimo , che Nostro Signore si sia satisfatto nel ritorno del Capitan Jeronimo, e del Buoncambi . E quanto alla risposta di D. Ferrante , me non ha egli gabbato di molto , avendomi già presupposto che dovesse rispondere una cosa simile ; pure è bene , che Sua Santità si chiarisca di mano in mano del suo procedere. E son certo , che egli ancora averà fatto alla Corte officio contrario a quello , che Sua Santità aspettava da lui intorno a questo negozio : poichè tuttavia contra le sue capitolazioni medesime ritiene i grani di quei poveri cittadini Parmigiani così ingiustamente ; ed in questa sua risposta se la passa senza farne parola . Io aspetto di veder l' originale delle lettere , perchè mi dice di volermele mostrare ; sebben resto interamente satisfatto del sunto , che voi n' avete mandato . E intanto appigliandoci al consiglio che ci date, che ci ajutiamo da noi quanto possiamo ; non si

man-

mancherà dal canto mio di farlo, eziam con impegnar parte delle mie entrate. Io mi preparo alla venuta di Roma; e di già ho inviato parte della mia famiglia: ma non avendo negozio d'importanza, che mi stringa a venir, fino che non s'ha la rifposta di quanto fi fcriffe alla Corte per l'ultimo corriero, in quefto mezzo mi trattengo di quà, per effer con Orazio avanti che parta; e forfi che darò una corfa fino a Urbino per fatisfare a mia forella, la quale me ne fa molta inftanzia; e di poi me ne verrò alla diftefa a Roma, come quello che ho defiderio, e bifogno di godermi i favori, che piace a Sua Santità di farmi, come voi mi fcrivete. E quanto alla modeftia che mi ricordate, io vi fono obbligatiffimo dell'amor che ve 'l fa dire; e credo pure che vi doverò fatisfare in quefta parte: e non credo d'aver dato fino a ora tal faggio di me, che fi abbia a dubitare che io fia per vivere altra vita, che moderata, e da Prelato. che non avendo mai fatta infolenzia alcuna ch'io mi ricordi, quando ero minor d'anni, e maggior di fortuna; ragionevolmente s'ha da credere, che non fia per farlo nell'età, e nello ftato in che mi trovo. Oltrechè la riverenza, e l'obbligo che io tengo a Noftro Signore, e 'l rifpetto che porto a tutti i fuoi, mi faranno fempre netto d'alterigia, e di far cofe difconvenevoli al grado mio, e all'onor di Sua Beatitudine. A me pare d'

effe-

eſſere ordinariamente di queſta natura ; ma
ſenza dubbio vengo a Roma con queſto propoſito, e prego Iddio, che mi baſti : perchè con tutto queſto veggo che ſarà difficile
di reprimer la malignità , e la maledicenzia
delle genti : poichè fino a ora conoſco che
l' innocenzia paſſata non mi giova contro le
male lingue , e i peſſimi officj che ſi fanno
a tutte l' ore contro di me da quelle perſone che manco dovrebbero . Tuttavolta io
ſo qual ſono ſtato , e qual delibero d' eſſere ;
e confidando nella verità , e nella benignità
di Noſtro Signore verſo di me , vengo ar-
mato di pazienzia contra ogni avverſità , e
pieno di ſperanza in Sua Beatitudine ; e con
ferma fede ch' ella con l' ajuto di Dio provvederà ai noſtri biſogni . Dell' altre coſe riſerbandomi a ragionare a bocca , per queſta
fo fine : pregandovi a baciare in mio nome
umilmente il piede a Sua Santità , e la mano al Reverendiſſimo di Monte.

Di Vetralla, alli xiii. di Settembre. MDL.

359   *A Monſignor de' Graſſis* (a).

MESSER Baccio Naſi mio familiare ha
una lite innanzi al voſtro tribunale contra
Gia-

(*a*) Achille de' Graffi , Bologneſe , Uditor della
Sacra Rota : nel 1551. fu fatto Veſcovo di Mon-
tefiaſcone .

Giavelli per conto del Secretariato del Contado Venuſino, della quale parlerà a Voſtra Signoria per mio ordine il Sala mio Auditotore. Io le raccomando quanto poſſo la buona giuſtizia d' eſſo Meſſer Baccio, e la ſpedizion di detta cauſa. E tutto quel favore che gli farà, riputerò che ſia per me medeſimo. E a Voſtra Signoria m' offero, e raccomando. Di Vetralla, addì detto.

360 *Al Vicelegato d' Avignone* (a).

SONO ſtato informato delle liti criminali contra il Giavelli : e, perchè mi par bene che ſi terminino, non manchiate di proſeguirle, ſecondochè porta la giuſtizia, e deſidero che quanto prima ſe ne venga a fine. Nè altro per queſta. State ſano. Addì detto.

361 *A Monſignor Rettor del Contado
d' Avignone.*

NON mancate di proſeguir le liti criminali, che ſi hanno contra al Giavelli, e ſollecitate che quanto prima ſi terminino per giuſtizia ; che così ſono informato, che ſia ben di fare. E ſtate ſano.

Di Vetralla, addì detto.

362 *Al*

____

(a) Il Cardinal Farneſe era Legato di Avignone.

362 *Al Commissario di Loviano.*

ESAMINATA fin a ora la differenza de'
confini tra gli uomini di Lugnano , e quelli di Loviano , son d'oppenione che i Lu-
gnanesi abbino buone ragioni , se altro non
apparisce in contrario . E però prudenza vostra farà , lassando stare i rigori , e l'esor-
bitanzie , far di sorte che la cosa non si conduca a rottura ; essendo beneficio , e debito
comune di noi altri , che queste due Comunità siano in pace , ed unite insieme , come si può dire che abbino un sol governo .
E però procedetevi maturamente , e non vio-
lentando dalla parte vostra , nè manco inno-
vando più che si sia fatto ; perchè vo pensando d'accomodare in qualche modo questa
causa , che ci sia la satisfazione del Duca ,
è della Comunità . Intanto andate voi dif-
ponendo , e facendo capace così gli uomini
della terra , come anco il Duca di quel che
è veramente il dovere , ed io penserò al restante . Sate sano .

Di Vetralla , alli xiv. di Settembre. MDL.

363 *A Monsignor Prospero Santa Croce* (a).

ALLE due , che m'avete scritte , se non
voglio usar cerimonie con voi , non so che
mi

____

(a) Prospero Santa Croce , Romano , dopo varj
impie-

mi dire , perchè non accade altro che ringraziarla delli molti , e diligenti , ed amorevoli avvifi che mi dà ; e de' buoni officj , che fa per me , e dell' affezion che mi moftra ; il che con voi mi par foverchio . E però paffandomene , le dirò folo che mi farà grandiffimo piacere a tenermi ragguagliato nel medefimo modo per l' avvenire ; perchè , febbene ho degli altri che 'l fanno , mi fatisfo particolarmente del giudicio voftro , e non ognuno penetra a quelle cofe , nè tocca quei punti che fate voi . Spezialmente mi è piaciuto il motto , che avete tocco a Noftro Signore delle fue dimoftrazioni verfo Cafa noftra . Mi farà caro intendere a che Noftro Signore fi rifolve valerfi di voi . E benchè vi defideri in Roma , piglierò per bene ogni voftra fatisfazione . E altro non occorrendo , mi vi offero , e raccomando .

Di Vetralla , alli xiii. di Settembre. MDL.

364 Al

---

impieghi foftenuti in Roma , fu da Paolo III. eletto Vefcovo di Chifamo , Città del Regno di Candia : indi fpedito Nunzio in Alemagna , in Portogallo , in Ifpagna , ed in Francia ; dove fi acquiftò tanta riputazione nel maneggio di graviffimi affari , che la Regina Caterina lo nominò all' Arcivefcovado di Arles , e Papa Pio IV. lo promoffe alla porpora nel 1565. I fuoi Regiftri fi trovano ftampati all' Aja nel 1718. colla verfione Francefe a canto , e comprendono 50 lettere dirette al Santo Card. Carlo Borromeo .

364   *Al Cardinal Santa Croce,*

MESSER Orazio Baglione , mio Cameriero, defidera un comodo da Voſtra Signoria Reverendiſſima , il quale arebbe per l'ordinario a fare a qualcun altro . E queſto è
una caſa livellaria nel Caſtello della Tratta
del ſuo Veſcovato d' Agubbio, la quale è ri-
caduta a queſti giorni per morte del Capitan
Vico di detto loco . E perchè li ſarebbe di
molto acconcio alle ſue poſſeſſioni , vorrebbe
ch' ella ſi degnaſſe di concederla col medeſimo Livello a lui in terza generazione , nel
modo che l' aveva detto Capitano , e con
quell' utile della Chieſa , e cautela che ſi
ſuole . Voſtra Signoria Reverendiſſima mi farà grandiſſimo piacere a preporlo in queſto a
tutti gli altri , e contentarlo con effetto ,
perchè per le ſue buone parti l' amo aſſai ,
e m' ha lungo tempo ſervito .

Il dì detto .

365   *Al Cardinal di San Jacomo.*

SE la domanda del Signor D. Pedro fuſſe
tale , che io lo poteſſi compiacere ſenza mio
carico, e con manco diſordine dell' officio mio,
Voſtra Signoria Reverendiſſima può eſſer ſi-
cura ch' io non glie l' arei negata la prima
volta che me ne richieſe ; con tutto che
mi foſſe di troppo più danno , che non ſi

conviene al grado mio di fopportare ; così
per fervizio del Signor Duca di Fiorenza , e
di Voftra Signoria Reverendiffima , che poffono in me tutto quel che devo , come per
le buone qualità della perfona propria di D.
Pietro , al quale fono inclinatiffimo di fare
ogni forte di piacere . Ma io prego Voftra
Signoria Reverendiffima , che fi degni per
amor mio informarfi da i pratichi di quefti
officj ; e intenderà facilmente che la grazia ,
che mi domanda , non fi fece mai nè dai
miei predeceffori , nè da Pontefice alcuno ,
nè in tutto , nè in parte ; e Paolo , fanta
memoria , non volfe che fi faceffe per il Cardinal Sant' Angelo , che gli era nipote , e
fratello a me . E che facendola io , oltre al
molto pregiudicio che me ne verrebbe , non
pafferebbe fenza fcandolo della Corte, che io
fuffi il primo a introdurre uno abufo di tanto mal efempio nella Cancelleria , ed in officio di tanta importanzia ; e fenza nota d'
inconfiderato , e di troppo prodigo donatore ;
non fi convenendo a me di ftimar sì poco
una pezza di quefta forte , venendo maffimamente una tal conceffione in pregiudicio di
chi poteffe fuccedere a me . Voftra Signoria
Reverendiffima fia contenta metter fe fteffa
in perfona mia ; e , confiderate le mie ragioni , le quali mi pajono efficaciffime , la fupplico che fi degni pigliare in bene quefta mia
refiftenza , e far capace il Signor D. Pedro ,
che non poffo , e non devo più che tanto .

E poi-

E poichè in quefto non mi è lecito di compiacerlo, vagliafi della buona volontà, ch'io tengo di fatisfarle in ogni altra cofa, chè fia più proporzionata al potère, e all'officio mio. In che m'offero prontiffimo a fervirla fempre.

Di Vetralla, alli xv. di Settembre. MDL.

366   *Al Signor D. Pedro.*

LE medefime ragioni, che m'impedivano a non fare a Voftra Signoria la grazia, che mi domandò, del tutto m'impedifcono ora, che non la poffa far di parte; perchè nè anco in quefto modo truovo, che fia fatto mai da' miei predeceffori in tempo alcuno, e per alcuna forte di perfona; nè modo, nè fcufa, che lo debba far io. Ora io prego Voftra Signoria che fia contenta d'avermi per ifcufato, e non mi ftringere a fare una cofa, la quale, non tanto che fia oltre alle forze mie, e alla modeftia che debbo tenere, ma oltre al debito dell'officio mio, e di tanto pregiudicio, e di tanto mal efempio alle cofe della Cancelleria: nella quale bifogna andar molto confiderato per non effer tacciato in bocca d'ognuno, come farei, facendo quefto, ed in quefto tempo maffimamente. Voftra Signoria fi ferva del buon animo che tengo di farle fervizio in altro, che poffa fare con manco rumor di quefta; che per tutti quelli rifpetti, ch'ella mi dice, e per

    mol-

molti, che mi muovono particolarmente nella perfona di Voftra Signoria, io fon difpoftiffimo a compiacerla. E con quefto me l'offero , e raccomando . Il dì fopraddetto.

367 *Alla Conteffa dell' Anguillara* (a).

NON potendo mancare agli uomini di Vetralla per il governo, ch'io tengo di quella
Comunità; prego Voftra Signoria che fia contenta per il dovere, ed anco per amor mio,
provvedere che Batifta Laurino di detto loco
fia pagato dagli eredi del Signor Gio. Pavolo, buona memoria, d'un credito di certi
panni , il quale dice coftare per polizza fot-
tofcritta di mano d'effo Signore. In che mi
fa ricercar lei , come tutrice di detti eredi ,
che facilmente lo può fare . Ed, oltrechè farà cofa ragionevole , io lo riceverò per molto piacere da Voftra Signoria . Alla quale
m'offero , e raccomando fempre .

Di Capranica (b) , alli xvi. di Settembre.
MDL.

368 *Al*

(a) Forfe Porzia d'Anguillara, figlia di Gian-Paolo Signor di Ceri , e moglie di Gio. di Cammillo
Orfini .

(b) Picciola Città nel Patrimonio della Chiefa ,
piantata fopra una collina tra i due laghi di Braccia-
no , e di Ronciglione.

368 *Al Nunzio di Portogallo.*

ALLA partita di Voſtra Signoria di Roma io le diſſi a bocca, e di poi le replicai per lettere, che delli frutti del Monaſterio di San Pietro de Aquilis ſi doveano pagare a Meſſer' Achille della Volta 300. Ducati di Camera per tre ſemeſtri decorſi della penſione di 200. Ducati l'anno, che li fu aſſegnata ſopra detto Monaſterio dal Reverendiſſimo di Viſeo. Or di nuovo le dico il medeſimo; e di più, che di detti frutti, ò di denari, che vanno in mano d'eſſo Reverendiſſimo, Voſtra Signoria gli ne sborſi quanto prima, com' è ragionevole. E a lei m' offe- e raccomando. Il dì detto.

369 *Al Veſcovo di Ceſena* (a).

ERA neceſſario ch' io aveſſi biſogno di voi, per far ch'io vi reſcriveſſi; e queſto non è tanto colpa della mia negligenza quanto della ſecchezza delle voſtre lettere, che non ſe ne può cavare argomento pur di ſoppoſte, non che di riſpoſte. E ſete in una Roma, dove naſcono ogni dì infiniti accidenti degni d' iſtorie, non che di letteruzze di quattro

A a 3

ver-

(a) Giambatiſta de' Spiriti di Viterbo, eletto Veſcovado di Ceſena da Paolo III. nel 1545.

verfetti, che mi fate; e fono anco in ger-
go, che non fi poffono interpretare, e d'una
lettera che non ne magnerebbono i cani. Io
penfo che voi afpettaffi, ch' io vi ringra-
ziaffi della diligenza de' voftri avvifi, e che
vi fiate anco fcandalezzato, che non v' abbia rifpofto : e come di mala lingua, e di
non troppo buon penfiero che fiete fempre,
arete detto, ed imaginato, o che non v' abbi degnato, o qualch' altra fimil vanità. Ma
non vi fete appofto, perchè procede da quel
che v' ho detto : e le voftre lettere non meritano rifpofta, poichè non fe ne può cavar
fugo; e quefto è lo ringraziamento, che a-
verete da me delle voftre fatiche. E con tutto ciò, fe non fervite Marcello Alfano, che
farà apportator di quefta, vi faremo peggio.
Egli vi dirà il bifogno, che ha del voftro
favore, e voi fapete quanto mi fia antico
fervitore, e quanto l' amo. Defidero grandemente, che fi tenga fatisfatto di me, e di
voi : e laffando ftar le baie da un canto, ve
lo raccomando quanto poffo. Io non ho faputo trovare altro foggetto da rifpondere alle voftre, non volendo dare in quei ringraziamenti, che s' ufano da ognuno, ed avendo voi un capo ftraordinario dagli altri. Ora
fe l' avete per male, fcingetevelo, e purchè
ferviate Marcello, del refto intendetela a voftro modo; e per l' avvenire chiaccherate
più, fe volete che vi rifponda. E ftate fano fe potete. Addì detto.

370 Al

370   *Al Duca Ottavio.*

Dopo che Noftro Signore ha pur intefa la rifpofta di D. Ferrante , e chiaritofi dell' andar fuo , ha mandato a pofta Meffer Angelo , fuo Secretario , a darmi conto di tutto ; e come quello che afpettava ancora dalla Corte rifpofta conforme , com' è venuta con effetto , fecondo vedrete per l' inclufa , m' ha fatto intendere per il medefimo Meffer Angelo : che in ogni cafo l' animo fuo è quale è ftato fempre , difpoftiffimo a non mancarci di tutti gli ajuti , e favori , che ci bifogneranno con tanta fignificazione di benignità , e d' affezione , e con sì pronte offerte , che da Sua Santità non fi può più defiderare : moftrando che , oltre all' ordinario che fa , fopplirà di più ancora agli altri bifogni. Sicchè Voftra Eccellenza non manchi per quefto d' animo ; perchè giunto a Roma , fpero di cavar del frutto di quefta fua buona intenzione , che farà di momento. Intanto per non mancare dal canto noftro , di quà fi provvede al fopplemento del depofito , e fra quattro giorni vi faranno li 4000. Scudi del Cardinal Sant' Angelo , per la provvifione de' grani . Non reftate voi di far la voftra parte , guardandovi , e provvedendovi , come fi ricerca ; e del refto fperate in Dio , e nel tempo , e nel favore di Sua Santità , che le cofe fiano per avere qualche buon efito . Il

    Du-

Duca Orazio parte di quà poco dopo queſta, la quale vi invierà per uno de'ſuoi in diligenza per darvi avviſo della ſua partita. Da lui intenderete diſteſamente della buona diſpoſizione di Sua Santità verſo di noi, e de'precetti, che vi dà per la preſervazione di coteſta Città. E, di tutto a lui rimettendomi, non vi dico altro, ſe non che non manchiate a voi medeſimo: che di quà da Sua Beatitudine, e da noi ſarete ſovvenuto di tutto, che vi ſarà neceſſario. Attendete a conſervarvi. Di Caprarola (*a*), alli xviii. Settembre. M D L.

Con effetto le dimoſtrazioni di Noſtro Signore verſo di noi ſono ſtraordinarie; e dopo la partita di Meſſer Marc'Antonio Venturi con infiniti modi, e con gli effetti ancora s'è ingegnato d'aſſicurarci che dice da vero: e che 'l Venturi non avea ben compreſo l'animo ſuo, come s'è viſto ſpezialmente nella ſpedizione del Capitan Jeronimo, ed ora in queſta di Meſſer Angelo. E, per quanto poſſo conſiderare, Sua Santità è ſtata con qualche geloſia che noi, diſperandoci del ſuo ajuto, non ci diamo in preda all'Imperatore. Il che oltre alla prima ſua

buo-

(*a.*) Caprarola, uno de'più magnifici palagi d'Italia, fatto fabbricare dal Card. Farneſe: e ne fu Architetto il Vignola. Se n'è parlato anche alla pagina 295.

buona intenzione., non è. di poco ſtimolo a Sua Beatitudine per i noſtri biſogni . E però ſtate di buon animo , e ſollecitate le voſtre provviſioni , maſſimamente della condotta del grano in Parma .

371.   *A Monſignor d' Imola .*

QUESTA notte alle ſette ore comparſe il corriero con lo ſpaccio a Meſſer Angelo , il quale era di già partito . E penſando che nel ſuo mazzo foſſero lettere a me , l' aperſi ; e trovai ſolamente la copia della lettera di Monſignor Pighino , che voi dirizzate a me . La lettera di Meſſer Angelo non m' è parſo d' aprire per quel riſpetto che devo ; e così li ſi rimanda. La riſpoſta di Sua Maeſtà a me non è nuova , non ci avendo mai fatto fondamento , e avendomi voi accennato , che Noſtro Signore ci aveva poca ſperanza. Non per queſto io mi ſgomento, ſperando in Dio , e nel favor di Noſtro Signore, che non ſolamente non ci mancherà della protezione , e dell' ajuto ſuo , come ha fatto fino a ora ; ma che ſia per provvedere da vantaggio al biſogno, non meno della Sede Appoſtolica, che di noi altri. E con queſta confidenza ci manterremo finchè aremo ſpirito : avviſandovi che dal canto noſtro tutti ſiamo d' un medeſimo volere , di concorrere con tutto quello , che abbiamo al mondo , alla conſervazione di quella Città , e della

giu-

giurifdizione della Sede Appoftolica . **Intanto**
io defidero che da voi medefimo andiate confiderando , e di poi ritraendo dalla difpofizione delle cofe , e dalla prudenza di **Noftro**
Signore quel , che vi pare che debba feguire
di quefto noftro cafo ; e che partito debba
effere il noftro , ed in che fperanza avemo
a vivere . Io mi sforzerò, quanto prima potrò , venire a' piedi di Sua Santità : allora
fi potrà confultare più ftrettamente . In quefto mentre mi farà di gran fatisfazione aver
qualche lume del giudicio di Sua Beatitudine , e dell' oppenion voftra , perchè mi faranno di gran giovamento alle mie deliberazioni . Ho ritenuto il Cameriero parecchie
ore ; afpettando di aver le lettere di Meffer
Giuliano , che fon venute per quefto corriero ; per intendere che partiti fon quefti, de'
quali fi moftra che fia ftato parlato ; e *non*
effendo comparfe , non ho voluto più trattenerlo : ma giunte che faranno ve fe ne farà parte , perchè Noftro Signore fappia tutto che corre. E non occorrendo altro , m'offero ec. Di Caprarola , addì detto.

372 *Al medefimo.*

Io vi ringrazio quanto poffo della diligenza che avete ufata a prevenir con le voftre
la venuta del corriero con la lettera di Monfignor Pighino. Priegovi che continuate di
fare il medefimo per l' avvenire ; dandomi
anco-

ancora tutto quel lume che potete, di quanto vi pare che debbiamo fare , e della fperanza che tenete delle cofe noftre . Non fi
fono ancora avute le lettere di Meffer Giuliano, e per quefto non poffo fapere che fperanze fieno quelle , con che ci vogliono pa-
fturare ; che ve ne direi qualche cofa , perchè non veggo che il Pighino ne fpecifichi
cofa alcuna; Meffer Angelo non mi lafsò copia alcuna di quanto portò qui da Noftro Signore , ed io per modeftia non ne le richie-
fi . Mi farà caro che da voi me ne facciate
parte , per poterla meglio confiderare.

Di Caprarola, il dì fopraddetto.

373   *Al Vicelegato d' Avignone.*

QUESTA caufa dello fpoglio della Comunità di Caviglione dà molto che dire; e,
differendofi la fua fpedizione , ne potria nafcer difordine . Imperò non mancate di terminarla quanto prima per giuftizia ; che così
defidero, e così convien che fi faccia. E , re-
plicandovi che non manchiate , fenz' altro
dirvi per quefta, mi v'offero, e raccomando.

Di Caprarola, alli xix. Settembre, MDL.

374   *Al Locotenente di Vetralla.*

DOMENICO di Zelli mi fa intendere,
che per alcune parole che diffe a me d' aver
udite di Meffer Gabbriello , è veffato da lui
con

con arrecarselo ad ingiuria , e di già glie n'
ha mosso lite . Io mi meraviglio di questo
suo procedere , e vi fo intendere , che gli
mettiate silenzio ; perchè quel che si dice a
me , e per via di relazione , non si deve
interpretar per calunnia . E farà bene a non
assumersi tanto , e voi a non darli tanto d'
orgoglio . E bene valete .

Di Caprarola , il dì sopraddetto .

375   *Al Cardinal di Monte .*

GIO. Batista Arrivabene , mio servitore ,
ha bisogno del favore di Vostra Signoria Reverendissima , ed Illustrissima , come da lui
sarà informata . Io la prego che si degni d'
averlo per raccomandato ; e , se bisognerà
che ne facci una parola con Sua Santità , la
supplico , che si degni farmene grazia : accertandola che tutto l' ajuto , che li verrà da
lei , lo riceverò in persona mia propria . E
con questo le bacio umilmente le mani .

Di Caprarola , alli xx. di Settembre . MDL.

376   *Al Presidente .*

VOSTRA Signoria sarà informata dall'Arrivabene , mio servitore , apportator di questa , del bisogno ch' egli ha del suo favore
per una grazia , che desidera da Sua Santità . Io prego Vostra Signoria che sia contenta per amor mio di non mancarli , che
mi

mi farà cofa gratiffima . E me l' offero , e raccomando fempre .

.. Di Caprarola, il dì fopraddetto.

377   *Alla Comunità di Mont' Alto.*

AVEMO accettati per noftri Vaffalli li apportatori di quefta , che faranno Silveftro Fortuna, e Avanzino fuo fratello, Corfi, con tutti della lor famiglia . E , perchè difegna= no d' abitare a Mont'Alto , non mancate di riceverli tutti , come voftri fratelli , e come cari fudditi che ci fono , con participazione di tutte quelle abilità , ed efenzioni , che godete voi medefimi , e con ogni dimoftra= zion d' affezione : perchè fon perfone , che lo meritano , ed a noi ne farete piacere . State fani. Il dì detto.

378   *All' Auditor dello Stato.*

SILVESTRO Fortuna, e Avanzino fuo fratello con tutte le lor famiglie fi fono nuo- vamente offerti per noftri Vaffalli , ed io gli ho accettati volentieri , perchè fo che fono perfone da farne capitale . E , perchè dife- gnano d' abitare a Mont' Alto , non mancate di ordinare a quella Comunità , che fiano ammeffi a tutte le abilità , che godono quel- li del loco medefimo , e che fieno ben vifti, ed accarezzati così da loro , come da tutto lo Stato , che , oltrechè così fi convenga, io
ne

ne riceverò piacere , perchè li amo particolarmente . E state sano .

Di Caprarola alli xx. di Settembre . MDL.

379   *A Messer Pietro Paolo Buoncherici .*

VISTO quanto il Marzio scrive della
razza Pignatella , e la difficoltà , e pericolo
di condurla a Cosenza ; mi risolvo che si ritenghino solamente li cinque polledri , che
ne sono già cavati , e che quelli si conduchino quanto prima , facendo che venghino
ben condizionati , e che siano bene attesi .
Del resto mi contento che si faccino danari ,
purchè non si butti via : che mi par gran
cosa , che una razza di sì buon nome sia
così presto scaduta , e di sì poco valore, che
non se ne truovi più di Scudi 300. Imperò
vedete che se ne faccia partito con più vantaggio che si può : perchè non mi curo tanto del poco utile che se ne cavasse , quanto della vergogna che sarebbe di non averla
conosciuta. State sano.

Di Caprarola, addì detto.

380   *A Monsignor d' Imola .*

DALLO Spinello , il quale fu mandato
nella Marca per la provvisione de' grani per
Parma , mi si scrive che il Tarano Governatore di Fermo fa renitenzia di lassarli cavare quella parte , che si compra in quello
                                        Sta-

Stato , non oftante il Breve di Noftro Signore , e la licenzia ottenuta da Sua Santità , e dalla Camera ; per modo che è neceffario , che per una lettera efficace li facciate intendere la mente di Noftro Signore ,
e l'importanza di quefta provvifione per l'intereffe particolarmente della Sede Appoftolica ; e provvediate con ogni altro officio ,
che vi parrà a propofito , che detti grani fi
poffino eftrarre , e condurre , come quelli ,
che fi provveggono per ordine di Sua Santità . E quefto bifogna che fia con celerità ,
perchè non perda tempo per la condotta. Oltre di quefta lettera ne dimanda un' altra al
Teforiero della Marca , con ordine che di
quel che ne viene alla Camera non li fia
fatto pagare cofa alcuna , attefo che va in
beneficio così della Sede Appoftolica , come
noftro . Dell' una , e dell' altra vi prego facciate diligente fpedizione ; e circa quefto non
altro . Con quefta fi rimanda la copia del
Capilupo , del Pighino , e la lettera di Meffer Angelo . Della prima s' è cavato folamente un funto , e mandato al Duca ; e ,
per non aver tempo , non fe n' è prefo altro funto per me . Mi farete cofa gratiffima
a mandarmelo . E per l' avvenire offerverò
il precetto di Noftro Signore di non pigliar
copia alcuna, ancorachè, pigliandola , fi tien
fecreto . Le cofe di Parma procedono con
quella cautela , che Noftro Signore defidera ,
e dal canto noftro non fi manca di quelli av-

verti-

vertimenti , e di quelli rimedj , che fi conofcono a propofito . Del refto ci fiamo in
tutto rimeffi a Dio , ed alla protezione di
Sua Beatitudine . E altro non occorrendo ec.

Di Caprarola, il dì detto.

Appreffo , perchè lo Spinello fcrive ancora
che i grani fi poffono far paffare più come-
damente appreffo a Ravenna , ancorachè non
fia neceffario ; dove li Dazieri per ufanza lo
potrebbono moleftare per il dazio ; fi defidera un' altra lettera al Legato di Romagna ,
che ordini ai Dazieri di detto loco, che non
diano moleftia , mandandofi li grani per ordine di Noftro Signore , e poffendofi far di
manço di paffar di detto loco , febbene con
un poco d' incomodo.

381 *Al Cardinal Maffeo.*

PER l' inclufa a Monfignor d' Imola Voftra Signoria Reverendiffima vedrà le due lettere , che lo Spinello dimanda per li grani ,
che s' hanno a cavar della Marça . Sarà contenta dell'una , e dell' altra far follecitare la
fpedizione , e mandarla quanto prima a detto Spinello per la via degli Altoviti con l'
altre inclufe a lui , e tutto con più celerità
che fia poffibile. Alla fua de' xix. non m'occorre dir altro , fe non che non fo che cra-
pule fi voglia dire ; che qui la vita noftra
è tutta nelle mani di Meffer Tizio , il quale con le fue riforme ci ha ridotti a una

par-

parſimonia a ſuo modo : penſate , che non
è quella degli altri . Ma, perchè penſo che
queſte coſe ſi fingano per diſegno di chi le
dice , non è ſe non bene , che ne ſcriva
l' autore . E non ſo perchè s' uſi tanta cir-
coſpezione in queſte debolezze , nè quel che
ſi voglia dire che le lettere ſi leggano in con-
cione: e non ſiamo tanto traſcurati nelle coſe noſtre , nè tanto ſcempj , che non veggiamo quel che ci conviene . E ſe lo dite
da vero , e lo credete , mi fate torto : ſe
per burla , non dovete ſtare per queſto che
non ſappia quello che ſi dice , e da chi :
perchè non ſi fa coſì fierà delle lettere come
ſi dice . Quanto al mio ritorno , perchè fate
il conto ſenza noi , però calcolate qualche
volta alla groſſa . Ci ſiamo ſtati fino a ora
di quà , perchè non s' è potuto far di meno : ma s' è ſollecitato ſempre di poter tor-
nar quanto prima ; tanto che penſo lunedì
partir per Urbino, dove ſtarò il manco ch' io
poſſo . E ritornando , vengo con buona riſoluzione di far queſta benedetta riforma di vita ; ancorachè non mi pare d' avermi a ri-
formare in molte coſe , nè di molto momento : ſebbene io veggo , che mi ſi grida ad-
doſſo , come ſe io fuſſi un grande inſolen-
te . Baſta , che ſtarò a bottega più che potrò , e non farò coſa , che ſcandalezzi il
mondo , e ſpezialmente il Principe; che importa . Del reſto ſe non ſatisfo interamente

al Vefcovo d' Aquino (*a*) , pazienzia . Di Caprarola, alli xx. del fopraddetto.

382 *All' Auditor de' Graffis.*

Io non fo il merito della caufa *Bononien. de Vedrano* , nella quale è intereffato Monfignor del Giglio (*b*) , mio familiare ; e per quefto non poffo venire ai particolari con Voftra Signoria ; ma fo bene che 'l Giglio ha bifogno del fuo favore, o almeno che ella non li fia contraria , e che pretende d' aver ragione . Io non voglio circa di ciò ufar molte parole con Voftra Signoria ; bafta ch' ella può fapere quanto antico, e quanto caro fervitore mi fia : e da quefto confiderare quanto mi farà grato ch'ella abbia per raccomandata la fua giuftizia, che d' altro non fi cura , come quello che è modeftiffimo . Voglio folamente ch' ella fappia di più , che tenendo io quefta caufa per mia, in me proprio locherà tutto quell' onefto favore , che le piacerà di farli . E , con quefto pregandola quanto poffo che fia contenta d' averla in protezione , m' offero a rincontro prontiffimo ad ogni fuo comodo.

Di Caprarola, alli xxi. di Settembre. MDL.

383 Al

(*a*) Vedi a c. 291.
(*b*) Tommafo del Giglio , Bolognefe , Abbreviatore *de Parco Majori* .

383 *Al Cardinal Creſtenzio.*

UN' altra volta ho ſcritto a Voſtra Signoria Reverendiſſima in raccomandazione di Raglione mio ſervitore per impetrarli la vacanza de' beneficj già di Cariglio nella Dioceſi di Siviglia, i quali ſono a diſpoſizion ſua. Intendo ch'ella ha riſpoſto eſſere ſtato ancor ricerca dall' Imbaſciatore di Spagna per un altro: e che aſpetta ancora i parenti del morto, a' quali par che diſegni conferirne qualcuno. Monſignor Reverendiſſimo, nè quello per chi intercede l' Imbaſciatore, nè li parenti del Cariglio ſono della medeſima Dioceſi, come il Raglione. Imperò a neſſuno ſtanno meglio che a lui; ed eſſo potrà dar quella penſione, che a Voſtra Signoria Reverendiſſima parrà, alli parenti del morto; ſicchè ella può facilmente, e giuſtamente accomodar Raglione, e loro, e a quello dell' Imbaſciatore potrà compiacere in altro, che li ſia più comodo. Imperò la prego, quanto più poſſo, che ſi degni di fargliene grazia, che certo me ne farà piacer ſingolare: perchè mi trovo molto ben ſervito da lui, e deſidererei, che ſi compiaceſſe in queſta occaſione.

Di Caprarola, il dì ſopraddetto.

384 *Al Duca di Fiorenza.*

ASCANIO Celſo, mio caro e antico ſervitore, pér una ſentenzia ottenuta in Camera Appoſtolica contra Alfonſo Maria Accolti,
ha per aſſegnamento la caſa, dove abita l' Imbaſciatore di Voſtra Eccellenza. E per eſecuzione di detta ſentenzia procura d'entrare in
poſſeſſo di detta caſa ; ma per quel riſpetto
che deve a lei, non ſi riſolve a farlo ſenza
ſua buona grazia, e per mia interceſſione deſidera d' ottenerlo. Io non ſo ſe ciò li foſſe
di pregiudicio ; imperò quando ci aveſſe intereſſe alcuno, la prego che ſia contenta commettere a Roma a chi le pare a propoſito
che , coſtandoli che 'l poſſeſſo che deſidera
Meſſer Aſcanio ſia legittimo , lo laſci eſeguire : che , oltrechè ſia coſa ragionevole ,
me ne farà piacer ſingolare . E a lei m' offero , e raccomando ſempre. Il dì detto.

385 *Al Locotenente di Vetralla.*

NELLA cauſa di Giovanni di Michele
non mancate di proſeguire , e terminar giuſtamente , e ſommariamente , ſecondochè dal
Sala v' è ſtato laſciato, non oſtante che di
quà l' aveſſi rimeſſa all' Auditor dello Stato ,
dal quale la rivochiamo. E ſtate ſano.

Di Caprarola, alli xxii. Settembre. MDL

386   *Al medesimo.*

DELLA vendita della bandita vi si dice, che mi par ragionevole, che gli uomini della Terra sieno preferiti a i forastieri ancora con qualche disvantaggio. Imperò concludete con quelli, che la vogliono per Scudi 2325. come dite, e fate loro il contratto.

Di Caprarola, alli xxii. sopraddetto.

387   *A Messer Giuliano Ardinghello.*

S'EBBE già risposta di quanto vi si scriveva per conto del Monasterio Compostellano, e di poi non v'è stato rescritto altro sopra di questa materia, per non esserne fatta altra instanzia dal Signor Canonico apportator di questa : il quale è quello che fu prima promotore di questo negozio. Ora, perchè egli si risolve di venire in persona a questo negozio, riferendomi a lui dell'importanzia della cosa, e di quel che li farà bisogno d'operar per ottenerlo, non vi dico altro : se non che dalla parte vostra non manchiate di fare ogni officio necessario, ed opportuno a conseguire il favore, che si desidera ; modestamente però, e con avvertenza che non si faccia contra a quel che mi si conviene. E per questo affare vi si mandano lettere credenziali a Monsignor d'Aras, e al Signor D. Francesco di Toledo ; co' quali procederete in quefto con quella prudenza , che vi pare opportuna : proponendo deftramente loro qualche ricognizione del favor che ne faranno ; perchè la cofa è di momento , come intenderete ; rimettendomi nell' altre cofe a quel che vi fcrivo appartatamente nell'altra, della quale farà apportatore il medefimo . E circa quefto non altro .

Di Caprarola, alli xxii. del detto mefe .

388 *Al Signor D. Francefco di Toledo* (a).

Ho commeffo all' Ardinghello , che fi vaglia fempre del favor di Voftra Signoria in ogni occorrenza ; ma fpezialmente ora li dico che faccia capo a lei per la fpedizione del Monafterio , del quale da lui farà ragguagliata . Io la prego che non li manchi , fecondo la fede ch' io tengo nell' opera fua . E , del refto rimettendomi a quanto da effo Ardinghello le farà ricerco , me l' offero , e raccomando fempre. Di Caprarola , addì detto.

389 *A Monfignor d' Aras.*

L' ARDINGHELLO riferirà a Voftra Signoria Reverendiffima la ragion, ch'io tengo

---

(a) Francefco di Toledo , Conte di Oropefa , figlio di Ferdinando di Toledo IV. di quefto nome .

go sopra al Monasterio Compostellano , e il bisogno ch' io ho del suo favore per ottenerne la spedizione . Io la prego, quanto posso, che sia contenta di non mancare, secondochè da lui sarà richiesto, di far quelli officj ch' io spero dalla bontà , ed amorevolezza sua sopra di questo affare : che , conseguendolo , riputerò d' averlo da lei . E , del rimanente riportandomi a quanto dall' Ardinghello medesimo ne le farà detto, me l' offero, e raccomando sempre.

Di Caprarola, alli xxii. di Settembre detto.

390 *Al Reggente Ficarola.*

MESSER Giuliano Ardinghello, mio Agente , dirà a Vostra Signoria un mio desiderio particolare circa la spedizion d' un Monasterio Compostellano , sopra del quale ho le ragioni che intenderà da lui . Pregola sia contenta prestarli tutto quel favore , ch' io spero da lei. E, confidando nella sua bontà, che non sia per mancarli , me l' offero , e raccomando sempre. Il dì detto.

391 *Al Duca d'Alva.*

CON quella confidenza ch' io tengo appresso di Vostra Eccellenza io la prego , che si degni di favorir la spedizion che io desidero circa il Monasterio Compostellano , del quale le parlerà l' Ardinghello , mio Agente.

Bb 4 E, ri-

E, rimettendomi a quanto da lui ne le farà
detto così circa al negozio, come al bisogno, che arà del suo favore, con tutto il
core me l'offero, e raccomando.

Addì detto.

392 *A Meſſer Giuliano Ardinghello.*

MAGNIFICO noſtro Cariſſimo. Il vo-
ſtro ſpaccio de' v. ix., e x. di queſto, inſieme con quello de' xxviii. del paſſato ſi è ricevuto qui in Caprarola tre giorni fa, e ſi
è viſto quel tanto, che Monſignor Pighino
ha paſſato con Sua Maeſtà nelle coſe noſtre,
e la riſpoſta, che Sua Maeſtà gli ha data;
di che avemo anco avuto conto da Noſtro
Signore, con tutta quella confidenzia che poſſiamo deſiderare. E, ſebbene la riſpoſta non
è tale che abbiamo cauſa di contentarcene in
parte alcuna; e ci paja di veder verſo di noi
poca dimoſtrazione, che la ſervitù, e fede
noſtra ſia fin qui conoſciuta; nondimeno io
mi voglio conſolare per due coſe. Tra l'altre, la prima, perchè Sua Santità è quella
che mantiene, e conſerva in Parma il Duca
Ottavio, e ce lo conſerverà tuttavia più
prontamente con quella ſpeſa, che ha cominciato a far da principio, e da vantaggio, ſe biſognerà, come padrone diretto di
quel Feudo: l'altra, perchè io ſpero che
col tempo Sua Maeſtà ſia pur un giorno per
conoſcer la ſervitù noſtra, e non dar tanto
l'orec-

l' orecchie a i noſtri emuli , e nemici , che
poſponga il ſervizio ſuo proprio , come mi
par che faccia . Dovete ſapere che Sua Santità moſſa da buon zelo fece ſcrivere a' dì
paſſati a Don Ferrante in conformità di quello , che ha ſcritto a Monſignor Pighino , acciocchè egli faceſſe buon officio : e veggo ,
che ha fatto tutto il contrario per la riſpoſta
iſteſſa , che diede ſopra di ciò al Capilupo .
Ma non me ne meraviglio, poichè trova anco preteſto che noi altri cerchiamo di por-
li inſidie : e mette le mani innanzi , come
ſe a noi non fuſſero noti i modi , che tiene
per inſidiar la vita a ciaſcuno di noi ; ed
uſando ogni ſtranezza poſſibile contra Parma,
e contra il Duca Ottavio , e non oſſervan-
do , ſe non a ſuo arbitrio , la tregua , e
capitolazione che ha con eſſo lui per conto
de' grani ricolti di là dal Taro ; ſiccome
penſo che già ne abbiate avuto avviſo . Or
per tornare al punto , vi dico quel che tante volte vi ſi è ſcritto , e replicato , che la
volontà noſtra intorno alle coſe di Parma ,
e Piacenza depende , e dependerà ſempre da
quella di Noſtro Signore, come conviene per
l' obbligo , e giuramento che ſi ha con la
Sede Appoſtolica , e con Sua Beatitudine : la
quale come reputa la cauſa per ſua propria ,
così ſon certo che in queſto caſo replicherà
gagliardamente alle ragioni , che di coſtà ſi
ſono ſforzati di addurre in contrario della intenzion ſua ; e noi ſtaremo di mezzo aſpet-
tan-

tando quel che piacerà a Dio d' infpirare a
Sua Maeftà , che degni operare quando che
fia a beneficio , e quiete noftra . E intanto
crederò che fia bene , che voi cominciate a
penfare al voftro ritorno : perchè la caufa fi
ha a trattar folo per mano di Sua Santità ,
e del fuo Nunzio, al quale potrete infinuar-
lo ; avvifandovi però che della diligenza , e
delle azioni voftre io mi chiamo beniffimo
contento , e fatisfatto . Io ebbi una lettera
da Monfignor d' Aras per avvifo della morte
del Signor fuo Padre , buona memoria , alla
quale rifpondo con quefta alligata (*a*) . Voi
la prefenterete , accompagnandola con quelle
efficaci parole che potrete maggiori : condo-
lendovi feco di tanta perdita, e rallegrandovi
dall' altra parte dell' effer Sua Signoria fucceffa
in quel luogo con tanto favore, ed autorità,
fecondochè alla virtù , e meriti fuoi fi conviene . Per mezzo del qual Signore io mi
perfuado di aver appreffo a Sua Maeftà fempre grazia , e favore conforme all' affezione ,
ed offervanza che li porto . Vorrei pur, prima che partifte della Corte , che vi veniffe
finito il negozio della tratta de' miei grani
di Monreale, ficcome vi ho fcritto tante volte , e che fi vedeffe , ch' io abbi riportato
un favore una volta. Non partite però fenza
nuovo avvifo . E ftate fano .

Di Caprarola, il dì fopraddetto .

(*a*) E' la 327. di quefto Volume .

   Al Nunzio Pighino.

T E N G O una di Voftra Signoria de' x., e
con effa è piaciuto a Sua Santità mandarmi
a dar conto di tutto ch' ella ha paffato con
Suá Maeftà circa il noftro negozio . E dall'
Ardinghello intendo particolarmente con quanto fervore, e diligenza lo tratti; il che non
mi è punto nuovo , fperando dalla bontà , e
dall' affezion fua ogni amorevole , ed efficace
officio . E così come ne le fono infinitamente obbligato infieme con tutta la Cafa mia ;
così prego Iddio che mi dia occafione di po-
ternele moftrare gratitudine . E fpero anco
un giorno di potere , perchè la grande ob-
bligazion , che vi tengo , mi farà induftrio-
fo a cercare per ogni via di farle fervizio :
Intanto la prego a ftar fecura di quefta mia
buona volontà , e valerfene in tutto ch' ella
conofca ch' io la poffa metter in atto ; che
dove conofcerò di poterlo fare da me, lo farò fenza che mi richiegga . Intanto la ringrazio di quanto ha fino a ora operato , e
di quanto fo che opererà a beneficio delle
cofe noftre . Circa le quali non mi pare di
doverle dir altro, effendomene rimeffo in tutto alla protezione, che ne tien Sua Santità,
e all' ordine , che a lei piacerà di darne a
Voftra Signoria; alla quale con tutto il core
m' offero, e raccomando. Il dì detto .

394 *Al Cardinal Cornaro.*

DAL Capitan Cencio d' Orvieto Vostra Signoria Reverendissima sarà informata del suo desiderio, quale è di ottenere un salvocondotto per suo fratello. E venendo esso medesimo, non mi stenderò a dirle altro del fatto. Solo le fo fede per questa, che il Capitan Cencio è uno di quei rari servitori, che abbia la Casa nostra, e che per tale desidero che sia conosciuto da lei, non pure in questo particolare, ma in tutte l' occorrenze sue. E l' assicuro, che tutti i favori, che li farà, saranno locati nella persona mia medesima. E con questo umilmente le bacio le mani.

Di Caprarola, il dì sopraddetto.

395 *Al Signor Jeronimo da Correggio.*

PER rispondere ora, più particolarmente che non ho fatto, a quella parte della vostra lettera, dove mi parlate de i Mantachi, vi dico che, per i rispetti che voi mi avete allegati, e per altri che mi muovono nuovamente, io sono di parere che non si fermino in Correggio; perchè fo di buon luogo che ancora li portano pericolo, come intenderete poi. Imperò provvedete, che quanto prima se ne vadano nel Bresciano, o dove meglio vi parrà; con quei favori, e con

quell'

quell'indirizzo, che potrete lor dare con onor voftro . E avvertendoli, che penfino a guardarfi quanto poffono, e che avvertifcano dove, e con chi praticano . A queft' ora doveranno aver intefo quel che è feguito di Francefchetto, e Tibaldo . Il padre ancora fta in maliffimo termine . Dio l'ajuti . Di loro, fe non fon favj, lor danno . Attendete a confervarvi .

Di Caprarola, alli xxiii. di Settembre . MDL.

396 *Al Signor Anton Maria di Savoja.*

M i meraviglio grandemente, che non abbiate avute mie lettere in rifpofta delle voftre, che m' avete fcritte ; nelle quali con tutto che mi dichiate, che non fono leggibili, ho conofciuto non folo quel che volete dire, ma l'animo voftro buono verfo di me, e l'affezion che mi portate ; la quale m'è cariffima, e ne fo capitale, e me ne varrò fempre in tutte le mie occorrenze. E, perchè fono obbligato a rincontro ad amar voi, non dovete dubitare che io non vi porti altrettanto d' affezione, e che non fia defiderofo di farvi ogni forte di piacere, e di comodo. Imperò valetevi di me in tutto ch' io poffa ; che farò il medefimo di voi. E, quanto all' andata della Corte, io non poffo dir altro, fe non che vi raccomando le cofe noftre in genere ; e de' particolari in che

mi

mi poſſiate giovare , mi rimetto all' Ardinghello , che negozia là per me , dal quale
lo potrete ſapere . E ringraziandovi di queſte
voſtre amorevoli offerte , e offerendomi a voi
in tutto ch' io poſſa , vi prego mi tegnate
in buona grazia del Reverendiſſimo , e Illuſtriſſimo mio di Trento. E mi vi raccomando.

Di Caprarola , alli xxiii. di Settembre .
MDL.

397   *Al Veſcovo di Nepi* (a).

Io penſo che Voſtra Signoria burli con
me , quando dice che non fo ſtima di lei :
che per ogni riſpetto ha da tenere ch' io la
ſtimi , e che l' ami , e che la tenga per
uno di quelli amici miei , e della mia Caſa,
in chi mi poſſa confidar d' ogni coſa , ed in
ogni fortuna, come fo veramente. E ſe non la
trattengo con cerimonie, può ben penſare che
procede da molta ſecurtà che tengo ſeco , e
da credere anco che tra noi non accaggia.
La ringrazio dell' avviſo delle coſe dell' Abbazia , e dell' offerta che mì fa circa a queſta cauſa . Il Cardinal S. Angelo ormai deve
eſſere in Roma per queſto conto . Voſtra Signoria ſarà contenta d' eſſerne ſeco , e inten-
der

der

(a) Pietro Antonio de Angelis , di Ceſena , Governatore di Roma.

der da lui tutto quello che occorre circa quefto, e darli quelli configli, e quelle avvertenze, che fperiamo dalla prudenza, e dall'
amorevolezza fua. E rifolvafi ch' io fia tutto fuo, e in quel che le poffa far piacere,
o comodo alcuno, fi vaglia di me con quella confidenza, che io farò di lei. E me l'offero, e raccomando fempre.

Di Caprarola, alli xxiii. Settembre. MDL.

398   *Al Cardinal di Ferrara.*

Ho indugiato fino a ora di rifpondere alla domanda, che Voftra Signoria Reverendiffima, ed Illuftriffima mi fa dell' officio del
Vigliere d' Avignone, per informarmene dal
mio, che afpettava di là; il quale è pur
venuto, e mi dice che penfa vi fia un decreto, che i Cittadini non poffono efercitar
detto officio. Ma perchè non me ne parla
affoluto, ed io non defidero cofa maggior-
mente, che di compiacerle; alla mia venuta di Roma ne procurerò migliore informazione, e cercherò tutte le vie di poterle fatisfare: afficurandola che così in quefto, come in ogni altra cofa, pur ch' io poffa, fon
difpoftiffimo a fervirla. E umilmente le bacio le mani. Il dì fopraddetto.

399   *Al Duca di Firenze.*

L'APPORTATOR di queſta farà il Capitan Lodovico da Piſa, il quale venendo per alcune ſue faccende, e del Capitan Jeronimo, deſidera, biſognando, il ſuo favore. E perchè l'uno, e l'altro ſono miei amici, in tutto che alle lor coſe poſſa giovare giuſtamente, la ſupplico me ne facci grazia. E le bacio le mani ec.

400   *A Monſignor d' Imola.*

MOLTO Reverendo Monſignor. Alla ſua ultima ricevuta con li ſommarj, e con la copia della lettera ſcritta al Vicelegato della Marca, non accade altra riſpoſta, ſe non che conoſco la diligenza, e l' affezion ſua nelle mie coſe, di che molto la ringrazio. Ho di poi ricevute le lettere della Corte dell' Ardinghello; le quali riſpetto alle voſtre, non dicono coſa, che ſia degna di darvene avviſo, come da Monſignor di Pola ne potrete intendere. Sto per montare a cavallo per Urbino, ma la pioggia non mi laſcia: pur penſo di partir oggi a ogni modo, e, quanto prima potrò, ſarò di ritorno. In tanto deſidero, che baci il piede di Sua Santità da mia parte. E a lei m'offero, e raccomando.

Di Caprarola, a' xxiv. detto.

401 *Al*

      Al Duca Orazio.

DALL' amico d'Agubbio ho ritratto quanto voi fapete , ed io ho fcritto di nuovo al
Duca Ottavio . Il punto fi riduce a quefto ,
fe il grano è conducibile , o no ; e quando
non fi vegga la condotta fpedita di tutto ,
è meglio che voi facciate prima quell' altro
mercato coi voftri amici , e di poi attendere
ancora a quefto in ogni modo . E di quefto
giudicio mi rimetto a voi altri , che fete
insù 'l fatto . E fto pur afpettando , che m'
avvifiate , avanti che parta da Pefaro , di quel
che rifolvete , acciocchè poffa fare la provvifione per tutta la compera . Andate cauto
quanto potete nel voftro viaggio . E ftate fano.
    Alli xxvi. di Settembre. MDL.

402   *Al Cardinal di Carpi.*

VENNI ierfera a Pefaro per veder mia
forella , e 'l Signor Duca mio cognato , e
trovai che v' era Monfignor Brugia noftro ;
il quale mi fi fece incontra , e mi ricevette
come padrone del loco , e con molti amorevoli accattamenti , ai quali tutti corrifpofi
cortigianiffimamente . Quefta mattina è partito per Ferrara ancor indifpofto di gotte .
Scrivo a Voftra Signoria Reverendiffima quefta fua gita , perchè vada penfando con che
difegno poffa effere , e che vadia facendo ,

tanto più quanto di corto farà di ritorno.
Io fra quattro, o sei giorni penso di dar
volta per la via di Loreto. Intanto desidero
la sanità, e la buona grazia di Vostra Signoria Reverendissima, alla quale umilmente bacio le mani.

Di Pesaro, alli xxiix. di Settembre sopraddetto.

403 *Al Duca di Parma.*

VISTA l'instanza, che mi si fa da voi
altri, e considerato che 'l trovarci costà tutti insieme non può partorir se non qualche
buona risoluzione alle cose nostre, mi son
deliberato di venir prestamente a star quattro giorni con voi; ancor ch'io sia certo
che a Roma se ne darà all'armi, dove la
gente si scandalezza, ch'io son venuto pur
fin qui. Ma poichè mi son tanto avvicina-
to, e la strada è buona, ed io col presto
ritorno posso rimediare alle dicerie della Corte, mi son risoluto di farlo. E però domani a qualche ora mi partirò; e, non domani, l'altro, penso di esser con voi. Per
questo non vi do altra risposta alle due che
m'avete mandate per avviso della condotta
de'grani. A bocca soppliremo a tutto. E intanto attendete a conservarvi.

Di Pesaro, alli xxx. di Settembre. MDL.

404   *Al Signor Paolo Vitelli.*

Voi m' avete finalmente perſuaſo a dare una corſa fin coſtà , con tutto che a Roma ſi ſia per far rumore di queſta mia venuta . Domani partirò di quà , e , non domani , l' altro , diſegno d' eſſer con voi ; e per darvi tempo di mandarmi ſcorta, ſe coſì vi pare , vi rimando queſto corriero in diligenza . E, ſe giudicate, che ſia bene ch' io mi trattenga in qualche loco , rimandatelo ſubito . E avendoci a veder di corto non vi dico altro. Di Peſaro, addì detto.

405   *Al Signor Giovan di Vega* (a).

La vittoria, che Voſtra Eccellenza ha riportata dall' impreſa d' Affrica , è tale ch' io me ne debbo rallegrar ſeco ; non ſolamente, come amico affezionato ſuo , e deſideroſo della propagazione dell' Imperio di Sua Maeſtà Ceſarea , ma come Criſtiano ; poichè ne riſulta beneficio univerſale a tutto il Criſtianeſimo , coſì per l' eſaltazion della fede , come per la ſecurezza delle provincie . Il qual frutto ſolo è tanto grande , che mi par

Cc 2   ſuper-

______

(a) Vedaſi la nota a carte 209. di queſto Volume .

superfluo di magnificarla con altre circostanze , per molte , e grandi che siano quelle
che la possono mostrar grandissima , come la
è con effetto ; massimamente per esser no-
tissime , e considerate , e celebrate da tutto 'l mondo . Me ne rallegro adunque , come ho detto , desiderando che le sia d' altrettanto merito appresso a Dio , di quanta
riputazion l' è stata , e sarà sempre appresso
degli uomini .

Di Roma, il primo di Novembre. MDL.

406 *Al Duca di Fiorenza.*

QUESTA sarà per dar notizia all' Eccellenza Vostra , come io mi sono ricondotto a
Roma , acciocchè sappia dove mi comandare . Dio sa quanto abbia desiderato , ed ella
può saper quanto mi tornasse comodo , e satisfazione a far la strada di Toscana , per
baciarle le mani , e conferir le mie cose con
lei . La cagion che me n' abbia distolto ,
penso che per la sua prudenza le sia nota ,
e che me ne arà per iscusato . E , poichè
con la presenza non l' ho potuto visitare ,
sopplisco ora con questa ; avendo del resto
ragionato col Secretario Buonanni . E pregandola a tenermi per suo sempre , e dovunque io sono ; con tutto il core me l' of-
ferò , e raccomando .

Di Roma, il dì sopraddetto .

407 *Al Duca di Ferrara.*

PER foddisfare in parte al debito mio , e all' offervanza , ed obbligo , che tengo verfo l' Eccellenza Voftra , ho voluto con quefta farle noto il mio ritorno a Roma . Saperà dunque dove mi truovo , e confeguentemente fi potrà fervir dell' opera mia : fe per avventura le tornaffe bene di farmi tanto favore , come io defidero che faccia fempre , ed in ogni occorrenza . che per li molti favori, che riceve tutta la mia Cafa da lei , fono obbligatiffimo ,· e difpoftiffimo di farlo. E afpettando che fi degni di comandarmi , con tutto il core me le offero, e raccomando.

Di Roma, il dì fopraddetto.

408 *Al Vicelegato della Marca.*

DOMENICO Ciminelli da Macerata, citato a comparire davanti a Voftra Signoria , è ricorfo qui più per trovar modo di mitigar la fua indegnazione verfo di lui , che per fuggire il fuo giudicio , o querelarfi di lei . M' ha fatto pregare da perfona , che m' è cariffima , che io voglia effer quello , che glie ne renda un poco più propizia , o almeno non tanto fevera , quanto gli par di trovarla nelle cofe fue : tenendofi innocente di quanto li fu imputato la prima volta , e per affai leggier caufa richiamato la feconda.

da. Io fon certo ch'ella non è tanto rigida, quanto forfe s'immagina: tutta volta la giuftizia è formidabile per fe fteffa; e quefto giovine avendo tanto patito, quanto egli dice che ha fatto in prigione, non s'afficura di venirle innanzi, ancoraché non fi creda di meritar caftigo. Io ho tanta buona relazion di lui, che non voglio mancar di pregarla quanto poffo, che, poichè egli ha dato qui fecurtà di ftare a ragione, fi voglia contentare di non moleftar quella che ha data di coftà, e di moftrarfeli anco benigno, e trattabile, quanto può con onor fuo, e falva la degnità dell'officio: che certo me ne farà piacer fingolare. E a Voftra Signoria m'offero, e raccomando ec.

409 *Al Governator di Monreale* (a).

V i commettemmo che facefte contratto del Cafale di Falamonica a Meffer Jeronimo Upefinghi nel modo, che allora vi fi diffe. E benchè quella commeffione fia baftante a far che ne mettiate loro in poffeffo: pur non l'avendo fatto fino a ora, vi fi dice per quefta che ne diate loro libera poffeffione; e mandate a me la copia del contratto

fatto

(a) Il Cardinal Farnefe era Arcivefcovo di Monreale.

fatto con effi , fopra del quale ratificheremo ancor noi . E bene valete .

Di Roma, al primo di Novembre . MDL.

410   *Alla Ducheſſa d' Urbino .*

INTENDO che in Sinigaglia fi trova un Moisè d' Abram , Ebreo , il quale è debitore a un Pier del Riccio non ſo che ſomma di danari . E come malamente li tiene , coſì fugge per ogni via di reſtituirli . E , perchè io defidero che il creditore fia fatisfatto, prego Voſtra Eccellenza che voglia permettere , che detto Ebreo fia detenuto, fenza che fi venga per via di giudicio a darli tempo di nuova fuga , come dal detto Piero , o fuo Agente , farà ricerca : che me ne farà molto piacere . E a Voſtra Eccellenza mi raccomando .

Di Roma , al primo di Novembre fopraddetto .

411   *Al Duca di Fiorenza .*

TORNATO da Parma mi ſtava in Roma affai quieto , avendo dato buon ordine alla preſervazione delle coſe noſtre ; e godendomi de' favori , che Noſtro Signore per ſua benignità continua di farmi, e della protezione , che tiene di noi altri ; quando m' ha foppraggiunto la malattia del Duca Ottavio mio fratello , e di Madama nel medeſi-

mo tempo . E pur ieri per un corriere a
poſta mi fu fatto intendere che l'uno , e
l' altro hanno male di momento ; e quaſi
tutti dubitano di lunghezza . Nel qual caſo,
per ogni accidente che poteſſe naſcere , m' è
parſo neceſſario ch' io vi ritorni con diligenzia ; ed anco Noſtro Signore me l' ha co-
mandato . E come quello , che voglio ch' ella ſia ſempre conſapevole d' ogni mia azione , l' avviſo per queſta come in queſto
punto parto a quella volta . E dovunque io
mi ſia , ed in qualunque fortuna , in tutto
ch' io potrò mai con tutta la Caſa mia ſarò ſempre prontiſſimo a ſervirla . E alla ſua
buona grazia mi raccomando.

Di Roma, alli ii. di Novembre. MDL.

412   *A Carlo Quinto Imperatore.*

AVENDO io nuovo avviſo che l'indiſpo-
ſizione di Madama , e del Duca Ottavio era
di momento , e non ſenza qualche pericolo
della vita dell' uno , e dell' altro ; ho riſoluto di paſſare in diligenzia fino a Parma ,
acciocchè , per qualche ſiniſtro accidente che
occorreſſe , io fuſſi pronto a complire il debito mio circa la tutela di quel figliuolo .
Della qual coſa , con tutto ch' io abbi dato
conto al Signor Don Diego ſuo Imbaſciatore, m' è parſo nondimeno convenire alla ſervitù , e devozion che porto alla Maeſtà Voſtra , dargliene avviſo particolare per queſta
lette-

lettera : confidando che di questa mia azione la Maestà Vostra resterà satisfatta , e contenta , come di servitore che mira a farle servizio in tutte le occasioni , che mi si presentano . E con questa fiducia la supplico ad usar della sua solita , e grande benignità in verso della Casa nostra , che le sarà sempre devotissima .

Di Roma, il dì sopraddetto .

413   *A Monsignor d' Aras .*

ALL' ultima di Vostra Signoria de' xii. non occorre altra risposta , se non ch'io ho sentito grandissimo contento della corrispondenza , che mi mostra dell' affezione , che io con tutta la mia Casa le prometto , o per dir meglio le conservo ; essendo sempre stata la medesima , da che io la conobbi primamente: e dopo la morte dell' Illustrissimo suo padre, buona memoria , non vi aggiungo altro di nuovo , che quella stessa osservanza ch' io portava a lui , la quale come ereditaria trasferisco in Vostra Signoria ; e la prego che si risolva a tenerla per sincera , e per cordialissima , quanto io non le posso esprimere . E , sebbene in ogni occorrenza io m' ingegnerò a tutto mio potere di dimostrarla con gli effetti , non è però ch' io non desideri occasione ancora da lei di metterla in atto. E di ciò pregandola con tutto il core, me, li miei fratelli , e le mie cose tutte

tutte le offerifco di nuovo , e per fempre .
Refta ch' ella fi degni di valerfene , e di te-
nerne protezione per prefervarle ancora a fe
medefima , ed alli Signori fuoi fratelli : alli
quali infieme con lei cordialmente mi raccomando ec.

414   *Al Cardinal Crefcenzio .*

I L Buoncambi darà conto a Voftra Signoria Reverendiffima di quanto io ho commeffo , e fpezialmente di ciò che m' è ftato
ricordato per lettere del Cardinal Maffeo ;
il che fi fece fubito , come farò fempre tutto quello , che per un minimo cenno potrò
comprendere , che fia mente , e defiderio di
Noftro Signore . Ne ringrazio Voftra Signoria Reverendiffima infinitamente ; e la priego che , fecondo la fperanza ch' io *tengo*
in lei , fi degni d' avvertirmi di quel ch' io
medefimo in cio non conofceffi : e d' affecu-
rar Sua Santità ch' io non mancherò mai
di fervirla , e adorarla come fon tenuto per
tanti , e fi gran beneficj , e favori ricevuti
da Sua Beatitudine ; in buona grazia della
quale la fupplico a mantenermi . E a lei u-
miliffimamente bacio le mani.

Alli . . . . di Novembre. MDL.

 Al Duca d' Urbino.

Ho indugiato di scrivere a Vostra Eccellenza molti giorni , non avendo cosa di momento da farle intendere : il che non hò manco adesso . Le dirò nondimeno , che di Parma mi son ricondotto a Roma ; avendo lassato il Duca , sebben non guarito affatto , almeno in termine di securezza , e Madama sana del tutto . Desiderava nel ritorno visitar la Duchessa ; ma per lo meglio non m' è parso di far la via di Romagna . Ho preso quella di Toscana ; ed avendo mandato a Pisa il Cavalier Ugolino a scusarmi col Duca di Fiorenza , me ne son passato a dilungo da Scarperia per Mugello , e Valdarno , non senza diligenza , per esser a Roma quanto prima . Con tutto ciò sono stato cavato di strada dal Signor Ascanio della Cornia , e condotto a Perugia per una sera : che m' è stato però di molta satisfazione , avendo visitato Monsignor Illustrissimo , e Reverendissimo Cognato , col quale sono stato una mattina a pranzo.

Qui da Nostro Signore sono stato ricevuto con la sua solita benignità ; e Sua Santità continua ogni dì più mostrarsi graziosa , e favorevole alle cose nostre , le quali con Sua Maestà sono ancora ai medesimi termini . E , con tutto che io non ne speri più che tanto , pure avendo Don Diego

go

go avuto dalla Corte non fo che commeſſione di nuovo , m' è parſo far queſta diligenza di trovarmi a vedere quel che vuol dire . E di quanto ſegue , darò poi ragguaglio a Voſtra Eccellenza , alla quale intanto bacio le mani .

Di Roma , alli xx. di Decembre . MDL.

416 *Al Cavaliere Ardinghello* .

VISTO quanto ſcrivete dalli due di queſto fino alli xiii. , coſì a me , come al Veſcovo , ritraggo che la pratica del noſtro negozio è tronca del tutto ; e ſon chiaro affatto , che gli avverſarj noſtri poſſono appreſſo a Sua Maeſtà più con li mali officj , e con le falſe ſuggeſtioni a metterne in diffidenza della Maeſtà Sua , che noi altri con la ragione , col dovere , e col buon animo , che avemo avuto , ed avremo ſempre di ſervirla con quella fede , e con quella divozione , che avemmo fatto ſempre , e che non reſteremo di fare ancora per l' avvenire , non oſtante la diſdetta , che avemo con la Maeſtà Sua : ſperando che finalmente il proceder del tempo , la pazienza , e la ſervitù noſtra , e la prudenza , e la bontà di Sua Maeſtà ſia per ridur queſte coſe a miglior diſpoſizione , che non ſono al preſente ; che poichè coſì piace a Sua Maeſtà , coſì convien che ſia . E da qui innanzi non più per modo di negoziare , ma di porger ſempli-

cemen-

cemente la verità , s'ha a rifpondere così
da Monfignor Nunzio , come da voi alle
ombrate ragioni ; con che conofco che gli
nemici noftri muovono la mente della Maeftà Sua a diffidar di noi . E quanto a quello che dicono ch'io ho fpirito tropp'alto ;
Sua Maeftà l'ha potuto fino a ora conofcere in me, e in tutti i miei, che non avemmo potuto procedere con più fommiffione ,
nè con più rifpetto, che avemmo fatto verfo
la Maeftà Sua . Quanto al diffidarne , perchè ci tenemo mal fatisfatti de' Miniftri di
Sua Maeftà , quefto non fa che non ci poffiamo tener fatisfatti di lei. Che febben non
troviamo grazia feco , non è però che ce ne
difperiamo in tutto , e che non ci difponia-
mo a contentarci ancora di quel che piace
a Sua Maeftà . E da quefto può fare argomento , quanto faremmo contenti , e fatisfatti , e di più obbligati al fervizio fuo ,
quando ci degnaffe della fua grazia : non fi
dovendo credere che debba poter in noi più
l'ingiuria de' fuoi Miniftri , che lo rileva-
mento , e 'l beneficio fuo proprio , congiunti
con l'intereffe , che è piaciuto a Sua Maeftà ch'abbiamo feco ; e la naturale inclinazione, ed offervanza di tutta la Cafa noftra,
e l'abito, che fi può dir ch'abbiamo fatto
al fervizio della Maeftà fua : dalle quali cofe nè anco per l'ingiurie , che ci fono fatte
da' fuoi Miniftri , ci poffiamo diftorre . Ma
fino a tanto che la Maeftà Sua ftà perfuafa

delle

delle apparenti ragioni loro , conofco, che le noftre , per evidentiffime che fieno , non ci hanno loco . E per quefto non m' è nuova l' efclufion della noftra pratica : non mi farà ancor nuovo che non creda dell' infidie, che mi fi tendono tutto il giorno da loro . Delle quali fono ftato molti giorni a darvi notizia ec.

IL FINE DEL PRIMO VOLUME.

TA-

TAVOLA

De' Cognomi, o delle Dignità di coloro ai quali furono scritte le Lettere di quetto I. Volume.

Car-

Con-

IN-

INDICE
DELLE
COSE NOTABILI

Contenute in quefto Volume.

Can-

Fab-

S

e gua-

Pag. 29. e 31. di questo Volume, dove si legge *Monsignor Giuliano Ardinghelli*, dee leggersi *Messer Giuliano* ec.

I L   F I N E.